DO
ROCK
AO
CLÁSSICO

DO ROCK AO CLÁSSICO

Cem crônicas afetivas sobre música

ARTHUR DAPIEVE

AGIR

Copyright © 2019 by Arthur Dapieve

Direitos de edição da obra em língua portuguesa no Brasil adquiridos pela Agir, selo da EDITORA NOVA FRONTEIRA PARTICIPAÇÕES S.A. Todos os direitos reservados. Nenhuma parte desta obra pode ser apropriada e estocada em sistema de banco de dados ou processo similar, em qualquer forma ou meio, seja eletrônico, de fotocópia, gravação etc., sem a permissão do detentor do copirraite.

EDITORA NOVA FRONTEIRA PARTICIPAÇÕES S.A.
Rua Candelária, 60 — 7º andar — Centro — 20091-020
Rio de Janeiro — RJ — Brasil
Tel.: (21) 3882-8200

Imagem de capa: Getty Images / UniversalImagesGroup / Contributor
Imagem de quarta capa: Kevin Mccutcheon
Imagens de miolo: Clem Onojeghuo (Rock), Dark Rider (BRock), Kevin Mccutcheon (Músicas Populares), Chris Bair (Black Music) , Sudhith Xavier (Clássicos).

CIP-BRASIL. CATALOGAÇÃO NA PUBLICAÇÃO
SINDICATO NACIONAL DOS EDITORES DE LIVROS, RJ

D222d
1. ed.

    Dapieve, Arthur, 1963-
       Do rock ao clássico : cem crônicas afetivas sobre música / Arthur Dapieve. - 1. ed. - Rio de Janeiro : Agir, 2019.
       256 p.

       ISBN 978-85-220-0663-2

       1. Crônicas brasileiras. I. Título.

19-56874   CDD: 869.8
                                              CDU: 82-94(81)

Vanessa Mafra Xavier Salgado - Bibliotecária - CRB-7/6644
07/05/2019   08/05/2019

SUMÁRIO

Apresentação. 11

Rock. 18
    Kurt Cobain caiu no famoso ardil-22 19
    Ana Maria 20
    Elvis Costello 22
    Cortez the killer 25
    "Wish you were here" 27
    Velho sentido 30
    O sismo e o cisma 32
    Scott 35
    A família Drake 37
    "River" 40
    Gratidão 42
    Como desaparecer completamente 44
    O DJ de Meia-Idade 47
    Amy 49
    O travesti na delegacia 52
    Manhã de domingo 54
    Livro de orações 56
    O profeta 58

Bowie é 10 61
Dylanismo 63

BRock. 66
O país da Plebe 67
Olhe o Rappa 69
"Vento no litoral" 71
Gerações 74
O robô perene 76
Meus pergaminhos 78
E o Kid? 81
Beleza imaculada 83
Os quatro coiotes 85
De perto 88
Novo calor 90
Antes da explosão 92
A libido migra 95
Coisas tão mais lindas 97
Afetos 99
Tempo que passa 102
A última Legião 104
Remédio pra dar alegria 106
Epifania roqueira 109
Canções da revolta 111

Músicas Populares. 114
Roberto Carlos é Rei 115
Acerto de contas 117
"Manhã de Carnaval" 120
Samba de arroubo 122

O laboratório de Drexler 125
Morrer no mar 127
Confissão 129
Mr. Hime 131
O crítico 134
Referências 136
Sinal fechado? 138
Ao lado do caminho 140
Tatuí 143
Nazareth 145
Doente do coração 148
Os mineiros 150
Portela, Portela 152
Tom Drummond 154
Oficleide 157
Pronto, falei 159

Black Music. 162

Bill Evans. Amém 163
Paul Desmond 164
Jimi & Gil 167
Voz do além 169
Dioniso no Apollo 172
Lama, água e areias 174
Todo aquele jazz 176
A mensagem do Espírito Santo 179
Evans e Eça, noutro Rio 181
Sexo explícito 184
Abdullah 186
A terceira queda do raio 188

Da efemeridade 191
Comunicado à praça 193
"Clair de Lune" 195
A tempestade 197
Mary na guitarra 199
Jaco, 30 anos depois 201
O celacanto serelepe 203
O jazz militante 206

Clássicos. 208

Música fúnebre 209
Arte e generosidade 211
Bach tinha o número Dele 214
Martha, *my dear* 216
A ópera dos pelados 219
A sinfonia de Hiroshima 211
Inconsciente coletivo 224
Missas 226
A janela de Handel 229
Morrer de amor 231
Redemoinho 233
Aura 235
Mozart nas alturas 237
A queda para cima 240
Labareda 242
Sempre Dowland 244
Um pianista russo 246
Um pianista americano 249
Um pianista polonês 251
Tão longe, tão perto 253

Para Gabi e Gaudí,
que ouviram tanta música comigo.

APRESENTAÇÃO

A música já entrou na minha vida como uma experiência social, da porta para fora, algo a ser compartilhado entre amigos. Ninguém na família tocava nada, nem com ela mantinha profunda ligação de ouvinte. Em Barbacena, meu avô paterno assistia aos *Concertos para a juventude*, exibido nas antigas manhãs de domingo da Rede Globo. Havia um acordeão verde que só saía do estojo para ser admirado. Meu pai era colega de chope do então Jorge Ben num botequim da rua Paula Freitas. Minha tia por parte de mãe vira Dolores Duran cantar sua fossa numa boate da mesma Copacabana e, durante a minha infância, gostava de "Amada amante", de Roberto Carlos. Não tenho memória de minha mãe ouvir música, embora tivéssemos uma vitrola instalada num móvel elegante e alguns LPs com trilhas de novelas. Na verdade, minha mãe era tão silenciosa que hoje, 24 anos depois de sua morte, não me lembro mais como era a sua voz.

No entanto, há de haver algum significado se a família surge aqui, no texto de apresentação de uma coletânea com cem dos textos sobre música publicados na coluna que assinei no "Segundo Caderno" do jornal *O Globo*, entre 1993 e 2018. Quando comecei a me interessar à vera pelo assunto, já depois que meu pai saíra de casa, minha mãe e minha tia incentivaram a compra de meus próprios LPs e compactos, com pequenas quantias de dinheiro que eram certas, mas não regulares. Antes ainda, meu pai me dera de presente de aniversário um pequeno violão Giannini, tampo preto, belezura que eu nunca conseguiria dominar, por falta de disciplina e de grana para aulas, mas que na hora certa auxiliaria no processo de socialização de um adolescente tímido. Hoje, a música que o meu avô escutava pela TV na fria cidade mineira que seus pais europeus haviam escolhido para viver e morrer responde pela maior parte do que escuto.

Devo ter começado a prestar um mínimo de atenção em música pela versão de uma banda paulistana chamada Os Incríveis para "Era um garoto que como eu amava os Beatles e os Rolling Stones", gravada primeiro pelo italiano Gianni Morandi, trilha das minhas brincadeiras de soldado; pelo uso que Tia Rosélia fazia de "Help" nas aulas de inglês no Colégio Mallet Soares; e pela audiência que eu dava ao seriado de TV *The Monkees*, espécie de *irreality show* americano, estrelado pela banda pré-fabricada (mas boa). Pode-se perceber, por essas primeiras referências, que estávamos no final dos anos 60 e início dos anos 70 do século XX. Foi então que escutei e — tão importante quanto — vi *Atom heart mother*, o "disco da vaca" do Pink Floyd, na casa de um amigo do colégio, vizinho em Copacabana. O LP pertencia a seu irmão mais velho e, ali, ainda que inconscientemente, acho que entendi que a música era um troço danado de sério.

Comecei a colecionar discos um pouco depois, na mesma época em que quase todos os meus amigos estavam começando a colecionar discos. Meus primeiros LPs foram as antologias duplas dos Beatles, a vermelha e a azul; uma antologia dupla dos Rolling Stones; o primeiro volume dos "maiores sucessos" de Bob Dylan; *Wind & wuthering*, do Genesis; o "disco da vaca" e o "disco do prisma", *The dark side of the moon*, ambos do Pink Floyd. No futuro, perceberia que quase todos os grandes gêneros não brasileiros estavam contidos naquela meia dúzia de LPs: rock, pop, blues, jazz, música clássica, até um quê de música indiana. A partir daquele núcleo, deu-se um Big Bang. A ele se uniram, ao entender que vivíamos sob uma ditadura militar, os discos poéticos e politizados de Chico Buarque e, daí, o samba, o choro, a valsa e até um quê de fado. A coletânea em suas mãos é constituída pelos ecos e fragmentos daquele momento primordial. Afinal, como escreveu Camus, a obra de um homem "nada mais é do que esse longo caminho para reencontrar, pelos desvios da arte, as duas ou três imagens simples e grandes, às quais o coração se abriu uma primeira vez".

Meu coração foi se escancarando conforme cada um dos meus amigos assumiu, diante da turma, uma espécie de curadoria da obra de uma banda ou artista solo. Os então já extintos Beatles faziam parte de um patrimônio comum. Havia adolescentes "especialistas" em Stones, The Who, Black Sabbath, Yes, David Bowie ou Supertramp. Tinham a primazia de comprar-lhes os LPs e nos apresentar em audições comunitárias. Eu me julgava um grande *connoisseur* de Pink Floyd, meu primeiro grupo favorito. Ao menos até o dia em que ouvi *Never mind the bollocks, here's The Sex Pistols*, e meus valores musicais de beleza e técnica foram atacados a cusparadas para nunca mais conseguirem se limpar inteiramente. Dali até descobrir punks mais sofisticados, The Clash, minha segunda banda favorita, foi apenas um passo, um passo de coturno. Percebi que poderia tocar algo, mal, pois estaria conceitualmente justificado: eu agora era punk! Comprei uma bateria preta incompleta. Paralelamente às audições e aos ensaios com dois amigos, comecei a ler avidamente toda e qualquer crítica musical disponível. Não eram muitas numa época tão fechada, antes do advento da internet. Apesar disso, quando me formei em jornalismo, não me pareceu óbvio que eu deveria juntar o útil — ganhar algum dinheiro, pagar as contas, viajar, comprar mais discos — ao agradável. A vida tem o sentido que a gente dá a ela, diária e retrospectivamente.

Por conta da onivoridade intrínseca ao rock, eu sempre escutei um pouco de tudo. No entanto, gêneros assumiram ou perderam protagonismo nos meus aparelhos de som com o passar dos anos. A ordem das seções do presente livro reflete, grosso modo, essas ascensões e quedas. Começo por selecionar vinte colunas dedicadas ao Rock, naturalmente. Seguem-se vinte colunas dedicadas àquele que — já como profissional — batizei de BRock, o gênero afinal sendo naturalizado brasileiro, depois de sofrer duas décadas de desprezo como "imperialista ianque". Vêm, então, vinte colunas dedicadas a Músicas Populares, assim, no plural, porque entre os artistas brasileiros, incluí um uruguaio e um argentino. Minha maneira de dizer que ignoramos bestamente a produção dos outros latino-americanos... Chega a vez das vinte colunas dedicadas ao que chamo de Black Music por agregar jazz, sobretudo jazz, blues e soul, manifestações da rica história musical dos negros nos Estados Unidos. O volume se encerra com vinte colunas dedicadas aos Clássicos, paixão que hoje ocupa o lugar que foi do rock.

Contudo, se o critério de organização tivesse sido não a separação em cinco grandes blocos de gêneros e sim a ordem cronológica da publicação de cada texto em *O Globo*, poder-se-ia atestar o que afirmei na primeira frase do parágrafo anterior: sempre ouvi um pouco de tudo. Os gêneros apareceriam misturados, apesar do protagonismo de um ou outro. Optei pelo recorte estilístico porque, dentro de cada seção, os textos dialogam entre si mais explícita e intimamente. No processo de reler e escolher cem dentre uma pré-seleção de 216 colunas, percebi que, apesar do "gosto confuso" — suposto xingamento feito por um internauta — do qual me orgulho, houve sempre uma linha de raciocínio. Interessa-me a música, o músico e a História em torno de ambos.

Minha voracidade auditiva fez com que eu sempre implicasse com quem quer que qualifique determinado gênero musical como "puro". Isso é esnobismo, espírito sectário, tolice. Nenhum gênero se desenvolveu numa redoma de cristal, isolado de intercâmbios e contaminações. No caso do rock, a impossibilidade de qualquer "pureza" — musical, moral, racial — talvez seja ainda mais evidente. O gênero surgiu, nos anos 50, da relação extraconjugal entre elementos da country music, branca, caipira, e do rhythm'n'blues, negro, urbano. Ou seja, era desde a manjedoura um ato de subversão. Acabou incorporando muitos sons, amadurecendo e sendo domesticado pelo establishment, mas já tinha revelado obras e artistas capazes de ombrear com as maiores obras e artistas de outras áreas da criação humana. Em janeiro de 2016, por exemplo, a morte de David Bowie foi comparada por parte da imprensa ao desaparecimento de um Pablo Picasso. Não foi exagero. Gênios, os dois. Inclusive porque ninguém como Bowie — com exceção dos Beatles — compreendeu de forma tão completa que o rock nunca foi apenas música: foi também poesia, artes visuais, moda, consumo, comportamento, pronunciamento político, intervenção social em seu tempo.

Era exatamente este o caso da ideia por trás do termo BRock, que me ocorreu ao final dos anos 80, numa época em que Jamari França usava a expressão Rock Brasil para denominar o mesmo fenômeno. Seja como o chamemos, ele foi a música certa na hora certa: a nossa redemocratização aos trancos e barrancos. Desde o *boom* do rock no exterior tivéramos versões locais, sim. Entretanto, por serem meras traduções ou cópias e pela discutível sinceridade dos intérpretes (oriundos de outros gêneros, dispostos a faturar em cima do que parecia ser apenas uma moda), o rock

APRESENTAÇÃO

não se afirmara como uma das incontáveis possibilidades de se fazer música brasileira, apesar dos Mutantes ou de Raul Seixas. Só naqueles anos 80, graças à influência da grosseria punk, ele dera uma banana para a "linha evolutiva da MPB" — expressão que maquiava o que havia de conflito dentro da arte — e sonhou ser rock inglês cantado em português, alcançando uma massa de ouvintes inédita no Brasil. Graças, também, a um ou outro pacote econômico fugazmente bem-sucedido a lhe potencializar as vendas. Firmada a posição de ruptura, gente como Cazuza, Paralamas do Sucesso ou Legião Urbana pôde enfim se reconciliar com as músicas brasileiras anteriores.

As músicas brasileiras anteriores já eram, por si sós, amálgamas e adaptações de outras músicas, europeias e africanas, clássicas e populares. Só uma visão retrospectiva poderia discernir qualquer coisa como uma "linha evolutiva da MPB" no meio de um novelo com tantas pontas saudavelmente soltas. A própria imposição da sigla como sinônimo de música popular brasileira confundia a História com um momento iluminado nos anos 60, no qual os festivais da canção e os centros populares de cultura da União Nacional dos Estudantes revelaram grandes nomes, que aí estão até hoje: Chico Buarque, Paulinho da Viola, Aldir Blanc, Renato Teixeira, Milton Nascimento. Note-se que cada um — e tantos outros que não constam deste volume — sempre teve uma pegada musical completamente diferente, apesar da predominância do samba, mas... Qual samba? Foi acompanhando essa turma já em movimento que a música popular brasileira passou a dividir com o rock a agulha de minha vitrola portátil Philips, de plástico abóbora, na qual a tampa era a caixa de som. A partir dessa turma é que fui chegando ao "antes" de um Ernesto Nazareth e ao "em torno" de um Fito Páez.

Tanto o rock quanto a bossa nova foram me preparando para o jazz. Bem, no final das contas, talvez nada nunca nos prepare para a explosão de criatividade do gênero definido por Tárik de Souza como "a música clássica dos negros norte-americanos". Qual um antepassado comum ao rock, o blues, o jazz era a apropriação, pela altamente melódica e percussiva musicalidade da África, de instrumentos, escalas e partituras europeias. Embora hoje o gênero esteja associado à chamada "alta cultura", a crítica norte-americana no início do século XX o taxara preconceituosamente de "música da selva", e Theodor Adorno, o filósofo mais elitista da Escola de Frankfurt, se escandalizava com o que via como sintoma de uma cultura degenerada. Diante desse gênero codificado pelo trompetista e cantor Louis Armstrong como a arte do solista que improvisa, eu chegaria a comprar um saxofone alto — vergonhosamente encostado em seu estojo, ali na sala — pela admiração que Paul Desmond me despertaria. E, cada vez que surge um Kamasi Washington ou uma Mary Halvorson, cogito retomar o estudo de sax para logo recair na minha realidade de teclados. De computador. Jamais ousaria sequer sonhar passar os dedos pelo instrumento de Bill Evans ou Keith Jarrett.

Por fim, no infinito campo da música clássica, sujeito ele mesmo à influência das diversas músicas populares nacionais, foi o piano que sempre me atraiu mais. Muito embora eu me derreta ao ouvir as cordas de um Bruckner e um tanto tardiamente tenha me convertido ao encanto lírico de um Puccini. São testemunhas de admiração pelos pianistas os textos sobre Nelson Freire, Martha Argerich, Mitsuko Uchida e Yuja Wang, sem falar nos intérpretes mortos. Só no processo de seleção deste volume é que essa velha predileção me pareceu tão óbvia. Até porque, durante algum tempo, eu cogitara comprar ou um oboé ou um clarinete (compatível com jazz e choro!) para dar vazão ao meu impulso infantil de tocar algum instrumento para valer. Hoje, entendo que faço pela música o que melhor poderia fazer: escrevo e dou cursos livres sobre ela e suas histórias, tentando passar adiante um pouco da minha paixão.

Portanto, não ofereço aqui nem uma teoria totalizante, nem um panorama histórico, nem mesmo um guia de música. O presente livro me parece mais meu diário — ou semanário, dada a periodicidade da publicação em *O Globo* — de audições. Relendo-o, sou capaz de associar cada texto a determinado momento de minha vida. É possível que quem o leia consiga estabelecer o mesmo tipo de relação. Porque os critérios de seleção foram, além da simetria das vinte colunas por gênero, da relevância dos artistas tratados e da minha satisfação com esses textos em si, as memórias dos próprios leitores. Alguns clamavam pela publicação de uma compilação desta natureza. Alguns solicitavam o envio por e-mail de uma coluna lida que lhes agradara em particular, eventualmente até recortada do jornal, mas perdida. Cheguei a listar nomes, para publicá-los

APRESENTAÇÃO

num anexo. No entanto, logo percebi que eu não me lembraria de todo mundo, e que a seção de agradecimentos se tornaria manifestação de ingratidão. Saibam, porém, que durante 25 anos vocês me ajudaram a escolher as cem colunas sobre música aqui reunidas. Muito obrigado. Àqueles que nunca as leram, ofereço este compartilhamento entre amigos.

Way It Is **ELVIS** Tha

 SEE
THE MGM PERSONAL APPEARANCE

KURT COBAIN CAIU NO FAMOSO ARDIL-22

O ardil-22, tal como exposto no livro de Joseph Heller levado às telas por Mike Nichols, consiste no seguinte: se você pede dispensa da Força Aérea (ou de qualquer outra arma em tempos de guerra), alegando insanidade, você obviamente não é louco e, portanto, não será dispensado. Uma espécie de se-correr-o-bicho-pega-se-ficar-o-bicho-come. Kurt Cobain caiu num ardil-22. Começou a cantar e tocar por revolta. Revolta contra um *establishment* roqueiro que agia como se o movimento punk nunca tivesse existido em meados dos anos 70. Ou seja, revolta contra gente que chafurdava feliz no próprio marasmo pequeno-burguês, distante da rapaziada ali da esquina. O Nirvana — e alguns de seus pares de Seattle — pretendia expressar essa insatisfação. Conseguiu. E tão bem que logo todo o movimento — já batizado pela mídia de *grunge* — foi cooptado pela espertíssima indústria fonográfica americana. Cobain, então, passou a ter de conviver com as pessoas que odiava: executivos, superastros e fãs cegos. Na sexta-feira retrasada, dia em que foi encontrado o corpo do músico de 27 anos, miolos estourados, a CNN mostrou um fã de Seattle usando uma camiseta com a capa do álbum arrasa-quarteirão *Nevermind* — aquela com o bebê na piscina, prestes a ser fisgado por uma nota de dólar — e os dizeres "Cobain está no inferno", recém-pichados. "Está no inferno porque o suicídio é um pecado", explicava o (ex?) fã. O pecado de Cobain foi outro. Foi achar que ao pedir dispensa com um tiro na cabeça estaria livre da veneração, veneração que sabia ser insana. Mas a lógica do ardil-22 é implacável: se ele não queria a veneração, se até se matou por isso, é um mártir a ser canonizado a toque de caixa (registradora). Hoje, milhares fazem vigília na porta de sua casa, um ou outro se mata, seus quatro discos vendem barbaridade, alguns executivos estão ainda mais ricos e sua mulher, Courtney Love, posa de Yoko Ono. Kurt Cobain não descansará em paz.

(16/4/1994)

ANA MARIA

Decidi escrever sobre música vinte anos atrás. Até então, achava que minha contribuição ao rock'n'roll poderia ser dada com as baquetas ou, ao menos, rabiscando umas letras. Mas algo aconteceu, algo que mudou minha vida: li um texto de Ana Maria Bahiana na revista *SomTrês* de julho de 1980. O texto se chamava "Um susto, uma paulada: Clash! E a vida recomeça" e era uma crítica, ainda a partir de uma cópia importada, do recente álbum duplo (em LP) *London calling*, de 1979. Ao terminar de lê-la, sabia o que queria fazer da vida: compartilhar, para além da turma de Segundo Grau, o prazer de descobrir um bom disco. Se algum dia conseguisse transmitir a alguém um entusiasmo similar ao que Ana Maria havia me passado pelo Clash...

Àquela altura do campeonato, eu já conhecia tanto uma quanto outro. Para os poucos garotos que não achávamos impossível manter uma cultura roqueira no Brasil (lembre-se, 1980 foi antes de Gang 90, Blitz, Paralamas, Barão, Titãs, Legião...), Ana Maria era um ponto de referência. Não só ela como a *SomTrês*, na qual encontrávamos seus textos e os de José Emílio Rondeau, Júlio Barroso, Ezequiel Neves. Quanto ao quarteto punk comunista inglês, numa das maluquices típicas da indústria fonográfica brasileira, seu primeiro LP, *The Clash*, havia sido lançado aqui no mesmo 1977 em que saíra na Grã-Bretanha. Não muito depois, eu me atracara com ele na loja Billboard. Em julho de 1980, porém, eu preferia os anarquistas Sex Pistols.

No entanto, o texto de Ana Maria era um fascinante exercício de estilo, tesão, inteligência, conhecimento. Guardo-o até hoje na pasta de recortes. Começava a crítica: "Aí você vem vindo um dia pela rua achando que talvez não haja futuro mesmo, como diziam os Sex Pistols — 'noooo fffuture, nooo fffuture, noo ffftuuuure for yoooouuuu' — ou que a tal maturidade chega mesmo e seus ouvidos ficam mais grossos ou que esses samboleros de desencontro amoroso aí do rádio até que não são chatos assim ou que, caramba, às vezes é melhor pôr uns patins e comprar umas joelheiras rosa-shocking e uns fones de ouvido para ficar plugado na Rádio Cidade."

"Ei, essa mulher está falando comigo!", pensei. Seguia-se — a partir da frase "aí você ouve: 'Londres está chamando'" — uma vívida descrição do que acontecia com o tal "você" (eu, ela, uma pessoa só) conforme ia sendo atropelado por músicas que ali nem sequer tinham nome, mas que, com o álbum nas mãos, descobriria se chamar *London calling*, "Lost in the supermarket", "The guns of Brixton", "Koka Kola", "Death or glory". As dezoito músicas — que "você" descobria serem dezenove, quando a maravilhosa "Train in vain" se erguia dos sulcos sem ser anunciada na contracapa — constituíam o melhor disco de toda a história do rock'n'roll. Embora Ana Maria não afirmasse isso, eu já tinha essa certeza antes de tê-lo escutado. A audição apenas comprovou: *London calling* era, sim, o melhor disco de toda a história do rock'n'roll.

Por uma das coincidências que dão graça a essa tal de vida, não faz um mês que botei as patas nas versões importadas, remasterizadas e com artes originais restauradas — letras, brilhantes letras inclusive — de *London calling*, de *Sandinista!* (1980) e de *Combat rock* (1982), os três últimos trabalhos da banda de Joe Strummer, Mick Jones (vozes e guitarras), Paul Simonon (baixo) e Topper Headon (bateria). Houve uma tentativa safada, de Strummer, Simonon e três asseclas, de lançar mais um disco sob o nome The Clash, *Cut the crap* (1985), tentativa que é melhor desconsiderar.

Passados vinte anos, *London calling* permanece de pé e, remasterizado em CD, refulge sem nenhum arranhão. Nele, os quatro ingleses instintivamente historiavam a música pop do século XX. Claro, sendo punks, havia obras-primas do subgênero, como a faixa-título (cujo verso "aquela falsa beatlemania já caiu por terra" conquistou este panque da periferia global), "Four horsemen", "I'm not down". Mas havia também rockabilly ("Brand new Cadillac"), jazz ("Jimmy Jazz"), ska ("Hateful"), disco

("Lost in the supermarket"), reggae ("Revolution rock"), soul ("Train in vain"). Não contentes, um ano depois do LP duplo, eles poriam nas ruas um triplo, *Sandinista!*

Dessa vez, o Clash olhava para a frente. E enxergava a biodiversidade que o rock teria de cultivar a fim de superar as limitações do formato guitarra-baixo-bateria. Tinha valsa ("Rebel waltz"), música latina ("Washington bullets"), ainda mais música negra ("Corner soul", "If music could talk"), prototrip hop ("Mensforth Hill"). Já era um álbum do século XXI, o que hoje se torna mais evidente nas seis últimas faixas, que preenchiam o sexto lado de LP. São remixes e versões de outras músicas do próprio *Sandinista!* — e da faixa "Career opportunities", do primeiro disco, aqui, toque genial, cantada por crianças. Já "Combat rock" era um LP simples mais ortodoxo, com clássicos roqueiros como "Should I stay or should I go" e "Rock the Casbah".

Ana Maria concluía seu texto sobre *London calling* com duas frases que, para mim, até hoje decidem se um disco (do Cake ou do Gomez) desperta ou não a vontade de comunicar sua existência: "Alguma coisa quebrou, irremediavelmente, em seu peito. Você está vivo." Os discos do Clash continuam me dando taquicardia. Por tudo isso, é uma honra ser colega da "Hollywoodiana" — e de seus discípulos diretos, Carlos Albuquerque e Tom Leão — neste "Segundo Caderno" das sextas-feiras.

(7/7/2000)

ELVIS COSTELLO

Quando os palcos do Rock in Rio estão silenciosos, minha vitrola mental é tomada pela obra de um sujeito ainda inédito em carne, osso e óculos de aro grosso no Brasil: Elvis Costello. Trata-se de um efeito colateral do livro/peça/filme *Alta fidelidade*, de Nick Hornby, de meses atrás. Já na trama original de Nick Hornby, o artista nascido Declan Patrick MacManus tinha um papel de destaque na trilha sonora da vida e dos pés na bunda do personagem Rob Fleming. *High fidelity*, aliás, é o título de uma música do seu álbum *Get happy!*, de 1980.

Acometido pela tal febre, percebi que tinha pouca coisa de Costello em CD e, os melômanos anônimos irão entender isso, fui atrás da nova obsessão. Com as edições remasterizadas da Rykodisc, cheias de singles, inéditas e versões alternativas, o delírio revelou-se até mais prazeroso. Reparei em coisas que não tinha notado na época dos lançamentos em LPs ou K7. Não tinha, inclusive, porque, ali, no começo dos anos 80 do século XX, uma das questões Marlene x Emilinha da minha geração era Elvis Costello x Joe Jackson, de quem eu gostava mais — e de quem eu ainda gosto muito.

Tanto o guitarrista Costello quanto o pianista Jackson eram punks sofisticados, por mais paradoxal que isso possa soar. Para quem os conheceu na manjedoura, não foram surpresas as posteriores gravações com um quarteto de cordas ou Burt Bacharach, num caso, e com uma big bandinha de jazz ou uma orquestra sinfônica, noutro. Além disso, ambos tinham vozes peculiares, a serviço de excelentes letras. Costello, no entanto, falava um pouco demais e me deixava meio zonzo. Jackson ia direto ao ponto. Tornou-se meu favorito por discos como *I'm the man* e *Night and day*.

Fiquei, portanto, com certo déficit de Elvis Costello. *Alta fidelidade*, de Nick Hornby, despertou-me a vontade de transformá-lo em superávit. Se Rob Fleming era capaz de listar rapidinho suas cinco canções favoritas, eu tinha que parar para pensar. As dele eram "Alison", "Little triggers", "Man out of time", "King horse" e uma versão estilo merseybeat de "Everyday I write the book". As minhas... Bem, após meses de audição e estudo, lá vão elas, comentadas em ordem cronológica, com votos de que Elvis Costello em breve esteja entre as atrações de um novo Rock in Rio ou, mais apropriadamente, avulso no ATL Hall ou no Canecão.

1ª) (The angels wanna wear my) Red shoes. De 1977, *My aim is true* é o disco de estreia de Costello, gravado com o grupo americano Clover, não creditado por razões contratuais. É também o disco das clássicas "Welcome to the working week", "Blame it on Cain", "Alison" e "Watching the detectives". Muitos o consideram o melhor disco de estreia da história do rock. Talvez seja, apesar de *The Who sings "My generation"*, sei lá... O que sei é que minha faixa favorita é "Red shoes", uma pequena bobagem roqueira, simples, melodiosa e ritmada, 2m47s de alegria;

2ª) (Whats's so funny 'bout) Peace, love and understanding. Na época do LP, *Armed forces*, de 1979, chamado de "disco dos elefantes" pela capa, foi o meu preferido, mais pesado e tosco que os outros. Porém, a edição nacional, calcada na inglesa, não trazia esta aqui, um primor de cinismo pós-hippie. No CD, ela é a derradeira faixa oficial — há oito extras, inclusive uma versão torturante para o *standard* jazzístico "My funny valentine". Desde o álbum anterior, Costello se fazia acompanhar pelos Attractions, do craque Steve Nieve (teclados), de Bruce Thomas (baixo) e de Pete Thomas (bateria), os dois sem parentesco;

3ª) Almost blue. Embora exista um álbum com este nome, a faixa faz parte do disco seguinte, *Imperial bedroom*, de 1982, extremamente suntuoso, como o título entrega. O trompetista americano Chet Baker chegou a gravá-la. Trata-se de uma das canções mais lindas de doer do milênio que passou, coisa de profundo desamor. Costello canta cheio de solenidade e fel dois de seus melhores versos, a saber "there's a girl here and she's almost you" (há uma garota aqui e ela é quase você) e "flirting with this disaster became me" (tornei-me esse flertar com o desastre). Com licença que eu vou ali na esquina cortar os pulsos e já volto;

4ª) Home is anywhere you hang your head. Lançado em 1986, *Blood & chocolate* não costuma ser muito elogiado, apesar do brilhantismo. O baladão cruel e suingado é a fagulha mais genial, cujo título faz-me pensar numa velha canção de Burt Bacharach, "A house is not a home". A letra também está entre as melhores de Costello. Saquem só essa parte do refrão: "But you know she doesn't want you/ But you can't seem to get in your head/ Oh and you can't sleep at night/ And she haunts you when you go to bed" (Mas você sabe que ela não te quer/ Mas você não parece aceitar/ Oh e você não consegue dormir à noite/ E ela te assombra quando você vai para a cama);

5ª) Baby plays around. Outra canção de fossa, constante do álbum *Spike*, de 1989. Costello a interpreta acompanhado somente pelo seu violão e pelo discreto órgão de Mitchell Froom. Numa tradução livre, poder-se-ia chamar de "Melô do corno manso", que se lamenta por amar tanto "a garota que brinca por aí". Tem dois dos mais cortantes versos de abertura jamais escritos: "It's not open to discussion anymore/ She's out again tonight and I'm alone once more" (Não está mais aberto para discussão/ Ela está fora de novo esta noite, e eu mais uma vez estou só).

Logo mais, entre o Halford e o Iron Maiden, vou estar assobiando essas melodias pela Cidade do Rock.

(19/1/2001)

PS: Leitores atentos e costellômanos, como a Carla e o Wellington, lembram que ao contrário do que eu disse na semana passada, Elvis Costello não é exatamente inédito de corpo presente no Brasil, tendo se apresentado no Free Jazz de 1997, ao lado da Mingus Band, com a qual cantou alguns números. Obrigado, gente. (*Errata publicada no pé da coluna a seguir, em 26/1/2001*)

CORTEZ THE KILLER

Existe uma antiga querela, tão estéril quanto interessante, entre os melômanos. Divide os que dão preferência às apresentações ao vivo e os que valorizam a audição do disco. Para os roqueiros, a questão é menos candente: pode-se dizer que foi o sucesso de Elvis Presley que inventou, ou ao menos consolidou, aquilo que hoje chamamos de indústria fonográfica. Logo, a própria ideia de uma música desprovida de base material nos parece sem sentido. Os Beatles, afinal, continuaram os Beatles longe dos palcos.

No entanto, para os amantes da música clássica ou do jazz, herdeiros de uma tradição anterior ao rock e à indústria fonográfica, a diferença essencial entre estar coletivamente na presença física da orquestra ou do combo e estar ouvindo a sua reprodução técnica no aconchego solitário do lar soa bem mais notável. A vulgarização desse momento mágico por automóveis e elevadores acrescentou novas nuances ao problema do onde, do quando e do como ouvir Brahms ou Ellington.

Pois bem. Na madrugada de sábado para domingo passados, Neil Young tomou partido dos que defendem o primado da música ao vivo. Sua acachapante apresentação no Rock in Rio 3 justificou toda a expectativa dos fãs e o entusiasmo do empresário Roberto Medina quando de sua contratação. Foi o melhor show de toda a história do festival, aí incluídas, claro, as edições de 1985 e 1991. Foi o melhor show de minha vida, superando até o do Echo & The Bunnymen, no Canecão, em 1987, e o de Nick Cave & The Bad Seeds, no Scala, em 1989, ambos soberbos.

E nada, nem os muitos discos ao vivo gravados por Young no decorrer de sua prolífica carreira, discos como *Weld*, de 1991, *Rust never sleeps* e *Live Rust*, os dois de 1979, ou mesmo *Four way street*, de 1971, ainda nos tempos com Crosby, Stills & Nash, nada poderia nos ter preparado para o que assistimos. Ao final das quase duas horas em que o canadense e o grupo Crazy Horse — Frank Sampedro (guitarra e teclados), Billy Talbot (baixo) e Ralph Molina (bateria) — estiveram no palco com as vocalistas Astrid (irmã) e Peg (mulher) Young, as pessoas se abraçavam, chorando de felicidade naquele descampado em Jacarepaguá.

Havia menos gente para ver Young do que para ver qualquer outra atração de fim de noite do festival, possivelmente um quarto da plateia do Guns N'Roses ou um quinto da dos Red Hot Chili Peppers, por exemplo. Apesar de toda a sua bagagem, reconhecida até pelos punks e pela garotada de Seattle, aquele senhor de 55 anos de idade não toca nas rádios brasileiras. Seu público abarca quem, em todas as faixas etárias, está interessado na história do rock. Seu trabalho dilacerado entre o folk mais puro e a eletricidade mais cacofônica baliza tudo o que está no meio.

A própria frequência com que Young registra seus shows em disco indica o quanto são importantes para ele e para seus fãs. Ainda há pouco, por exemplo, saiu *Road rock — Friends & relatives*, gravado com outra banda e um repertório completamente distinto do apresentado no Rock in Rio. Em comum, apenas as longas durações, digressivas, elétricas, cheias de microfonias. Porém, até para quem já havia memorizado cada palhetada dos dezoito minutos de "Cowgirl in the sand" ou dos onze minutos de "Words", o show de sábado/domingo foi chocante.

Nunca o Brasil havia presenciado tamanha entrega de um artista estrangeiro, rivalizada somente pelo autoexorcismo praticado por Kurt Cobain no Hollywood Rock de 1993. O show do Nirvana, contudo, não foi tão bom. Cantando e tocando com ardor "Cinnamon girl", "Hey hey, my my" ou "Powderfinger", o cinquentão tomou a plateia como refém. O preço do resgate era uma entrega equivalente à sua, algo impossível de ser feito ou sequer concebido só com a audição de um CD. Sua aura, sua presença ali, diante de nossos olhos, em carne e osso, abriu um fosso entre ouvir Neil Young e assistir (a) Neil Young. Física e psicologicamente devastador.

"Like a hurricane" foi o melhor exemplo de seu método. A canção que o Roxy Music reinterpretara como um baladão podre de chique foi recuperada como... como... bem, como um furacão. Young executou-a com tal arrebatamento que uma das cordas de sua Les Paul se rompeu, ferindo-o. Mesmo sangrando, ele nem pestanejou. Pegou a corda arrebentada e começou a batê-la contra os captadores, tranformando a guitarra noutro instrumento e "Like a hurricane" numa melodia fantasmagórica e pungente.

Para mim, entretanto, o ponto alto foi "Cortez the killer". Com ela, chorei e continuo chorando quando, como agora, escrevo escutando a versão de *Live Rust*. Consta que os astecas previram o fim do (seu) mundo para o equivalente ao nosso 1519, ano em que Hernán Cortez chegou ao México. Young narra esse apocalipse mediante uma elipse e solos tristíssimos de guitarra. Apresenta a civilização de Montezuma de maneira propositalmente idílica, inclusive justificando que "eles ofereciam vida em sacrifício/ Para que outras pudessem prosseguir". Insere uma estrofe lírica, falando de um amor no passado. E afinal comenta: "Ele veio dançando através das águas/ Cortez, Cortez/ Que assassino." Ouvir isso no Rock in Rio foi uma catarse emocional, uma maneira de chorar por paixões e civilizações perdidas, pelo fim de um mundo melhor.

(26/1/2001)

"WISH YOU WERE HERE"

Desculpe, mas eu vou chorar. Peço licença aos sertanejos da Era Collor para avisar que se de fato, na noite do próximo 9 de março, durante sua apresentação na Praça da Apoteose, Roger Waters cantar "Wish you were here", eu vou chorar. Homem não chora? Aqui, ó. Queria ver ouvir impávido Neil Young destroçando "Cortez the killer" no Rock in Rio do ano passado... Pois repito: se Waters, "o gênio do Pink Floyd", como apregoam cartazes em pontos de ônibus e anúncios em jornal, numa propaganda não enganosa, se ele cantar "Wish you were here" (e "Time" e "Mother" etc.), eu vou ter de tirar o lenço do bolso.

Dada a responsabilidade, hesito antes de escrever isso, mas "Wish you were here" é a música da minha vida — do mesmo modo que as novas gerações podem investir nesse papel "Pennyroyal tea", do Nirvana, ou "Fake plastic trees", do Radiohead. "Wish you were here" é aquela cuja letra (do baixista Waters) mais "me disse" coisas em variados momentos da vida. É aquela cuja interpretação de David Gilmour (era o guitarrista do Pink Floyd quem originalmente a cantava no álbum homônimo, de 1975) consegue transmitir mais nuances de emoção e sentimento: tristeza, ternura, raiva, desespero, despeito. É aquela balada cuja melodia (de Waters & Gilmour) bate mais fundo em algum lugar que creio estar aqui por dentro.

Wish you were here, o disco, teve a terrível missão de seguir *Dark side of the moon*, o álbum de 1973 que vendeu mais de 25 milhões de cópias ao redor do planeta. Para efeito de identificação visual, importantíssima quando se trata de Pink Floyd, este é "o disco do prisma" enquanto seu sucessor é o "o disco do aperto de mão no qual um dos caras está pegando fogo". Esmagados pela genialidade do trabalho anterior, Waters, Gilmour, Rick Wright (teclados) e Nick Mason (bateria) voltaram aos estúdios de Abbey Road sem terem muito o que dizer, exceto uma peça de vinte minutos chamada "Shine on you crazy diamond". Então, em certo momento do parto de seis meses, eles decidiram usar o sócio-fundador extraviado dentro de sua própria cabeça, Syd Barrett, para falarem de si mesmos. E três novas canções foram escritas, inclusive "Wish you were here".

Desde os tempos em que Barrett surtara de vez, em 1968, todos os discos do Pink Floyd abordavam, de modo mais ou menos escancarado, o tema da loucura. No de 1975, ele foi retomado de um ponto de vista ligeiramente diferente: o louco prototípico (Barrett, claro) era um sujeito que havia pirado por conta das pressões da vida cotidiana, da máquina de moer carne humana chamada indústria fonográfica e da hiperexposição na mídia. Era como os quatro membros da banda estavam se sentindo: pirando. A arte funcionou como uma válvula de escape. No disco, uma música se chamava "Welcome to the machine" (Bem-vindo à máquina) e, noutra ("Have a cigar"), um executivo declarava: "A banda é realmente fantástica, é o que de fato penso/ A propósito, qual de vocês é o Pink?"

Nesse contexto, "Wish you were here" era a faixa mais emocionada e acústica num disco eletrônico, deliberadamente frio e asséptico — como os corredores de um hospício, costumo dizer. O destinatário da mensagem era Barrett (vivo até hoje),[1] mas poderia ser também qualquer outra pessoa a quem se ama ou a quem se quis amar. A letra abre com um desafio ("Então, então você acha que pode diferenciar o Céu do Inferno, céus azuis da dor?"), emenda com uma série de outras perguntas ("E eles conseguiram que você trocasse seus heróis por fantasmas? Cinzas quentes por árvores?") e arremata com um desabafo: "Como eu queria, como eu queria que você estivesse aqui/ Nós somos apenas duas almas perdidas nadando num aquário, ano após ano/ Correndo sobre o mesmo velho chão/ E o que encontramos? Os mesmos velhos medos/ Queria que você estivesse aqui." *Brrrrr.*

Como tudo associado ao Pink Floyd, "Wish you were here" carrega pencas de histórias. Há, por exemplo, a do gordo e calvo Barrett no estúdio, deixando seus companheiros em lágrimas. Há outra que me parece ainda mais estranha. Gilmour cismou que no final da faixa-título deveria haver um violino. Por coincidência, também estava na casa da EMI o violinista francês Stéphane Grappelli, gravando com o colega erudito Yehudi Menuhim. Alguém fez a ponte, e Grappelli tocou ao final de "Wish you were here". Tocou ou teria tocado, não sei. Waters já declarou que sim: "Você pode ouvi-lo se escutar muito, muito, muito atentamente o finalzinho de 'Wish you were here', você pode ouvir um violino entrar depois que o som do vento começa." Não sei se é uma piada e sei que sou meio surdo. Contudo, escuto o disco há uns 23 anos, no barato, e nunca ouvi nada.

Seja como for, "Wish you were here" continua a me emocionar. Outro dia, descobri uma versão dele com Thom Yorke, do Radiohead, mais o grupo Sparklehorse, que me deixou transtornado de tão econômica, intensa e sofrida. Ano retrasado, Wyclef Jean (ex-Fugees) também tinha gravado uma bela versão rap-reggae no álbum *The ecleftic*. Depois, cantou-a no David Letterman, em homenagem aos mortos do 11 de Setembro. A comprovar as muitas possibilidades de entendimento para a letra de

---

1 Syd Barrett morreu em 2006, aos 60 anos, de câncer no pâncreas.

Waters, ali ela pareceu ter sido escrita para externar aquela dor, aquela separação e aquela saudade.

Espero que o sistema de drenagem da Praça da Apoteose esteja funcionando direitinho.

(15/2/2002)

VELHO SENTIDO

Mais uma vez vago pelas lojas de discos à procura daquela meia hora de rock que durante algumas semanas dará novo sentido à minha vida inteira. Está difícil de achar. Comecei 2002 animadinho, compartilhando com os leitores bandas recém-descobertas, como a espanhola Migala, a canadense Godspeed You Black Emperor! e a americana Pedro the Lion. Depois, ou a safra quebrou ou o meu instinto novidadeiro secou. Folheando os recortes do jornal, releio-me a louvar álbuns históricos, como os de David Bowie, ou novos trabalhos de velhos companheiros de geração, como o dos Paralamas.

Dias atrás, decidi antecipar meu próprio presente de fim de ano. Adquiri a caixa importada de quatro CDs do Joy Division, *Heart and soul*. A escolha diz bastante sobre o meu sombrio estado de espírito de novembro em diante. Tinha os três álbuns da velha banda de Manchester, Inglaterra, apenas em LPs lançados pelo extinto selo paulista Stiletto durante a década de 80. Como não possuo mais toca-discos... Há tempos não ouvia a voz robótica de Ian Curtis, o famoso roqueiro-que-se-suicidou-aos-23-anos. Deu saudade. Na falta de um novo sentido para a vida, um velho sentido para a vida quebra o galho.

Passados 22 anos da sua morte, e da consequente troca de nome e orientação do grupo para New Order, não posso presumir que todos tenham fresca na cabeça a sua importância. Até porque parte bastante considerável do meu distinto público ainda estava morta — ou não tinha nascido, o que dá no mesmo, desculpe o mau humor — quando Curtis se enforcou. Foi numa manhã de domingo, 18 de maio de 1980. Quem nunca pensou em se enforcar numa manhã de domingo que atire o primeiro laço. O cantor e letrista tinha lá suas razões: sua epilepsia estava se agravando, e ele estava numa clássica sinuca de bico. Na noite de sábado, ele e sua mulher, Deborah Woodruffe, haviam brigado mais uma vez. Ela queria o divórcio porque Curtis tinha uma amante. Ele relutava em concedê-lo por não querer se separar da filha, Natalie. Para piorar a situação, um dos canais de televisão exibiu *Stroszek*, deprimentérrimo filme do diretor alemão Werner Herzog. O drama de um oligofrênico que foge da Alemanha para os Estados Unidos e descobre que o mundo nunca é grande o bastante quando queremos fugir de nós mesmos. Clima de extrema leveza, saca? Ao meio-dia de domingo, Deborah encontrou o corpo e o bilhete: "Nesse exato momento, eu gostaria de estar morto. Não consigo aguentar mais."

Para os roqueiros brasileiros que tínhamos cara de bandido ali no final dos anos 70, esmolando ecos do movimento punk que varrera a Grã-Bretanha, foi como se sua morte tivesse precedido seu nascimento. Encarnando a melancolia que se seguiu à fúria dos Sex Pistols, o Joy Division não era exatamente uma banda popular nem em sua cidade natal. Quando nada porque, até aquela manhã de maio, havia posto na praça um único LP, *Unknown pleasures*. Entretanto, antes que 1980 acabasse dois outros discos seriam lançados: *Closer* e *Still*. A morte de Curtis acabou transformando a Factory na maior gravadora independente da Inglaterra. A história está em *24 hour party people*, filme de Michael Winterbottom apresentado na Mostra do Rio e ainda à espera de exibição no circuito.

É comum a morte glorificar a mediocridade. Não é o caso de Ian Curtis. A morte fez-lhe justiça poética. Porque ela era onipresente em sua obra. Seu maior sucesso em vida, o que na prática significou apenas uma colocação na parada independente, "Love will tear us apart", era, afinal de contas, uma piada de humor negro com o "até que a morte os separe" das cerimônias de casamento. A letra remete à sua própria crise conjugal. Gosto da tradução feita por Pedro S. Costa e Paulo da Costa Domingos no volume dedicado a Curtis na coleção Rei Lagarto, da editora portuguesa Assírio e Alvim: "(...) Sei que choras durante o sono pondo a nu todos meus erros/ Deixando em minha boca o sabor de um certo desespero/ Mas foi assim tão bom que não possa voltar a sê-lo?/ Quando o amor, o amor nos dilacerar de novo/ O amor, o amor nos dilacerar de novo." *Brrrrr.*

Suas outras letras não são menos tristes. Diz "Isolation": "Mãe, eu tentei, por favor, acredite-me/ Estou fazendo o melhor que posso/ Tenho vergonha das coisas pelas quais passei/ Tenho vergonha da pessoa que sou." Descreve "They walked in line": "Eles carregavam fotos de suas mulheres/ E plaquinhas numeradas para provar suas vidas/ Eles andavam em fila." O nome da banda também era tenebroso: Joy Division traduz-se por Divisão da Alegria, designação dos prostíbulos de prisioneiras mantidos nos campos de extermínio nazistas para satisfação dos oficiais da SS.

Bem, neste preciso momento o CD chega, olha a coincidência, a "Isolation". O baixo de Peter Hook em primeiro plano, a guitarra esparsa de Bernard Sumner, a bateria hipnótica de Stephen Morris, a voz de Ian Curtis mais declamando que cantando, tornando-se dramática justamente pelo tom indiferente. Imagino-o dançando num palco daquele jeito desconjuntado que causou profunda impressão, entre outros, em Renato Russo, outro desses caras que viveram suas obras e estetizaram suas existências. Como Kurt Cobain. (Curtis Cobain?) Talvez seja disso, dessa entrega, que hoje sinto falta na hora de fuçar a prateleira de lançamentos roqueiros. No máximo, espero, até o próximo Radiohead.

(1º/11/2002)

O SISMO E O CISMA

E, então, você já está convencido de que valeu a pena viver mais algumas semanas e ter escutado os Futureheads, os Kaiser Chiefs, o novo e maravilhoso CD do Weezer, você até recuperou a fé de que a música pop pode, sim, dar algum sentido fugaz a essa joça toda, de que nem tudo é irrelevância e/ou saudosismo, de que do liquidificador batizado *Mezmerize* em que o System of a Down joga Judas Priest, Queen, Red Hot Chili Peppers, Metallica, Sepultura e especiarias orientais, escorre um caldo saboroso e original, quando... sem mais nem menos... nada te prepara para isso, nem

"B.Y.O.B.", "Cigaro", "Violent pornography", nada... A faixa 11 sobe das profundezas da Falha de San Andreas.

Você treme.

E, então, em ruínas emocionais, você se arrasta para o som, pega a capinha do CD, lê "Lost in Hollywood" e põe a música para tocar de novo. E de novo. E de novo. A partir de um acorde obsessivo na guitarra, os dois vocalistas criam um jogo de cânticos e vitupérios que faz, mais do que qualquer das dez faixas anteriores, justiça ao título do álbum, grafia alterada de *mesmerize*. Em português: mesmerizar, hipnotizar, enfeitiçar, deixar sem ação, chapar. Uma voz no disco acusa: "Essas ruas traiçoeiras estão cheias de perdidos/ Você nunca deveria ter ido para Hollywood," A outra enverada por um "hã-hã-hã" profundo que evoca, será?, missas cristãs ortodoxas na Armênia. Ouro, incenso e mirra.

Você deve estar delirando.

Respira fundo e se explica, homem, sê cartesiano. *Mezmerize* é o título do quarto CD lançado pelo quarteto californiano System of a Down. Além do som pesado, de humor cortante, não raro operístico e orientalizado, o que o torna um dos dois ou três mais arejados no subgênero que se convencionou chamar de "metal alternativo", o grupo tem a peculiaridade de ser formado por descendentes de armênios: Serj Tankian (voz e teclados), Daron Malakian (voz e guitarra), Shavo Odadjian (baixo) e John Dolmayan (bateria).

Você sabia? Durante a Primeira Guerra Mundial (1914-1918), 1,5 milhão de armênios, cristãos, foram sistematicamente assassinados pelos turcos, muçulmanos, em nome da segurança nacional. Havia armênios entrosados à sociedade otomana, havia armênios combatendo do lado dos russos. Uns serviram de pretexto para o governo dos Jovens Turcos expropriar e exterminar outros. Como descendente, o povo do System of a Down luta para que este genocídio não seja esquecido. "War?", faixa de seu primeiro álbum, de 1998, fala dele, mas refuta a vingança: "De guerra, nós não falamos mais."

Os antepassados de Tankian, Malakian, Odadjian e Dolmayan experimentaram um apocalipse, o fim de seu mundo. Na Califórnia, vive-se na sua iminência, na expectativa do dia em que o Big One, o grande terremoto previsível mas inevitável, vai sacudir a terra e acabar com o mundo tal como seus habitantes o conhecem. Ninguém ousa calcular a escala da tragédia. Talvez a do Sudeste Asiático, onde uma *tsunami* bíblica varreu 300 mil almas em dezembro. Isso explica o hedonismo e o misticismo da Costa Oeste dos Estados Unidos. É como se a lei das probabilidades dissesse: aproveitem o dia e sonhem com a vida eterna.

A Califórnia se associa ainda de outra forma à ideia de fim de mundo. Imagine a cara dos mineiros em sua louca corrida para o Oeste atrás de ouro, corrida desencadeada em 1848, empacando para sempre diante daquele marzão besta, sô. A terra acabava ali, no Pacífico. Erguida em 1937, a Golden Gate não por acaso logo se tornou, em mais de um sentido, um símbolo da partida rumo ao desconhecido. A ponte/portão dourado de São Francisco é, também, o ponto turístico mais visitado pelos suicidas do mundo. Mais ao sul, de maneira diversa mas não menos significativa, Hollywood virou outro foco de evasão.

Parte importante da música californiana reflete esse sentimento de finitude da vida, da terra, do mundo. Ele está lá, em "Hotel California", dos Eagles, aquele no qual "você pode fazer *check out*/morrer quando quiser, mas nunca pode partir". Está em "Desperados under the eaves", de Warren Zevon, com seu humor negro: "E se a Califórnia deslizar para o mar/ Como os místicos e os estatísticos dizem que irá/ Eu predigo que este motel estará de pé/ Até eu pagar minha conta." Está em "Californication", dos Red Hot Chili Peppers, que expõe a fratura: "Destruição leva a uma estrada bem difícil/ Mas também alimenta a criação/ Para a guitarra de uma garota, terremotos são/ Apenas mais uma boa vibração."

"Lost in Hollywood", do System of a Down, não fala diretamente do Juízo Final, do apocalipse estadual, do sismo. Fala é do cisma. Se você se concentrar bastante vai enxergar o sol irado e as árvores que parecem ladrões crucificados, imagens do falecido Zevon. A letra de Tankian e Malakian percorre os bulevares de Los Angeles quase como Robert De-Niro rodava pelas ruas de Nova York em *Taxi driver*, rezando por um dilúvio que lavasse o pecado das calçadas. "Todos vocês, canalhas/ Bichas maconheiras no Sunset Boulevard/ Todas vocês, piranhas, ergam as mãos/ E acenem como se não ligassem/ Gente falsa veio rezar", surta a voz de pregador esganiçado. Aqui e ali, reaparece o coro melancólico, sereno, redentor. O CD acaba, e a melodia fica girando na sua cabeça. Talvez até a cara-metade de *Mezmerize, Hypnotize*, ser lançada no segundo semestre.

(3/6/2005)

SCOTT

Há três décadas, Scott Walker tem parido discos a intervalos de dez ou onze anos, o que torna cada um deles um evento digno de regozijo. Mesmo quando, como é o caso de *The drift*, recém-lançado no exterior pelo selo 4AD, a sua música não se enquadre na definição do *Houaiss* para "regozijo": "Intensa sensação de prazer, de alegria." Na verdade, se fosse sexo, não arte, o novo CD seria uma sessão pesada de sadomasô.

The drift foi distantemente precedido pelos também estranhos *Tilt* (1995), *Climate of hunter* (1984) e *We had it all* (1974). Antes deste, e desde meados dos anos 60, Walker lançou discos anuais. O espaçamento é apenas uma das parcelas do ajuste de contas do ex-membro dos Walker Brothers com o passado pop: aos 63 anos, Scott quase não dá entrevistas ou sai de casa, na Inglaterra. Recluso? Não, discreto, defende-se.

No começo de junho, ele fez uma de suas raras aparições públicas: compareceu à cerimônia de entrega dos prêmios da revista *Mojo*, em Londres. Levou o troféu de "ícone". Porém, em reiterado desafio ao dicionário, Scott Walker nunca foi uma "pessoa emblemática de seu tempo", mas só uma pessoa emblemática dela mesma — embora possa ser considerado, sim, noutra acepção, uma "representação artística de divindade".

Scott, na verdade, também nunca foi um mero Walker baixista. Nasceu Noel Scott Engel, "anjo" em alemão. Não era, portanto, irmão de John (Maus, guitarrista) e de Gary (Leeds, baterista), os outros Walker da banda. Em 1964, os três jovens americanos boas pintas pressentiram que teriam mais chances de sucesso, inclusive em sua terra natal, se possassem de ingleses. Estavam certos. Pouco mais de um ano depois de desembarcarem na terra dos Beatles, eles já tinham se tornado ídolos das adolescentes locais.

Os Walker Brothers logo começaram a se destacar da concorrência pelos arranjos sombrios e letras cabeçudas. Afinal, quantos garotos cantavam uma "Orpheus"? Nela, Scott assumia a voz do mito grego e, durante os sonhos, levava alento a mulheres mal-amadas: "Se seu marido soubesse, ele diria/ Que você está vivendo em pecado/ Bem, se sorrir é um pecado/ Esta é a razão de eu estar aqui/ De novo com você, Mrs. Blear." Contudo, isso ainda soava estreito demais para Scott. E ele se lançou em carreira solo.

Os álbuns batizados simplesmente de *Scott*, numerados de um a quatro e lançados pelo selo Fontana entre 1967 e 1969 constituem uma obra-prima justamente porque não são emblemáticos de seu tempo. Em plena psicodelia, Scott se inspirava, entre outros, em Frank Sinatra e Jacques Brel, belga de quem, aliás, gravou versões o bastante para encher uma coletânea. Apesar de as orquestrações lembrarem as de outros cantores pop da época, como Engelbert Humperdinck e Tom Jones, a temática das letras era única, densa, atormentada.

Scott 4, por exemplo, primeiro disco apenas com composições próprias, trazia uma epígrafe do filósofo existencialista Albert Camus ("O trabalho de um homem nada mais é do que uma lenta jornada para redescobrir, por entre os desvios da arte, aquelas duas ou três grandes e simples imagens em cuja presença o seu coração primeiro se abriu") e se iniciava com "The seventh seal", inspirada no filme *O sétimo selo*, de Ingmar Bergman.

Disco afora, Scott criticava cruelmente tanto o envolvimento americano no Vietnã ("Hero of the war" se dirigia à mãe de um soldado mutilado, "pena que ele não possa apertar as mãos ou mover os pés") quanto a intervenção soviética na Tchecoslováquia ("The old man's back again" levava o subtítulo de "dedicada ao regime neostalinista").

Scott 4 incluía material, digamos, mais normal para um ídolo jovem, como a linda canção de amor "The world's strongest man" ("E você não sabia que não sou o homem mais forte do mundo?/ Quando se trata de você e de seu mundo estou perdido"). Mesmo assim, o LP fracassou nas paradas, levando o cantor a se perder em cinco discos inexpressivos durante os anos 70 e, até, a experimentar um retorno dos Walker Brothers.

Diga o que disser, Scott retirou-se do mundo e passou a só abrir a boca de *crooner* quando certo de ter algo relevante a declarar. No entanto, sua herança artística continuou a circular nos trabalhos de David Bowie, Elvis Costello, Nick Cave, Richard Hawley.

The drift, aviso, não é um disco para principiantes. Por 68 minutos, Scott menos canta do que recita entre sombras de melodias. O mais próximo de uma canção ortodoxa que ele nos oferece são a primeira ("Cossacks are") e a última ("A lover loves") faixas. Parecem, respectivamente, a preparação para uma explosão iminente e o silêncio que se segue à detonação — sem que, entre elas, nada faça *bum*. Daí o fascínio do álbum.

As letras de três das dez músicas precisam vir acompanhadas de notas explicativas no encarte: "Clara", sobre a exposição dos corpos linchados de Clara Petacci e de seu amante Benito Mussolini numa praça de Milão, em 1945; "Jesse", sobre os papos que, em momentos de aflição, Elvis Presley levava com seu gêmeo natimorto; e "Buzzers", sobre os massacres de muçulmanos na Guerra da Bósnia. Extrema leveza, não? Música pop? Bem, de forma perversa e característica, Scott Walker ainda é o único compositor na face da Terra capaz de transformar "Curare! Curare! Curare!" num refrão venenoso ao ouvido.

(21/7/2006)

A FAMÍLIA DRAKE

Três décadas atrás, Nick Drake estaria fadado a se juntar aos nomes-desconhecidos-que-ninguém-conhece. Afinal, durante seus 26 anos de vida, ele lançou apenas três LPs, que venderam pouquíssimas cópias e foram recebidos com indiferença ou até escárnio por quase toda a crítica inglesa. Deprimido, ele cometeu suicídio em 1974.

Hoje, porém, Drake não é um desconhecido. Sua música é mais ouvida do que nunca, inclusive no ótimo site oficial <http://www.brytermusic.com/index.html>.[2] Além disso, seu espírito baixa noutros meninos,

---

2   A última atualização do site é de 26/3/2018.

como Damien Rice e José González, e meninas, como Shannon Wright e Julie Doiron. Por aqui, Renato Russo gravou "Clothes of sand".

Rodney e Molly Drake morreram em 1988 e 1993, respectivamente, deixando de servir chá aos que batiam à porta da família em Tanworth-in-Arden. A própria Far Leys House foi vendida a proprietários antipáticos ao culto drakeniano. Agora os peregrinos acorrem ao cemitério paroquial de Solihull. Sob um carvalho, a lápide comum a pais e filho traz os versos "agora nos levantamos/ e estamos em toda parte", de "From the morning".

A Drake sobrevivente, a atriz Gabrielle, cuida do legado do irmão caçula. Ela assina o primeiro dos quatro textos no encarte de *Family tree*, CD lançado no exterior no mês passado, pelo selo Tsunami. É uma carta dirigida a Nick, explicando-lhe as razões para lançar mais esta compilação. Ocasionalmente piegas, claro, mas bastante informativa.

Os outros textos são de Robin Frederick, americana que Nick Drake conheceu no ano sabático de 1967, em Aix-en-Provence; de Robert Kirby, seu arranjador; e de Andrew Hicks, amigo de infância. Eles acompanham 28 faixas de aquém da gravação dos três LPs, com exceção de "Poor mum", resposta de Molly a "Poor boy" de Nick. No aparelho de rolo comprado por Rodney, ela também registrou "Do you ever remember?". Sempre se falou na influência do estilo da senhora Drake no filho. Agora pode-se constatá-la.

Outras partes de *Family tree* já haviam aparecido em álbuns piratas que se disseminaram a partir da generosa cópia das fitas caseiras pelo próprio casal Drake. Entre os novos itens está também uma faixa na qual Nick toca clarinete num trio de Mozart, enquanto os tios Nancy e Chris McDowall tocam viola e piano. Há ainda oito músicas captadas na França, além de duas demo gravadas por Kirby para "Day is done" e "Way to blue", que apareceriam em *Five leaves left* (1969), o primeiro LP de Drake.

Este, aliás, continua sendo a melhor introdução à sua obra. O sotaque bem-nascido. O exímio violão de afinações estranhas. As cordas e os sopros barrocos arranjados por Kirby. A sinistra brevidade das dez faixas em quarenta minutos. A tristeza estoica das letras, que parecem anunciar tanto o desenlace da vida quanto a fama póstuma. "A vida é só uma memória/ Ocorrida muito tempo atrás/ Teatro cheio de tristeza/ Para um show há muito esquecido", canta Drake em "Fruit tree". "Ninguém te conhece a não ser a chuva e o ar/ Não se preocupe/ Eles vão ficar de pé e observar quanto tiveres partido."

Family tree, no entanto, em que pese a relativa precariedade técnica dos registros e a circunstancial ênfase na interpretação de canções tradicionais ou alheias, pode apelar por igual a neófitos e a convertidos. Sobretudo por duas canções que não constam de outras compilações de Drake: "Blossom" e "Rain". Esta contrasta imagens bucólicas e senso de danação: "Pensamentos de chuva de primavera/ Tocando flores que se curvavam/ Pensamentos de vento nos salgueiros/ Dias que nunca acabavam/ Essa era a nossa estação, mas o desespero aguardava depois da curva/ Porque meu amor partiu com a chuva."

Drake não teve amores conhecidos. No máximo, duas ou três namoradas com quem nunca consumou o ato (e, diferentemente dos personagens do livro *Na praia*, de Ian McEwan, ele já era um ser pós-Revolução Sexual). Isto há tempos alimenta a teoria de que a sua angústia nascia de uma homossexualidade reprimida. Entretanto, também não há nenhum sinal de uma relação assim na sua vida nem nenhuma sugestão dela na sua obra. Apenas um dos enigmas deixados por este rapaz tímido, rico, bonito, alto, doidão e talentosíssimo.

Possivelmente há tantas teorias sobre Drake quanto fãs de Drake. A minha é a seguinte. Nunca ninguém esperou pouco de um sujeito com as qualidades alistadas ao pé do último parágrafo. Muito menos ele próprio. Seu produtor, o americano Joe Boyd, prometeu-lhe o céu e a terra quando ouviu a primeira fita (anos depois, Drake cobraria Boyd por não ter sido reconhecido como um gênio). Com padrões tão altos, tudo o que viesse, vendagens, elogios, mulheres ou homens, seria-lhe pouco. Drake matou-se por narcisismo.

Às vezes, ele é criticado por ter sido um garoto mimado. E daí? Gente bem-resolvida não é artisticamente interessante. Gente bem-resolvida pode ter filho, plantar árvore e até escrever livro, mas não produz nada de artisticamente relevante. Se Nick Drake tivesse sido feliz, não estaríamos aqui falando nele, 33 anos após sua morte. Por que essa nossa atração pela sombra, que se reflete inclusive nos jornais? Talvez a resposta esteja na primeira frase do romance *Anna Karenina*, de Tolstói:

"Todas as famílias felizes se parecem entre si; as infelizes são infelizes cada uma à sua maneira."

(17/8/2007)

"RIVER"

Para fulano, sinônimo de presente. Para sicrano, de rabanada. Para beltrano, de porre familiar que destrava a língua e o ressentimento. Para mim, porém, o Natal evoca "River", velha música de Joni Mitchell que é presente, rabanada e porre familiar que destrava a língua e o ressentimento, tudo ao mesmo tempo, melancolicamente.

É a oitava das dez faixas de *Blue*, de 1971, um de seus melhores álbuns, senão o melhor. Só, ao piano, Joni começa e termina "River" tocando "Jingle bells". Entre um sininho e outro, esta loura canadense, nascida Roberta Joan Anderson em 7 de novembro de 1943, pinta uma paisagem quase idílica. *Quase* por não reprimir a tensão pré-natalina.

"Está chegando o Natal/ Eles estão derrubando árvores/ Eles estão erguendo renas/ E cantando canções de alegria e paz", começa Joni, a voz ainda hoje límpida antes de mais três décadas e meia de cigarro e birita. No verso seguinte, contudo, vem o primeiro corte, o mote do título: "Oh, eu queria ter um rio/ Pelo qual eu pudesse ir embora patinando".

Este desejo, como quase todos os desejos, logo se revela uma impossibilidade. Joni explica: "Mas nunca neva aqui/ Fica bem verde/ Eu vou ganhar um bocado de dinheiro/ Então vou largar esta cena maluca." Como um mantra, ela repete que deseja muito ter um rio para poder ir embora de patins, tão rápido que ensinaria os pés a voar.

Ao final da estrofe, Joni menciona, sintomaticamente quase de passagem: "Eu fiz meu namorado chorar". A segunda estrofe da canção, sim, é dedicada a este personagem que, ao tentar ajudá-la, ao deixá-la à vontade, apenas a faz se sentir pior. "Eu sou egoísta e eu sou triste", ela admite, antes de constatar que perdeu o melhor namorado que já teve.

O desejo de partir é mais forte do que a convenção de ficar com alguém gente boa demais para ser realmente amado, mas não o bastante para fugir de um lugar detestado. Quando, pela última vez, Joni descreve a paisagem de árvores derrubadas, renas, canções de alegria e de paz, ela se permite deslizar sobre o verso "I could skate away oooooooon".

"River" é bela e assustadora, como certas mulheres. Fala de um problema de inadequação sem nenhuma solução à vista. Ir embora patinando de um lugar onde nunca neva? A maior parte do álbum *Blue*, aliás, versa sobre a inadequação, em todas as suas nuanças. Escrito durante uma viagem à Europa, morre de saudades da Califórnia.

Nele, entretanto, Joni não é menos talentosa ao celebrar um encontro. Em "A case of you", ela compõe um hino, simultaneamente sensual e espiritual. "Oh, você está no meu sangue como vinho sagrado/ Você é tão amargo e tão doce/ Oh, eu poderia beber uma caixa de você, querido/ Eu ainda estaria de pé/ Eu ainda estaria de pé." *Touché*.

Todavia, o efeito de "River" é devastador porque a canção confronta a amargura do conteúdo com a doçura da forma. O que incomoda é que a narradora não perde a linha, ela apenas diz que desejaria ter um rio congelado para ir embora patinando. Se rasgasse o peito e puxasse as tripas para fora, provavelmente "River" não teria se tornado clássica como é.

Não por acaso, ela batiza o recém-lançado disco no qual o pianista Herbie Hancock — que aprendeu com Miles Davis a ter a cabeça aberta a todos os sons — presta tributo a Joni Mitchell junto a um cardume de convidados, inclusive a nossa Luciana Souza. Quem canta "River" é Corinne Bailey Rae. Sua voz meio infantil trabalha a favor da composição.

No ano passado, Madeleine Peyroux havia dividido com k.d. lang a versão de "River" que consta de seu terceiro álbum, *Half the perfect world*. A despeito da beleza de ambas as vozes, não funcionou: a solidão da canção não admite um duo. Este ano, foi um velho amigo de Joni, James Taylor, quem entoou "River" com dignidade, em *A tribute to Joni Mitchell*. O CD contou ainda com Caetano Veloso e Elvis Costello, entre outros.

Acaba de ser lançado, também, o primeiro trabalho da própria Joni Mitchell em cinco anos, *Shine*. Seus álbuns nunca se deixam apreender às primeiras audições, mas o novo — além de uma versão para o alerta ecológico "Big yellow taxi", originalmente de 1970 — traz ao menos uma composição que decerto fará parte de futuras antologias, "Bad dreams". Indaga a letra: "Quem vai salvar o dia?/ O Super Mouse?/ O Super-Homem?"

Joni Mitchell hoje tem 64 anos. Mais velha do que minha mãe jamais será. As homenagens de que tem sido alvo são merecidíssimas. No entanto, talvez a mais significativa não tenha sido musical. Está na comédia romântica inglesa *Simplesmente amor*, que Richard Curtis dirigiu em 2003 e na qual Rodrigo Santoro fez cara de paisagem.

Por coincidência, o filme se passa às vésperas do Natal. "River" e "Both sides, now" têm papel fundamental no episódio da bola de Harry (Alan Rickman) nas costas de Karen (Emma Thompson), fã de Joni Mitchell. Antes da descoberta da traição, quando o marido bilontrão ironiza a sua fidelidade à cantora, Karen retruca: "Eu a amo, e amor verdadeiro dura a vida inteira. Joni Mitchell é a mulher que ensinou a sua fria esposa inglesa a sentir." Não só. De certa forma, "River" explicou-me o que eu sinto no Natal.

(21/12/2007)

GRATIDÃO

O Radiohead fez-me reatar com parte do meu passado. Por isso, à fusão nuclear de estilos, à beleza e à tristeza das melodias, às letras sobre inadequação existencial, às batidas mutantes, à discrição extrapalco, à relação ética com os fãs, a todas essas ótimas razões para se assistir ao Radiohead, hoje à noite, na Praça da Apoteose, eu acrescento a gratidão.

Na virada dos anos 60 para os 70, ainda de calças curtas, comecei a escutar rock por onde todo mundo começa. Beatles, Stones, Dylan. No entanto, só percebi como a música era essencial na minha vida um pouco depois, quando apliquei-me ao rock progressivo, ao flerte com a complexidade dos jazzistas e dos clássicos. Não mais pop: art rock. Genesis, Yes, Jethro Tull, Gentle Giant, Emerson, Lake & Palmer. Enlouqueci, sobretudo, ao som do Pink Floyd, tão bom que até quem odeia *prog* se vê obrigado a abrir uma exceção, quase sempre na base do falso argumento "ah, mas Pink Floyd não é rock progressivo...". Pois é.

Assim, em 1979, estava lá eu, ainda chapado entre lendas de oceanos topográficos e o lado escuro da Lua, quando caiu-me na testa *Never mind the bollocks*, dos Sex Pistols. Subitamente, todas as minhas concepções estavam em xeque. Virtuosismo instrumental e letras-cabeça? Sangue e porrada na madrugada, isso sim! Rock tosco e politizado. Desnorteado, troquei 300 dinheiros e meu LP do Zé Ramalho pela cópia nacional dos Pistols. E, a partir dali, eles, Clash, Ramones, Buzzcocks e Stiff Little Fingers viraram reis.

Eu estava a dois anos de fazer vestibular, mas a virada de casaca também se dava no jornalismo. Se antes a crítica era feita sobre critérios musicais, depois da revolução punk do verão londrino de 1976 ela passou a pesar mais a mão nos critérios sociológicos. Então, o aristocrático progressivo foi empurrado para o canto da sala, coberto por um lençol branco, feito fantasma. Salvo por alguns fiéis, que se retiraram para lugares elevados e lá estão até hoje, ninguém, muito menos eu, sabia o que fazer com ele. O *prog* virou um embaraço.

Passaram-se quase duas décadas e milhares de grupos fixados na ética punk do faça-você-mesmo. Dezenas deles excelentes, sim. U2, Smiths, R.E.M., Suede, Oasis. Lançado em 1993, porém, o primeiro álbum de um tal Radiohead, de Oxford, não oferecia nenhuma esperança de que um novo coelho pudesse sair daquela cartola. Nem na única faixa realmente boa, "Creep". O resto de *Pablo honey* carecia de personalidade. Contudo, dois anos depois, Thom Yorke, os irmãos Greenwood, Ed O'Brien e Phil Selway insistiriam e lançaram o assombroso *The bends*. Pós-punk, pop, *prog*, música eletrônica, tudo fundido.

De lá para cá, em outros cinco álbuns de estúdio, o grupo levou a música aonde ela nunca esteve antes. Nada mais conforme ao espírito progressivo, apesar de, na prática, o antigo gênero logo ter-se fossilizado em novos clichês. Embora o Radiohead negue três vezes qualquer influência do *prog*, ele audivelmente está ali. Claro, numa síntese dialética com o que se seguiu ao punk, do Joy Division ao Nirvana, passando pelos Pixies.

Portanto, sou grato ao Radiohead porque ele me permitiu reatar com aquela parte importante da minha vida, entendê-la melhor, sem (des)culpas de classe. Nele, entreouço dois tipos de progressivo. O *dark side* de Pink Floyd, King Crimson e Van der Graaf Generator, obcecados pela demência e pelo apocalipse. E o moderníssimo *krautrock* — algo como "rock chucrute", termo cunhado na Inglaterra para ser pejorativo — experimentado nos anos 60 e 70 por bandas alemãs, como Neu!, Can e Kraftwerk. Aliás, da perspectiva da minha geração, a segunda atração de hoje, o Kraftwerk, nunca foi "pioneira da eletrônica", foi *prog*.

Mais importante do que o compartilhamento de certos elementos sonoros, todavia, é que o Radiohead comunga com a elite do progressivo numa convicção: a música merece um tempo e um lugar à parte para ser *realmente* ouvida. Isso se torna quase subversivo hoje, quando ela é baixada, escutada e deletada em torrentes. Ouvir Radiohead é uma ocasião especial, ritual, meio mágica, como sentar-se na poltrona e abrir o livro, como se vestir para ir ao teatro ou ao cinema. Não é algo que se faça enquanto se maromba ou se confere o Orkut. Não é música para ser ouvida o tempo todo. Ufa, ainda bem. Porque, como o Pink Floyd ou o Neu!, o Radiohead exige o envolvimento emocional e intelectual do ouvinte, provocando-o e desafiando-o continuamente, sem deixar de ser pop.

Pretensioso? Ué, quem disse que a música não pode almejar proporcionar-nos algo além da trilha sonora da rotina? Alguma pretensão sempre foi essencial às artes, até porque a despretensão cada vez mais parece servir apenas de desculpa para a irrelevância ou a mediocridade. O que fez Los Hermanos, abertura desta noite, serem mesmo tão bons foi que eles são docemente pretensiosos, apesar de protestarem humildade. O solo de Marcelo Camelo é pretensioso, que bom. Já o Little Joy, de Rodrigo Amarante e Fabrizio Moretti, dos Strokes, entrega o que promete, pequenas alegrias, não vai além disso.

O Radiohead é justamente sobre ir além.

(20/3/2009)

COMO DESAPARECER COMPLETAMENTE

Aquele ali não sou eu. Eu vou aonde quero. Eu atravesso paredes. Eu flutuo pelo Canal do Mangue. Eu não estou aqui. Isso não está acontecendo. Eu não estou aqui. Antes de o Radiohead tocar "How to disappear completely", diante dos meus olhos, nesta Praça da Apoteose, nesta sexta-feira 20 de março de 2009, os versos se materializam na cabeça. Eu não estou aqui. Estou em outro lugar. Aonde só a grande música pode me levar.

Entre efeitos de luz e alto-falantes no estado da arte, Thom Yorke, Ed O'Brien, Phil Selway, Jonny e Colin Greenwood atacam "The national anthem". Atacam é verbo escolhido a dedo. As guitarras são sirenes que alertam para o bombardeio tocado pelo baixo e pela bateria. Não há abrigo possível. É uma das minhas favoritas. Parece "Whole lotta love", do Led Zeppelin. Parece "Bullet the blue sky", do U2. Só que melhor.

Nada havia me preparado para isso. Em *Kid A*, o álbum, "The national anthem" era mais intrincada, quase *free jazz* graças aos instrumentos de sopro. No palco, a energia do quinteto compensa a ausência dos metais. Nada havia me preparado para isso. Cheguei com um pé inteiro mais um calcanhar atrás, com medo de me decepcionar. Já aconteceu-me antes, por exemplo, aqui mesmo, na Apoteose, com um David Bowie de radinho de pilha.

Li que o show do Radiohead era "profissional", no mau sentido, talvez até "frio". Desde a primeira música, "15 step", nota-se que é profissional, sim, no bom sentido. No nível do som, na definição do telão, nas estalactites de luz. Mas frio... "There there" logo prova que não. Percussão quase pura, O'Brien e Jonny batendo tambor com Selway. Claro, sempre haverá quem ache "chato". Mas para quem tem dificuldade de se relacionar com a tristeza da vida sempre haverá as baianas pernudas e suas canções cheias de onomatopeias.

Antes do Radiohead, a temperatura estava estranha para março. O Kraftwerk fez uma versão condensada do show de 2004 no TIM Festival, gélida, coisa de se esperar dos alemães. Antes ainda, Los Hermanos estavam meio fora de forma, mornos, coisa de se esperar de quem está parado há dois anos. Não o Radiohead. Descubro que ele consegue ser cabeça e quente, simultaneamente. Nada havia me preparado para isso, acho que já disse.

O Radiohead plana por "No surprises", "Videotape", "Paranoid android"... E comprova, aqui e agora, por que é a mais importante banda de música popular em atividade neste planeta. O termo "rock" só se aplica ao Radiohead como conceito vampiresco, expansionista, não como delimitação musical. Em transe estético, dou 10, nota 10, em todos os quesitos: aparato técnico, garra, repertório, dinâmica, inventividade. No palco como nos discos, as suas músicas nunca terminam do jeito que começam: elas se reinventam.

Na vã tentativa de me preparar para isso, eu tinha ouvido atentamente os dois únicos registros oficiais do Radiohead ao vivo. Primeiro, *I might be wrong: live recordings*, lançado em 2001. Um de seus pecados era ser curto demais, quarenta minutos, oito músicas. Todas tiradas de *Kid A* e *Amnesiac*, álbuns siameses separados no estúdio, experimentais, geniais. Todas menos "True love waits", linda. "O verdadeiro amor espera em sótãos assombrados"? *Brrrrr*. O outro pecado foi costurar retalhos de quatro shows, Oxford, Berlim, Oslo, Vaison La Romaine. Ficou sem a dinâmica da apresentação ao vivo.

O segundo disco oficial do Radiohead ao vivo só veio à luz no ano passado, apenas na Holanda, pelo selo Immortal, mas foi registrado na mesma excursão em que "I might be wrong". É um duplo chamado *Radiohead rocks Germany 2001*. A banda sacode a Alemanha na noite de 1º de junho, num festival em Nurburg. Traz 22 músicas e, embora às vezes a voz e o violão estejam um tanto à frente dos demais, soa de fato como um show, completo e íntegro. Abre com "The national anthem" e fecha, 108 minutos depois, com "How to disappear completely". Chega mais perto deste êxtase no Catumbi.

Ainda assim, nada havia me preparado para isso. Até *Radiohead rocks Germany 2001* aparecer também em DVD, o Radiohead não tinha audiovisual oficial decente, a não ser por... Um show muito das antigas. *Live at the Astoria*, de 1994. Uma coletânea de velhos clipes. *7 television commercials*, de 1998. E um documentário enigmático, sem músicas completas ou entrevistas. *Meeting people is easy*, de 1999. Coerente com esse telão mesmerizador na Apoteose, que esconde mais do que revela os músicos em ação.

Seja como for, o DVD de um show sempre será uma fraude consentida. Um disco de áudio ao vivo é mais fiel a um show do que a sua filmagem. Permite-me viajar, imaginar o palco, recriar, participar. O DVD pode ter som Dolby 5.1, imagem HD, extras, o cacete, mas não me dá esse pancadão no meio dos peitos, não replica a magia da presença física dos caras ali adiante. Após tantos anos, tantas leituras e releituras na faculdade, agora que o Radiohead fecha o show com "Creep", acho que afinal entendi o Walter Benjamin.

Certas coisas não se reproduzem. Daí essa sensação de eu não estar aqui, de isso não estar acontecendo, de eu ter desaparecido completamente no meio de uma multidão de 20 mil devotos, de o momento já ter passado, bom demais para ser verdade. Então, aquele ali que não sou eu chora e tem aquela convulsão peculiar da cintura para cima, acompanhada de tremedeira no pé direito, um treco que ele chama de dança.

(27/3/2009)

O DJ DE MEIA-IDADE

O DJ de Meia-Idade está entrincheirado atrás da mesa de som, afetando profunda concentração na maleta prateada carregada de CDs, de modo a desestimular a aproximação tanto dos que pedem uma "para relaxar" quanto dos que pedem uma "para animar". O DJ de Meia-Idade acha que a vida é curta demais para relaxar, que dizer animar.

Todo DJ tem uma história na cabeça. Na cabeça do DJ de Meia-Idade, é chegada a hora de suceder uma sequência de canções mais suaves (relaxadas jamais) por uma listinha de músicas mais pesadas (nem a pau animadas). O DJ de Meia-Idade, então, começa a tocar aqueles que julga serem os três melhores *riffs* de guitarra da história do rock'n'roll.

"(I can't get no) Satisfaction", dos Rolling Stones.

"All right now", do Free.

"You shook me all night long", do AC/DC.

Enquanto os clientes escarrapachados nos sofás soltam gritinhos de aprovação e, ó dor, alguns até se animam a levantar, o DJ de Meia-Idade rememora por que os garotos esguicham testosterona pelos ouvidos sempre que empunham uma *air guitar* para tocar algo assim. Ele próprio tem de se refrear para não dar saltos e fazer largos movimentos circulares com o braço, como se fosse um Dr. Fantástico roqueiro. Isso é viagra sonoro, pensa o DJ de Meia-Idade, enquanto dá um gole no *dry martini*.

Mas não é só isso. O DJ de Meia-Idade gosta de contar historinhas com subtextos. Sob os roncos ritmados das guitarras, aquelas três músicas sussurram uma palavra. Morte. Brian Jones, guitarrista dos Stones, morreu afogado na sua piscina, em circunstâncias nunca esclarecidas, em 1969, aos 27 anos. Paul Kossoff, guitarrista do Free, teve um ataque cardíaco, causado pelo abuso de drogas, dentro de um avião, em 1976, aos 25 anos. Bon Scott, o vocalista anterior do AC/DC, sufocou no próprio vômito, depois de porre homérico, em 1980, aos 33 anos. O LP com "You shook me all night long" vestiu-se de luto por causa dele. O DJ de Meia-Idade é fascinado por quem viveu rápido, morreu jovem.

Conforme a música do AC/DC entra no minuto final, o DJ de Meia--Idade se vê obrigado a suceder a trinca com algo digno. Ele percebe, porém, que sempre soube o que tocaria nessa hora. E, com a adequada dose de obscuridade, prepara "Lost horizons", dos Gin Blossoms, uns americanos do Arizona que debandaram em 1997, depois de dez anos de carreira nos quais quase foram grandes, realmente grandes. É rock melodioso e pesado, como se os Beatles cantassem perseguidos por um rolo compressor.

O DJ de Meia-Idade gostaria que os ouvintes captassem que também há uma história de morte sob aqueles acordes. Doug Hopkins, um dos guitarristas dos Gin Blossoms, deu um tiro na cabeça depois de ter sido demitido da banda que fundara, em 1993, aos 32 anos. Há tempos ele patinava no alcoolismo e na depressão. Aparentemente desde sempre ele escrevera sobre isso: tédio, birita, horizontes perdidos.

Johnny Cash, que entendia do riscado, disse que "Hurt", de Trent Reznor, do Nine Inch Nails, era a melhor música sobre drogas que ele conhecia. O DJ de Meia-Idade, que teve sua dose dupla de muita coisa, pensa que "Lost horizons", de Doug Hopkins, dos Gin Blossoms, é a melhor música sobre álcool que ele conhece. O DJ de Meia-Idade dá mais um gole no *dry martini* e se protege deste mundo, usando os fones como um capacete.

O DJ de Meia-Idade se lembra de uma frase de *Abaixo de zero*, um best-seller de Bret Easton Ellis que os Gin Blossoms talvez tenham lido. "Predomina o desalento" era a frase rabiscada pelas paredes do romance. Ele pensa que esse é o mesmo universo poético de Hopkins, que antes de ser defenestrado gravou apenas um álbum com a banda, *New miserable experience*. Um título pode dizer tudo, suspira o DJ de Meia-Idade.

"Lost horizons" é a faixa que abre aquele disco de 1992. O DJ de Meia-Idade acha que a voz de Robin Wilson compreende bem o desamparo da letra de Hopkins. "Os últimos horizontes que posso ver estão cheios de bares e de fábricas" — começa o pesadelo. "E em todos eles nós lutamos para ficar acordados" — taí algo que o ouvinte não precisa fazer. "Beber o bastante de qualquer coisa para fazer esse mundo parecer novo de novo" — eis a quintessência do ato de beber. "Bêbado bêbado bêbado nos jardins e nas sepulturas" — quem escreve um troço desses... "Ela não tinha mais nada a me dizer, então ela disse que me amava" — como se sobrevive à lucidez? "Eu fiquei lá, grato pelo mentira..." — cacete!

O DJ de Meia-Idade tem uma visão mística no escuro da cabine. Uma cidade sem horizontes, um garoto sem horizontes, uma vida sem horizontes. Ele até sente o cheiro da fumaça dos bares e das fábricas. O vento que vem do deserto sopra nos seus ouvidos. O DJ de Meia-Idade desperta para os versos finais. "Os últimos horizontes que eu pude ver agora estão resignados às memórias" — uma espécie de adeus. "Eu nunca pensei que estaria hoje aqui" — está e não está, companheiro. "Beber o bastante de qualquer coisa para me fazer parecer novo de novo" — ah, o velho Complexo de Peter Pan do rock'n'roll... "Bêbado bêbado bêbado nos jardins e nas sepulturas" — claro, tudo sempre termina em sepulturas.

Da sua trincheira, o DJ de Meia-Idade ergue um brinde de *dry martini*.

(2/10/2009)

AMY

Não há nada de novo a publicar sobre a morte de Amy Winehouse. Era tão previsível que talvez só haja coisas a republicar sobre a vida de Amy Winehouse.

"Na Arena da Barra, minha impressão foi a de que os cariocas aplaudiram Amy Winehouse não tanto pelo que as músicas dela foram no palco, um pastiche do que são nos brilhantes discos, mas pelo que as músicas dela já representam nas suas vidas. Não existem muitas chances de se ver uma artista do seu porte desengonçado em ação", escrevi aqui no *Globo* depois do seu segundo show na Arena da Barra, em janeiro.

"Amy Winehouse colhe flores no próprio pântano e vende numa banquinha em Portobello (*N.A.: eu deveria ter escrito Camden Town*). Sabe que não basta cantar bem, e Amy canta muitíssimo bem; o que conta pra valer é ter matéria-prima para cantar, e Amy compõe com tesão e sabedoria. Talvez pareça prematuro afirmar que uma menina chiliquenta de 23 anos possui uma obra. Não é não. Se ela morrer de cirrose amanhã, já terá feito algo de belo e útil dessa nossa existência miserável", escrevi no finado site "NoMínimo" no final de 2006, na crítica do seu segundo álbum, *Back to black*.

Qualquer pessoa que tenha escrito seriamente sobre Amy Winehouse nos últimos quatro ou cinco anos poderá copiar e colar trechos dos próprios textos. Não há nenhuma lição moral a tirar de sua morte. Outros jovens geniais já se autodestruíram antes dela, outros jovens geniais irão se autodestruir depois dela. Quem os há de julgar?

Contudo, emerge aqui e ali o discursinho de que Amy teve o fim que mereceu porque, afinal, era "doidona": tomou drogas, muitas drogas, legais e ilegais. Tal juízo passa longe de sequer tentar entender a relação do viciado com o vício. Quem me parece ter tocado no cerne da questão é — nenhuma surpresa nisso também — um sujeito que foi considerado "louco" e passou quase nove anos tomando eletrochoques em hospitais psiquiátricos na França: Antonin Artaud (1896-1948), o criador do Teatro da Crueldade.

Num dos seus manifestos do período surrealista, intitulado *Segurança pública — A liquidação do ópio*, Artaud fazia não exatamente a defesa da droga e sim uma constatação da inevitabilidade dela. Como a maioria dos seus textos, este é provocativo, dotado de um tipo de eloquência que só está ao alcance dos "loucos". Li pela primeira vez no começo dos anos 80, na coletânea *Escritos de Antonin Artaud*, publicada pela editora L&PM, com seleção, tradução e notas do poeta e ensaísta Cláudio Willer. Voltou-me abruptamente à cabeça quando soube da morte de Amy Winehouse.

"Suprimam-lhes um dos meios para chegar à loucura: inventarão dez mil outros", escreveu Artaud. "(...) Deixemos que os perdidos se percam: temos mais o que fazer do que tentar uma recuperação impossível e ademais inútil, *odiosa e prejudicial*. Enquanto não conseguirmos suprimir qualquer uma das causas do desespero humano, não teremos o direito de tentar a supressão dos meios pelos quais o homem tenta se livrar do desespero. Pois seria preciso, inicialmente, suprimir esse impulso natural e oculto, essa tendência *ilusória* do homem que o leva a buscar um meio, que lhe dá a *ideia* de buscar um meio para fugir às suas dores." (Os itálicos são de Artaud.)

Claro está que o francês não poderia mesmo ser nosso contemporâneo. Hoje, a droga está condenada a ser apenas ou um problema de segurança pública (ainda mais quando traficantes privatizam áreas de grandes cidades) ou um problema de saúde pública (quando tanta gente morre e/ou se contamina por causa dela). Sim, são aspectos importantes. Perdeu-se, porém, um pouco da dimensão filosófica e existencial da droga.

Impossível dizer quais eram as dores que afligiam Amy Winehouse, impossível dizer quais são as dores que afligem em variadas medidas cada um de nós, nós que nos sentamos quietos nos botequins. Toda dor é indizível, inclusive a dor de amor, lembrai-vos de Roland Barthes. A arte é a tentativa de dizer o indizível, rolando a mesma pedra morro acima, eternamente. Albert Camus, outro compatriota de Artaud pedia-nos, num livro sobre o suicídio, que imaginássemos Sísifo feliz para podermos seguir vivendo.

Conjectura: Amy estava cansada. Talvez tivesse medo. Medo de que parar de usar drogas pesadas significasse não estar sentindo mais dores, medo de que não sentir mais dores significasse não sentir mais porcaria nenhuma, medo de que não sentir mais porcaria nenhuma significasse não ter mais como arrancar belas canções do peito.

Há, claro, quem não consiga diferenciar Amy Winehouse da multidão de celebridades célebres por serem célebres, essas tautologias midiáticas que sobrevivem de escândalos. O mais triste na vulgarização da fama (e na insensibilidade ao mérito) não é fazer com que a nulidade espalhafatosa passe por talento genuíno, mas fazer com que o talento genuíno passe por nulidade espalhafatosa. Pensando bem, quem confunde Amy Winehouse com Lady Gaga merece confundir Amy Winehouse com Lady Gaga.[3]

(29/7/2011)

---

3   Ver coluna "Comunicado à praça", na seção dedicada à Black Music.

O TRAVESTI NA DELEGACIA

Se eu tivesse uns dez anos a menos, e não tivesse compromisso no interior do estado, eu teria me despencado para São Paulo capital no sábado passado a fim de assistir ao festival Planeta Terra com um único propósito. Kings of Leon? Nem pensar. Gossip? Mal conheço. Garbage? Jamais curti. The Drums? Legalzinho, mas não vale a ponte aérea. Eu iria só para ver o Suede (já que o Kasabian roeu a corda).

Em 1992, na época em que estava saindo o seu primeiro *single*, com "The drowners" e "Metal Mickey", o extinto semanário *Melody Maker* soltava a franga para descrevê-lo: "Suede é a banda mais audaciosa, andrógina, misteriosa, sexy, irônica, absurda, perversa, hilariante, glamorosa, honesta, arrogante, melodramática e hipnótica pela qual você provavelmente se apaixonará. A melhor banda nova da Grã-Bretanha."

A imprensa musical inglesa nunca foi famosa pela sobriedade, ávida que é pela melhor banda de todos os tempos da última semana, mas vim a concordar com cada um dos treze adjetivos enfileirados. E também com "a melhor banda" daquela geração. Volta e meia, no carro a caminho do programa "Redação Sportv", eu e Tim Vickery, da BBC, conversamos não só sobre Crystal Palace e Tottenham, mas ainda sobre o rock da terra dele. Na última viagem, Tim me pediu para nomear minhas três bandas inglesas favoritas.

Consciente de que mencionar Beatles, Stones e Pink Floyd seria tão original quanto se dizer que se gosta de Bach, Mozart e Beethoven, e consciente do caráter provocador dessas listinhas, respondi na lata: "The Clash, The Smiths e... Suede." (Eu realmente adoro essas três.) Não é resposta que chegue a surpreender um inglês, mas talvez espante um brasileiro. Apesar de todos os cinco álbuns de estúdio da banda londrina logo terem sido lançados aqui, o Suede teve um probleminha de *timing*.

Brett Anderson (voz), Bernard Butler (guitarra), Mat Osman (baixo) e Simon Gilbert (bateria) juntaram trouxinhas e penteadeiras em 1990, depois de terem passado pela banda, entre outros, Justine Frischmann (então namorada de Anderson e futura *frontwoman* do Elastica) e Mike Joyce (ex-baterista dos Smiths). O probleminha é que dois anos antes havia sido formado o Blur, e no ano seguinte se formaria o

Oasis. Esta é a história do Suede: imprensado entre o Blur e o Oasis. O que não lhe fez justiça.

As três bandas se nutriam de elementos da gloriosa história do rock britânico para avançar e oferecer às plateias do anos 90 algo de contemporâneo: Oasis, claro, era Beatles mais Stones; Blur era Kinks (outra grande banda pouco badalada fora da Grã-Bretanha); Suede era David Bowie e The Smiths. Tanto que quando Anderson, Justine, Osman e uma bateria eletrônica — que logo largou a banda para fazer um duo com um liquidificador — se reuniram para ensaiar, foi em torno de músicas desses ídolos.

Depois que Anderson e Justine se julgaram incapazes de tocar guitarra, Butler atendeu a um anúncio no *New Musical Express*. O texto dava como referências, além de Bowie e Smiths, Lloyd Cole and The Commotions e Pet Shop Boys. E dizia ainda: "Algumas coisas são mais importantes do que habilidade." Não que Butler não a tivesse de sobra. Escute o que ele faz em "So young" ou "She's not dead", outras faixas do primeiro álbum, simplesmente *Suede* (1993). Tão bom quanto seu ídolo Johnny Marr.

O guitarrista deixou a banda depois do segundo álbum, *Dog man star* (1994), se tornando, no correr dos anos, também um ótimo produtor. Foi ele, por exemplo, que apresentou Duffy à soul music que a faria vender mais de cinco milhões de cópias de *Rockferry* (2008). A sua saída seria amortecida pela entrada de outro bom guitarrista, Richard Oakes, que ainda está no atual quinteto com o tecladista Neil Codding — embora esse "ainda está" seja enganoso: o grupo deu um bom tempo, de 2003 a 2010.

Acho Butler um monstro. Faço duo com os lamentos de Anderson. No entanto, o que mais gosto no Suede é o senso de dignidade e grandeza, feito um travesti de dois metros de altura entrando todo montado numa delegacia às três da matina. Há hoje no pop mundial pouco desse heroísmo, desse desejo de tornar a música maior que a vida. (O Arcade Fire é a exceção mais conhecida.). Há muita gente pelejando para tocar no elevador e não atrapalhar a conversa. Sabe aquele papo de "baixinho é a nova pauleira"?

Pois é, reis da conveniência: já deu.

Quem cantaria algo como "E, ah, se você ficar, eu caçarei a chuva campo afora/ Nós brilharemos como a manhã e pecaremos ao sol/ Ah, se você ficar/ Nós seremos os selvagens correndo com os cães" ("The wild ones", do segundo álbum) com a devida grandiloquência? Ok, ok, quem cantaria isso depois de Bowie e Morrissey? E, além do mais, com um guitarrista fazendo o papel de Mick Ronson e Johnny Marr? Suede.

(26/10/2012)

MANHÃ DE DOMINGO

Se Bob Dylan provou que a letra da canção popular poderia ser uma obra de arte em si, ao nível dos poemas em alemão que inspiraram os clássicos *lieder* do século XIX, Lou Reed radicalizou o conceito. Ele mais recitava do que cantava, quase demitindo a melodia, substituindo-a pelo ronco malévolo da metrópole lá adiante.

Antes do seu trabalho com o Velvet Underground, grupo apadrinhado pelo artista plástico Andy Warhol, antes da sua carreira solo, outros cantores americanos sentiram tesão pelas trevas. Robert Johnson, Hank Williams, Johnny Cash... Ninguém tinha podido ou desejado ser tão explícito quanto Reed na Nova York dos anos 1960.

Aqui, na noite de domingo, em homenagem ao roqueiro, o canal BIS reprisou *Berlin*, filmado pelo pintor Julian Schnabel durante cinco récitas em um teatro do Brooklyn natal de ambos. Marcando o nível da produção, os *backing vocals* foram de Antony e Sharon Jones. Havia sopros, cordas e coro jovem, além da banda de Reed.

Acompanhar as legendas — legendas que frequentemente ressaltam a puerilidade e até o ridículo das letras de alguns artistas — era bater perna pelo universo poético de Reed, condensado em torno daquele que é seu melhor disco solo. Rufianismo, violência doméstica, drogas pesadas, sexo pesado, suicídio. Está tudo em *Berlin*, de 1973.

"Não sabe que é melhor acertar as contas?/ Até aqui de ódio/ Bater nela até deixar ela roxa e acertar as contas" ("Oh, Jim"). "Estão levando seus filhos embora/ Porque ela anda trepando com umas e outros/ E com qualquer um, e com todos" ("The kids"). "Era aqui que ela encostava a cabeça/ Quando se deitava à noite/ E foi aqui que foram concebidos nossos filhos/ (...) E foi aqui que ela cortou os pulsos/ Naquela estranha e fatídica noite/ E eu disse, oh, oh, oh, oh, oh, que sensação" ("The bed").

Uso traduções de Christian Schwartz e Caetano W. Galindo para *Atravessando o fogo — 310 letras de Lou Reed*, edição bilíngue que a Companhia das Letras lançou em 2010, na expectativa frustrada da vinda de Reed à Flip. Eu mediaria o encontro. Apesar de já se sussurrar "doença", antes do final do ano ele iria a São Paulo tocar seu disco mais impenetrável, *Metal machine music*, de 1975. Puro ruído. Típico Reed.

No começo dos anos 1980, quando minha geração rompeu com os medalhões da MPB, que ao mesmo tempo estavam encastelados em seu status quo e perdidos num matagal de metáforas, Lou Reed era um dos nossos ídolos maiores, junto com David Bowie, seu admirador, e os punks, seus seguidores. Sem censura nem autocensura, Reed dizia o que tinha de ser dito de maneira crua. Nem por isso deixava de fazer alta poesia.

Uma das mais belas canções de amor que conheço está no primeiro LP do Velvet Underground, "o da banana" na capa, lançado em março de 1967. "Acho difícil/ Acreditar que você não saiba/ A beleza que tem/ Mas, se não sabe,/ Me deixe ser teus olhos/ A mão que te guia na escuridão/ E você não vai ter medo", diz "I'll be your mirror", cantou Nico, a modelo alemã que Warhol impôs ao Velvet. Sua voz estava ainda mais desalentada que o normal porque os "colegas" a pressionavam no estúdio.

A esmagadora maioria das outras letras de Reed não era tão agradável assim. Nem "Pale blue eyes", outra canção de amor, belamente regravada por Marisa Monte em *Verde anil amarelo cor de rosa e carvão*, de 1994, está isenta de desconforto em sua conexão de adultério e pecado. Confrontar o público, arrancá-lo da zona de conforto (algo que hoje soa incompatível com a própria ideia de música popular) e arrastá-lo pelo cangote para uma caminhada por becos fétidos e mal-iluminados sempre foi o seu forte.

Gravado com o Metallica em 2011, *Lulu* foi, sem querer ser, um adeus apropriado. O disco baseou-se nas mesmas duas peças do alemão Frank Wedekind que inspiraram uma obra-prima da ópera que o compositor austríaco Alban Berg deixou incompleta ao morrer, em 1935. Em *Lulu*, a artista de circo sobe na vida pelo sexo, se prostitui à vera e é morta por Jack, o Estripador. Lindo, lindo... Reed e o grupo de heavy metal foram execrados. Como se se pudesse esperar algo conformado do poeta.

Lou Reed morreu na manhã de domingo, aos 71 anos, de problemas no fígado, órgão que recebera um transplante em abril. A primeira música daquele primeiro disco do Velvet se chamava "Sunday morning". Foi composta com a outra cabeça do grupo, John Cale, depois de virarem uma noite de sábado. A certa altura da canção, Reed recita-canta "domingo de manhã/ E estou afundando/ Um sentimento que não quero conhecer/ Um despertar precoce" sobre a delicada melodia. A última manhã de domingo abriu a temporada que o rock, gênero que fantasia uma juventude eterna, sempre temeu: aquela em que os grandes homens começam a morrer de causas naturais.

(1º/11/2013)

LIVRO DE ORAÇÕES

Além de preencher uma lacuna do tamanho de Viena na minha vida, as férias serviram para ler *Autobiography*, de Morrissey. Como velho fã do cantor e membro dos Ansiosos Anônimos, eu não aguentaria esperar a tradução que a Globo Livros está preparando.[4] Lendo no original, entendi a dimensão dessa empreitada. Em resenha para o jornal *The Guardian*, Terry Eagleton disse que Morrissey um dia pode conquistar o Booker Prize, desde que "consiga tratamento para o seu vício em aliterações". Mas não é só o prazer com a musicalidade do próprio idioma que dificulta as versões. Há centenas de autocitações de músicas e referências à cultura pop inglesa.

Autobiography oferece múltiplos ganchos de leitura, como toda obra de arte digna dessa qualificação, seja ou não um livro. Isso apesar de Morrissey ser o mesmo desde sempre: um sujeito cuja hipersensibilidade o fez inspirar milhões de fãs pelo mundo, mas se decepcionar com quase todas as pessoas que cruzaram seu caminho. Ele dá voltas em torno de um poço de mágoas repleto, sobretudo, pelos velhos colegas de Smiths (abandonai qualquer esperança de reunião vós que adentrais o

---

[4] Até a publicação do presente livro, a tradução da autobiografia não saiu no Brasil.

livro); pelo juiz John Weeks, que o humilhou em público e o condenou, junto ao ex-parceiro-guitarrista Johnny Marr, a dividir direitos autorais em partes iguais com o baterista Mike Joyce e o baixista Andy Rourke; e, *last but not least*, pela imprensa musical inglesa.

    Ainda quando maquiado pela autoironia, como no caso de Morrissey, o narcisismo desempenha um papel essencial na produção artística, o que explica ao menos parcialmente tantas suscetibilidades feridas pela crítica. Entretanto, o próprio lançamento de *Autobiography* concede um ponto à sua tese de ser alvo preferencial do sensacionalismo. Muito se falou no trecho: "(*Com o fotógrafo Jake Owen Walters*) pela primeira vez na minha vida, o eterno 'eu' se torna 'nós'." Não se deu igual atenção à notícia de que, com Tina Dehghani, ele discutiu "o impensável ato de produzir um monstro miador em miniatura". Morrissey, o misantropo, pai? Ele recentemente se declarou "humanosexual", interessado em seres humanos, "mas, claro... não muitos".

    Há páginas reveladoras sobre seus anos formativos. A apocalíptica Manchester natal. As escolas católicas, de uma maldade dickensiana. O apreço pela família, vinda da Irlanda. O culto adolescente a Marc Bolan, aos New York Dolls e a David Bowie, que, depois, se torna quase uma vinheta cômica em sua vida. A defesa dos animais e, consequentemente, o vegetarianismo. Uma surpreendente atenção a quem está dirigindo qual marca de carro. A interminável descrição de shows em cidades improváveis (São Paulo é mencionada) nas quais ele afinal se sente querido. "Nunca tendo encontrado o amor de um, em compensação encontro o amor de milhares — ao mesmo tempo, na mesma sala", escreve Morrissey, perto do final de *Autobiography*.

    Chama atenção a sua obsessão pela morte, tamanha que seu pai, de resto uma figura ausente, alerta que ele deveria prestar mais atenção aos vivos do que aos mortos. Porém, uma quantidade espantosa de gente em torno de Morrissey morre cedo. Um dos momentos mais bonitos do livro é quando chega o postal que a cantora Kirsty MacColl mandara do México — antes de ser atropelada pela lancha de um milionário, em Cozumel, e morrer diante dos dois filhos adolescentes, em 2000, aos 41 anos. Garrafa de vodca à mão, Morrissey segura o postal como "um livro de orações" e chora.

Anos antes, em 1989, Morrissey fizera uma expedição noturna com três amigos, a bordo do "engenhoso Mercedes" de um deles, até um pântano perto de Manchester. Saddleworth é conhecido não apenas pela desolação natural, mas porque, na década de 1960, ao menos duas das cinco crianças abusadas e assassinadas pelo casal Ian Brady e Myra Hindley foram ali enterradas. ("Suffer little children", canção do primeiro LP dos Smiths, de 1984, falava desses crimes.) Então, no meio do nada gelado, surgiu diante dos faróis do Mercedes um rapaz seminu, com uma expressão desesperada. Seria um aventureiro perdido, não fosse ele cinza. Rosto, cabelo, corpo, casaco. Tudo cinza. Acionada, a polícia se encarregou de, mui britanicamente, confirmar que eles tinham avistado um fantasma. Pode-se dizer então que Morrissey enxerga gente morta também literalmente. Está sempre conectado ao lado trágico da vida. Como se existisse outro.

Autobiography acrescenta à numerosa e nem sempre reverente bibliografia dedicada a Morrissey e aos Smiths o testemunho do próprio cantor, uma das mais importantes personalidades de toda a história do rock — e decerto a mais importante a surgir desde a década de 1980. Trata-se de uma autobiografia precoce. O poeta não apenas está vivo, e bem de saúde aos 54 anos, como continua produzindo grandes discos e shows, "agarrado à antiquada visão de que uma canção deve significar algo".

(7/2/2014)

O PROFETA

É uma daquelas histórias que parece boa demais para ser verdade. Garoto inglês tímido falta às aulas para se enfiar na biblioteca. Na adolescência, aprende a tocar piano e violão sozinho, procurando na internet os acordes das canções que mais gosta. Não gosta de muitas, é verdade, mas fica fascinado com Antony Hegarty. Como a maior parte do pop o entedia, ele se volta para os clássicos. Descobre *Gymnopédies*, para piano, do francês Eric Satie. Mais tarde, abandona a faculdade de Direito e termina um relacionamento. Muda-se para Paris, onde sobrevive cantando covers na rua e no metrô. E, então, uma noite, ele conhece alguém que conhece alguém e começa a gravar suas próprias canções. Depois de dois anos, se torna um astro. Na França. Sem falar francês.

Hoje, o homem tímido de 26 anos se beneficia, além do poder de sua voz e de suas composições, de um duplo acaso. Primeiro, passa por um francês contemporâneo típico, para desgosto da família Le Pen e de seus correligionários racistas: ele é negro, como o craque Pogba. Segundo, seu nome soa bem nos dois lados do Canal da Mancha: Benjamin Clementine. Na verdade, o sobrenome completo é ainda mais francês, Sainte-Clementine. Em janeiro, o londrino de Crystal Palace criado em Edmonton lançou na França o seu primeiro álbum, batizado *At least for now*. No mês seguinte, ganhou o Victoires de la Musique, o "Grammy francês", categoria artista revelação. O disco físico só saiu na Inglaterra no final de março. Continua inédito nos Estados Unidos (e no Brasil, claro).

Cruzei com Benjamin Clementine duas vezes antes disso. Não pessoalmente, não no metrô de Paris, onde um celular o filmou num trem, interpretando "Rehab", de Amy Winehouse, em troca de moedas. Foi há um ano ou um pouco mais, assistindo a *Later... with Jools Holland*, quando Clementine cantou duas de suas próprias canções, "Cornerstone" e "Condolence". Depois, num e-mail de uma amiga que falava com entusiasmo dele. Não foi amor à primeira vista. Isto é um elogio. As suas músicas não são pop nesse sentido de comunicação imediata. Elas crescem com seguidas audições. Clementine só me arrebatou de vez num daqueles pontos de audição, com fones, numa loja de Paris (onde mais?). Ouvindo a faixa de abertura do álbum, tudo fez sentido.

"Winston Churchill's boy", este o nome dela. Clementine começa ao piano, cantando uma paráfrase do ex-primeiro ministro inglês: "Nunca no campo dos afetos humanos/ Tanto foi dado em troca de tão pouca atenção." Um violoncelo introduz a segunda parte da canção. Nela, sobre o crescendo de uma pequena orquestra de cordas, Clementine faz não um rap e sim um discurso autobiográfico, com referências a George Orwell, pai de outro Winston famoso, o Winston Smith anti-herói de *1984*. A certa altura, ele fala na sua travessia do Canal e diz: "Bem, dizem que nenhum homem pode ser profeta/ Em sua própria terra, então eu parti e aqui estou/ Venham abraçar-me!/ Eu sou seu irmão!" A canção se encerra com uma segunda metamorfose. Épica.

Clementine é um daqueles tímidos pretensiosos (ainda bem) e um pouco autocomiserativos (nem tanto). Considera que começou a escrever canções apenas a partir de "Cornerstone", a primeira em que foi "ele mesmo". A letra diz: "Estou solitário, sozinho numa caixa de pedra/ Eles proclamavam estar perto, mas estavam todos mentindo (...) Amigos encontrei, amantes dormiram e choraram/ Promessas de ficar nunca foram mantidas." Direto assim. Bastante diferente das elaborações do primeiro tímido pretensioso que me vem à cabeça, Nick Drake, um dos meus ídolos, mas não me surpreendi ao encontrar Clementine cantando "River man" na TV francesa.

Há uma coisa particularmente curiosa em Clementine. Ele canta sempre em inglês, forte sotaque britânico. Contudo, parece estar cantando em francês, ou ao menos com uma intensidade que diríamos latina. Em entrevistas, ele já manifestou o desejo de que seus compatriotas importassem um pouco desse ardor. Cita o monegasco Leo Ferré como uma influência adquirida na França, embora descarte uma referência mais óbvia, o belga Jacques Brel, como sendo "um pouco demais". Clementine tem sido comparado a Nina Simone — que ele escutou à vera faz apenas dois anos — e a Jimi Hendrix — que teve de sair dos Estados Unidos para ser reconhecido. Até canta um "Voodoo child" de arrepiar.

Seja quais forem as referências que nos surgirem, Clementine produz uma rica liga de blues, soul, *chanson* francesa e música clássica. Claro que a dificuldade de ser enquadrado nesta ou naquela categoria nunca fez bombar a carreira de artista algum. Pelo que diz, Clementine não parece estar lá muito preocupado com isso. Quer apenas cantar com sinceridade, a partir de sua própria experiência de vida. Ora, só Benjamin Sainte-Clementine viveu os 26 anos de Benjamin Clementine. No panorama da música pop que ele tanto despreza, não pode haver produto mais original.

(24/4/2015)

BOWIE É 10

Na noite de 18 de abril do ano passado, quando Lou Reed entrou para o Rock and Roll Hall of Fame, sua viúva, Laurie Anderson, contou que ele acreditava que uma pessoa morria, por assim dizer, três vezes. Primeiro, seu coração parava de bater. Depois, ela era enterrada ou cremada. Por fim, seu nome deixava de ser pronunciado. Ato contínuo, Laurie puxou um coro gutural: "Lou! Lou! Lou!" Claro, Reed morreu apenas duas vezes, em outubro de 2013. Antes, foi ídolo e protegido de David Bowie.

Na manhã de 11 de janeiro, a da última segunda-feira, na qual foi anunciada a morte de Bowie, ocorrida na véspera, em Nova York, cruzei em Laranjeiras com uma garota carregando sacolas de supermercado e vestindo uma camiseta com a face de Aladdin Sane, *persona* do álbum de 1973. Aquela homenagem imediata proporcionou-me o único meio sorriso daquela manhã. Sucessor de Ziggy Stardust, seu *alter ego* mais famoso, Aladdin Sane era um trocadilho com *a lad insane* (um rapaz insano).

Na tarde da última segunda-feira, depois de enviar para o jornal um primeiro artigo sobre Bowie, isolei-me no escritório com uma pilha de CDs para pronunciar o seu nome. Chorei um pouco. Por Bowie, pelos três amigos que perdi em 2015, pela minha gata querida, por todos os que vamos passar. Apesar do evidente paradoxo, nenhum artista capturou tão bem a fluidez do tempo, das pessoas, dos seres — rumo ao fim, individual, ou ao Fim, coletivo. Sua troca de *personas* e estilos foi a dramatização disso.

Pulei de CD em CD, de faixa em faixa, sem cronologia ou critério. Percebi, porém, que do meio de tantas belezas emergiam as minhas "dez mais" de Bowie agora, na hora da sua morte, só estavam excluídas faixas do sublime último disco, *Blackstar*, por terem sido ouvidas quase todas as vezes sob comoção. Ei-las:

TIME, do álbum *Aladdin Sane*. Tal qual Reed, Bowie tinha uma queda por música de cabaré, *à la* Weill & Brecht. Este é um lindo exemplo. Na letra, o toque de sacanagem é dado pelos versos "Time — He flexes like a whore/ Falls wanking to the floor" (Tempo — Ele se flexiona como uma puta/ Cai no chão tocando punheta).

LIFE ON MARS?, do álbum *Hunky Dory* (1971). A balada sobre inadequação. Garota vai ao cinema contra a vontade da mãe, mas com a bênção do pai, se desencontra da amiga e assiste sozinha a um filme chatooo. O piano é tocado por Rick Wakeman, então em vias de se tornar tecladista do Yes. Inspirou uma série policial da BBC.

CHANGES, também de *Hunky Dory*. No obituário que escreveu no *New York Times*, Jon Pareles disse que, se Bowie tinha um hino, era este. O homem das mil mutações louva as mudanças. Ouvir aquela gaguejada teatral em "ch-ch-ch-ch-changes" ainda me causa taquicardia quarenta anos depois de tê-la ouvido pela primeira vez.

I WOULD BE YOUR SLAVE, do álbum *Heathen* (2012). Nick Hornby ensinou que toda boa lista — ou fita K7 — deve ter um toque de obscuridade. O meu vem de um CD gravado sob o impacto do 11 de Setembro. Triste, triste, com um quarteto de cordas e uma letra romântica: "Eu vou te dar todo o meu amor/ Nada mais é de graça/".

ABSOLUTE BEGGINERS, da trilha do filme homônimo, de Julien Temple (1986). O ator Bowie trabalhou no musical ambientado na Londres de 1958. Uma das frases de publicidade dizia "alarmante elegância, tumultos, romance e be-bop". A música-tema é um baladão com toques jazzísticos. Gil Evans arranjou sopros em outras faixas.

WARSZAWA, do álbum *Low* (1977). Parceria com o tecladista e produtor Brian Eno. É uma peça minimalista, sombria, quase toda instrumental. "Falava" da visita de Bowie à capital da Polônia, então sob o regime comunista, mas evocava, também, o massacre do gueto judeu pelos nazistas, durante a Segunda Guerra Mundial.

"HEROES", do álbum homônimo (1977). Um pouco de bravata, outro tanto de desespero: "Não somos nada/ E nada vai nos salvar." Philip Glass se inspirou no álbum inteiro para compor a sua quarta sinfonia. Gosto muito da versão cantada em inglês e em alemão por Bowie, incluída na trilha de *Christiane F.*, de Ulrich Edel (1981).

LOOK BACK IN ANGER, do álbum *Lodger* (1979). A aceleração deste rock incluído no disco final da chamada "Trilogia de Berlim" — com *Low* e *Heroes* — sempre me pareceu o Bowie quintessencial: urgente. Além disso, a música destaca uma faceta tão importante em sua arte vocal quanto o falsete andrógino: o *crooner* viril.

The stars (are out tonight), do álbum *The next day* (2013). Bowie estava sem gravar havia dez anos quando — mais uma vez — surpreendeu-nos com um trabalho que mostrava que o rock podia se tornar sessentão sem perder dignidade e ousadia. Esta é a minha faixa favorita. Trata da (dis)função das celebridades em nosso planeta.

Moonage daydream, do álbum *The rise and fall of Ziggy Stardust and the Spiders from Mars* (1972). Difícil escolher uma só faixa deste que provavelmente é o melhor disco de um cara que nunca — nunca — lançou nada menos que bom. A guitarra de Mick Ronson, o coro "de boca fechada", os crescendos arrebatadores...

Obrigado, Bowie, viva em paz.

(15/1/2016)

DYLANISMO

Dave Rudman era um motorista de táxi em Londres. Recitava os nomes das ruas como um mantra. Os passageiros o enlouqueciam. As brigas com a ex-mulher Michelle para poder visitar o pequeno Carl o enlouqueciam. Ele escreveu um livro contando a sua vida e botando para fora o rancor misantropo, racista e misógino. Imprimiu o texto em placas de metal e as enterrou no jardim da casa da ex, em Hampstead. Quinhentos anos depois, o livro de Dave é encontrado e tomado como as tábuas de uma lei pelos rústicos humanos que sobreviveram a um cataclismo ambiental de proporções bíblicas.

Este é o ponto de partida de *O livro de Dave*, de 2006, o mais provocativo dentre os provocativos romances do inglês Will Self. É também a maior avacalhação com o nascimento de uma religião desde o filme *A vida de Brian*, de 1979, da trupe humorística Monty Python, da qual cinco dos seis membros eram britânicos. Metade do livro de Self é narrada na gíria do presente londrino, metade na linguagem dos humanos do século XXVI. Uma pedreira de escrever, traduzir, ler. Na época do lançamento, Self desmentia, brincando, que o tradutor sueco do livro tivesse se suicidado. Foi publicado no Brasil pela Alfaguara, na versão para o português de Cássio de Arantes Leite.

Antes de ler *O livro de Dave*, eu já tinha a impressão de que a obra de Bob Dylan poderia ser facilmente tomada como um livro sagrado. Depois, passei a imaginar um exemplar em capa dura de *The lyrics 1962-2001* enterrado num canteiro em Nova York sendo descoberto por sobreviventes de um apocalipse, daqui a cinco séculos. (Em 1º de novembro agora, sairá nos Estados Unidos uma nova edição das letras, *The lyrics 1961-2012*, mas o melhor de Dylan se concentra mesmo é no século XX.) Os chucros humanos do futuro poderiam abrir o livraço cinza a esmo e tomar aqueles versos fortes, não raro intrincados e obscuros, como a mensagem de uma entidade superior.

Bob Dylan é uma entidade superior. Certa vez escrevi que se apenas uma pessoa em todo o mundo do rock merecesse ser chamada de "gênio", essa pessoa seria Dylan. Sustento essa opinião. Na verdade, porém, Dylan também atinge regiões a anos-luz do rock e do folk. O prêmio Nobel de Literatura é uma constatação. Acho espantoso que cause tanto espanto, e até alguma revolta, o reconhecimento da Academia Sueca a Bob Dylan. Repetido aqui e no exterior, o queixume de que "um escritor jamais ganharia um prêmio de música" ignora o óbvio: Dylan ganhou o Nobel por seus versos, não por suas notas musicais. Aliás, elas nunca foram a principal razão para gerações serem atraídas para a sua obra, a despeito da beleza rascante de tantas de suas melodias.

Dylan sempre se posicionou como um homem da palavra. Ou da Palavra, se eu quiser continuar com minha analogia religiosa. Sempre se considerou mais poeta do que músico. As notas ao violão e à guitarra elétrica foram uma maneira de sua poesia atingir mais gente do que se ficasse nas páginas de livros. Não me parece um pecado. Aliás, a propósito de pecado, a sua trajetória — nascido em família judia como Robert Allen Zimmerman, rebatizado artisticamente em homenagem ao poeta galês Dylan Thomas, tornado ateu, cristão evangélico, judeu de novo — espelha a do homem contemporâneo na busca de respostas. Contudo, Dylan sendo Dylan, isto é, atrevido, arrogante, cheio de si (ele pode, ora bolas!), tanto formulou perguntas, como em "Blowin' in the wind", de 1962, quanto apresentou respostas, como em "With God on our side", do ano seguinte.

Nessa canção, parte de um álbum de título e tom proféticos, *The times they are a-changing*, Dylan assumia a *persona* de alguém cuja idade significava menos que o nome, vinha do Oriente Médio e observava, amargamente, Deus ser tão invocado pelos Estados Unidos, do massacre dos índios à posse do arsenal atômico. "Durante muitas horas sombrias", escreveu. "Tenho pensado sobre isso/ Que Jesus Cristo/ Foi traído por um beijo/ Mas não posso pensar por você/ Você terá de decidir/ Se Judas Iscariotes/ Tinha Deus ao seu lado." Simples demais? Não se engane. Dylan se inscreve numa poética da oralidade judaica que inclui Allen Ginsberg e Leonard Cohen. Além disso, aqui ele faz referência a seitas cristãs heréticas que acreditavam ser Judas o instrumento do Senhor.

Há um semidocumentário de um compatriota de Dylan, Al Pacino, que em certo momento reflete que não há nada que possamos pensar que Shakespeare não tenha escrito antes. Há um livro de outro compatriota de Dylan, Harold Bloom, que afirma que Shakespeare forneceu ao homem moderno modelos para sentir e agir. Tanto Shakespeare quanto Dylan são comumente referidos como "bardos", aqueles celtas ou gauleses que acompanhavam os seus versos com a lira. Dylan é citado e recitado nos tribunais e faculdades de Direito nos Estados Unidos. Os brasileiros Sergio Zaidhaft e Denis Sacramento apresentaram um trabalho sobre morte e eutanásia formado apenas por versos de Dylan num congresso sobre educação médica em Glasgow, ano passado.

Dá para ler um versículo de Bob Dylan por dia para elevar o espírito humano.

(21/10/2016)

O PAÍS DA PLEBE

Amanhã o Brasil comemora os seus quinhentos anos oficiais. Vivi apenas 7,2% desse tempo, mas já tenho algumas histórias para contar. No começo de 1986, por indicação de seu filho Mauro, colega de PUC e de peladas no Caiçaras, procurei Zuenir Ventura, então editor do "Caderno B" do *Jornal do Brasil*, com uma lista de sugestões de pauta, assuntos que eu julgava relevantes. Eu era foca de bater palminhas. Contudo, quando Zuenir me perguntou quais eram minhas áreas, não titubeei. "Música, literatura e cinema", declarei, na audácia dos meus 22 anos. Por dentro, Zuenir pode (e deveria) ter-se rido da minha petulância, mas não passou recibo, e eu emplaquei uma das pautas.

Assim, em fevereiro, na sede da EMI-Odeon, na Mena Barreto, eu encontrava pela primeira vez Philippe Seabra, Jander "Ameba" Ribeiro, André "X" Mueller e Gutje Woorthman, ou seja, os dois guitarristas-vocalistas, o baixista e o baterista de uma terceira banda vinda de Brasília para a gravadora: a Plebe Rude. A primeira tinha sido os Paralamas do Sucesso, formada apenas no Rio, mas umbilicalmente ligada à cena roqueira da capital federal. Naquela altura, Herbert, Bi e Barone estavam prestes a lançar o terceiro LP, *Selvagem?* A segunda banda tinha sido a Legião Urbana. Renato, Dado, Billy e Bonfá ainda nem tinham lançado o segundo LP, *Dois*.

Do mesmo modo que o sucesso de Herbert Vianna dera uma força para a Legião emplacar na EMI, ele produzia o EP (um LP de apenas sete músicas, formato-relíquia do século XX) da Plebe Rude, *O concreto já rachou*. O jornalista Renato Russo, por sua vez, assinava o release para a imprensa. Citando um trecho da música "Minha renda" ("Você é músico, não é revolucionário/ Faça o que eu digo que eu te faço milionário"), ele escrevia: "É a primeira vez que o rock tem coragem para fazer uma autocrítica honesta, sem ilusões ou a desculpa do humor fácil."

Ou seja, a Plebe Rude tinha todos os pistolões certos. Entretanto, mais que tudo, tinha nas mãos um disco poderosíssimo, que, do alto dessas pirâmides, vejo disputar com *As quatro estações*, da Legião, o posto de melhor disco da história do BRock, especificamente o rock brasileiro dos anos 80. Philippe, Jander, André e Gutje eram muito menos focas que eu: a banda em que tocavam havia se formado em 1981 e, desde então, criara um culto por Brasília e por onde quer que tivesse passado. Dessa forma, o repertório do disco havia sido amadurecido por cinco anos de estrada. Naquele fevereiro de 1986, o quarteto se preparava para lançar *O concreto já rachou* no Rio com dois shows, dias 14 e 15, no Morro da Urca. Essa era minha pauta, o motivo da entrevista. Ao final dela, despudorado, pedi o autógrafo dos quatro no release.

(De lá para cá, furei o superego profissional algumas poucas vezes, mas o bastante para conseguir, entre outras, as assinaturas de três quartos dos Talking Heads e de Johnny Marr, guitarrista dos Smiths.)

O papo com a Plebe rendeu minha primeira reportagem num grande jornal, publicada sob o título "O rock dos revoltados". De certa forma, nós começamos juntos. Por isso, tenho um carinho especial pela Plebe Rude, sem falar no fato de que periodicamente a banda se transformava nos Clash City Rockers, que tocava só covers do maior grupo de rock de todos os tempos. Por isso, se eu ainda tivesse cabelos no topo da cabeça, eles se arrepiariam quando escuto as primeiras fagulhas elétricas de "Brasília", faixa de abertura de *Enquanto a trégua não vem*, fulminante disco ao vivo que a Plebe acaba de lançar (de novo) pela EMI, 66 minutos que mantêm o sentido de urgência do punk, "it's better to burn out than to fade away".

Skinhead compulsório, fico a pensar no que mudou no país desde o tempo em que a Plebe, politizada até a medula, lançou seu EP e seus dois primeiros LPs, *Nunca fomos tão brasileiros* (1987) e *Plebe Rude* (1988). Em 1993, Philippe e André, lançaram, sozinhos, *Mais raiva do que medo*, pela Natasha Records. Seria de um catastrofismo atroz e cínico achar que nada mudou para melhor. Caducou como música de protesto, por exemplo, a sempre ótima "Censura", também incluída no novo disco: "A Censura, a Censura/ Única entidade que ninguém censura."

No entanto, mesmo sem me surpreender, entristece ver que os versos de "Até quando esperar" permanecem dolorosamente atuais: "Com tanta riqueza por aí, onde é que está? Cadê sua fração?/ (...)/ Até quando esperar/A plebe ajoelhar/ Esperando a ajuda de Deus?" Naquela entrevista de 1986, Philippe dizia: "Nossa mensagem tinha de ser dada agora ou nunca." Parafraseando uma chorumela literária, no pedação de terra que amanhã completa quinhentos aninhos, "agora" é muito tempo, pode durar toda a eternidade. Cazuza era um otimista que achava que o tempo não parava. No Brasil, dependendo de onde se observa, ele parece é que não passa. Este continua sendo o país da Plebe Rude.

(21/4/2000)

OLHE O RAPPA

Não vi a festa da MTV, mas gostei. Desconheço noite de premiação que não seja cafona, idiossincrática e cômica. É assim nos Brit Awards, no Grammy ou no Oscar, sendo que este é mais bem ensaiado e, portanto, mais tedioso. Por isso... E daí se a Luana Piovani disse isso ou a Luciana Gimenez disse aquilo? Elas nem precisavam falar nada, mas falam, e articuladamente, para desgosto de quem acha que toda mulher bonita e fogosa é burra. Sem tê-las visto em ação na quinta-feira à noite, gostei da festa porque o Rappa fez barba, cabelo e bigode com um clipe em que sequer dá as caras e mostra, como numa reportagem, a PM executando um garoto numa favela do Rio. Dos jurados, "Minha alma (A paz que eu não quero)" ganhou os prêmios de melhor do ano, edição, fotografia e direção. Da audiência, os de melhor do ano e rock.

Há algum tempo espero um bom pretexto para falar do grupo de Falcão (voz), Marcelo Lobato (teclados), Xandão (guitarra), Lauro Farias (baixo) e Marcelo Yuka (bateria). Quase falei deles quando a *Veja Rio* deu uma capa para Yuka e para Pedro Luís (o da Parede) destacando suas letras. Quase falei deles quando a *Showbizz* deu uma capa para o Rappa, destacando sua atuação social em Vigário Geral. Quase falei deles quando do tumultuado show no Canecão, destacado como uma consagração aqui no *Globo*. Contudo, os textos dos colegas Pedro Tinoco, Emerson Gasperin e Carlos Albuquerque estavam fechadinhos. Escrever qualquer coisa seria repeti-los. Agora, os prêmios da MTV me dão o gancho para explicar — conforme eu vinha explicando e recomendando para alguns leitores que se queixavam da má fase do pop-rock-reggae nacional — por que o Rappa é a melhor banda em atividade no Brasil.

Assim como futebol, rock'n'roll (no sentido mais amplo do termo) também é momento. Beatles, Stones, Who, Led Zeppelin, Pink Floyd, Clash, Smiths, Nirvana, Oasis, entre muitos outros, por momentos mais ou menos fugazes, foram as melhores bandas do mundo. Aqui no Brasil — dos anos 80 para cá, que foi quando o gênero realmente se assentou e engrenou — tivemos Blitz, Barão, Paralamas, Titãs, Legião, RPM, Plebe Rude, Ultraje a Rigor. Cada qual transmitiu a mensagem que o país precisava ouvir naquele momento. Hoje, a mensagem do Rappa é clara. E os prêmios concedidos por jurados e audiência ao clipe dirigido por Kátia Lund, Breno Silveira e Paulo Lins comprovam que ela está sendo requisitada e compreendida.

Música não é apenas arte: é fenômeno e consciência social, mesmo quando nada tem de explicitamente política. Quando Elvis requebrava a pélvis e Little Richard emitia onomatopeias indecifráveis, eles estavam fazendo declarações sobre os costumes, morais ou estéticos de seu tempo. Logo, dizer "I wanna hold your hand" ou "All your need is love" era ainda uma tomada de posição política nos anos 60. O Rappa — e sua premiação — está nos dizendo algo parecido. A música é um poderoso instrumento de transformação social a partir do momento (início do século XX) em que passa a alcançar as massas graças à sua reprodução técnica, em cilindros, 78 rpms, LPs, fitas cassete, CDs, arquivos de MP3 etc. Jamais uma arte teve tal impacto no modo como as pessoas se falam, se amam, se vestem, se despem, se comportam, no modo como elas encaram seus governos, suas instituições e seus concidadãos.

Quando, em "Minha alma (A paz que eu não quero)", Falcão canta desesperadamente "as grades do condomínio são para trazer proteção/ Mas também trazem a dúvida/ Se é você que está nessa prisão/ Me abrace e me dê um beijo/ Faça um filho comigo/ Mas não me deixe sentar/ Na poltrona no dia de domingo", ele está falando do hiperviolento Brasil do final dos anos 90 e, ao mesmo tempo, está falando de uma alternativa viável, de um país mais solidário e menos solitário. Como as ações sociais do próprio Rappa, que apoia a campanha Na Palma da Mão, de incentivo aos jovens, no encarte de seu espetacular terceiro álbum, *LadoB LadoA*, lançado no ano passado. Já vendeu cerca de 250 mil cópias, o que não é pouca coisa.

Se *LadoB LadoA* ficasse restrito ao discurso e às boas intenções perigava ser chato. Música pop, por definição, deve ser gostosa de ouvir. Afinal, o meio continua sendo a mensagem... No entanto, o CD é uma poderosa e aliciante fonte de melodias, ritmos e, por que não?, imagens. Além disso, ele marca o pulo do gato do quinteto multirracial carioca. Embora o Rappa sempre tenha tido excelente momentos, como "Candidato Caô Caô" (de Bezerra da Silva) ou "Todo camburão tem um pouco de navio negreiro", no terceiro disco ele transcendeu o rótulo (e o gueto) de ser "somente" um grupo de reggae em faixas como "Tribunal de rua", "Cristo e Oxalá" ou "LadoB LadoA". Esta, aliás, traz os versos de Yuka que são os meus favoritos ("Pois a vitória de um homem/ Às vezes se esconde num gesto forte/ Que só ele pode ver") entre estilhaços de rock, reggae, rap, música eletrônica, samba, funk... Uma urgente e generosa assimilação de influências que é a cara do Brasil. Atitude, no final das contas, não pode ser apenas fazer cara de mau ou pintar o cabelo de laranja ou de uva.

(18/8/2000)

"VENTO NO LITORAL"

Depois que acaba "Eduardo e Mônica", mais ou menos no meio do segundo disco do recém-lançado *Como é que se diz eu te amo*, Renato Russo apresenta a próxima atração do show nos seguintes termos: "Quem que já sofreu por amor? (*A plateia do então Metropolitan urra.*) Isso tudo já se apaixonou de verdade? Eu sempre faço essa pergunta porque (*mudando o tom de voz para o didático*) eu não acredito nisso. Eu cheguei à conclusão que se o amor é verdadeiro, não existe o sofrimento. Não de hããã... Senão fica o cara doente que nem o cara dessa música agora."

A música é "Vento no litoral". E o cara doente tinha sido o próprio Renato, três anos antes, em 1991, quando foi gravado e lançado o álbum *V*, o mais ambicioso e soturno da Legião Urbana, o favorito de Renato e do baterista Marcelo Bonfá (o do guitarrista Dado Villa-Lobos é *As quatro estações*). Ao compor "Vento no litoral", Renato talvez tivesse em mente o americano Robert Scott Hickmon, entre idas e vindas seu único namorado assumido em público. Ou talvez fosse uma separação arquetípica. Para quem hoje a escuta, não faz diferença. É a coisa mais linda e triste do mundo.

V é o melhor documento musical sobre a Era Collor, do mesmo modo que *Terra estrangeira*, de Walter Salles, é o melhor documento cinematográfico sobre a Era Collor, seus horizontes cinzentos, sua política de terra arrasada, seus exílios. Na época do lançamento do disco, pouca gente percebeu isso, o que frustrou a banda. Era do ex-presidente que Renato falava nos versos "quase acreditei na sua promessa/ E o que vejo é fome e destruição/ Perdi a minha sela e a minha espada/ Perdi o meu castelo e minha princesa" (na música "Metal contras as nuvens"). Era dele que Renato falava em "vamos sair, mas não temos mais dinheiro/ Os meus amigos todos estão procurando emprego/ Voltamos a viver como há dez anos atrás" ("O teatro dos vampiros").

Como qualquer brasileiro comum, com contas correntes, cadernetas de poupança e aplicações financeiras de valor igual ou superior a NCz 50 mil (o equivalente a US$ 1.250), Renato tinha tido seu dinheiro confiscado pela ministra Zélia Cardoso de Mello no dia seguinte ao da posse de Fernando Collor de Mello, 16 de março de 1990. O "congelamento" adiaria seus planos de comprar um apartamento em Ipanema e afinal sair da casa da família, na Ilha do Governador. O álbum *V* era, portanto, uma tentativa de lidar artisticamente com o sentimento apocalíptico que tomara a nação, inclusive os 35 milhões de eleitores do candidato do PRN à Presidência.

Era também o primeiro disco da Legião a ser gravado depois que Renato descobrira ser portador do vírus HIV ("Quero ouvir uma canção de amor/ Que fale de minha situação/ De quem deixou a segurança do seu mundo/ Por amor/ Por amor", insinua "O mundo anda tão complicado", com a vantagem de uma leitura a posteriori) e aquele em que o cantor narrava sua experiência com a devastadora heroína ("Já tentei muitas coisas, de heroína a Jesus", escancarava "L'Âge d'or", um pouco depois da ligeiramente menos explícita "A montanha mágica"). Logo, *V* não tinha como ser leve ou refrescante. Nem com um "Vento no litoral" ou uma "Sereníssima" no miolo.

Com o tempo, o pesado *V* tornou-se o meu álbum predileto da Legião, e a lenta "Vento no litoral", minha canção favorita. O passeio vespertino à beira-mar funciona como uma anti-"Garota de Ipanema". Não uma admiração platônica, mas uma dor de cotovelo quase estoica. Na primeira estrofe, Renato montava o cenário e fazia uma sutil passagem da indiferença da Natureza ao sofrimento do Homem: "Sei que faço isso para esquecer/ Eu deixo a onda me acertar/ E o vento vai levando tudo embora." Nas estrofes seguintes, há agulhadas da mais pura e contemplativa dor, ecos do iluminado disco anterior, *As quatro estações* (o de "tudo é dor/ E toda dor nasce do desejo/ De não sentirmos dor", versos de "Quando o sol bater na janela do teu quarto").

Há quase dez anos, escutar "agora está tão longe/ Vê, a linha do horizonte me distrai/ Dos nossos sonhos é que tenho mais saudade/ Quando olhávamos juntos na mesma direção" ou "aonde está você agora/ Além de aqui dentro de mim?" ou ainda "agimos certo sem querer/ Foi só o tempo que errou/ Vai ser difícil sem você/ Porque você está comigo o tempo todo" dá um nó aqui na garganta, evocando mil pés na bunda, despedidas, fantasias sufocadas, fossas abissais. Barra pesada, meninos e meninas. Nem quando Renato contemporiza com "quando vejo o mar/ Existe algo que diz:/ — A vida continua e se entregar é uma bobagem" a gente sai do mergulho.

Ao final de "Vento no litoral", a plateia que lotava o Metropolitan em 1994 aplaude a catarse promovida por Renato, Dado, Bonfá, Carlos Trilha (teclados), Gian Fabra (baixo) e Fred Nascimento (violão). Um aplauso grato não somente pela beleza da canção ou pela entrega da banda, mas porque a Legião Urbana havia, por momentos, dado um sentido aos momentos de desamor em suas vidas. Porém, havia pouco tempo para pensar nisso, pois logo vinha "Há tempos": "Parece cocaína/ Mas é só tristeza..."

O duplo "Como é que se diz eu te amo" proporciona essa pausa para reflexão.

(30/3/2001)

GERAÇÕES

Alguns poucos meses atrás, aconteceu-me uma coisa engraçada que, creio, fornece um exemplo claro porém gentil do que é um conflito geracional. Recebi um e-mail de um leitor de 15 anos. Ele acabara de comprar um livro meu cuja primeira edição havia saído há mais de cinco anos, *BRock — O rock brasileiro dos anos 80*, e estava escrevendo para dizer que tinha apreciado a leitura. Contudo, ele tinha uma dúvida cruel/crítica feroz: como podia uma banda tão bacana e popular quanto o Capital Inicial ter menos de um capítulo do livro enquanto aquele tal de RPM tinha um só para ele?

Formulada em 2001, a questão faz todo sentido. E, aproveitando que a Universal (ex-PolyGram) agora finalmente decidiu relançar em CD os quatro primeiros discos do Capital, sobre os quais estava sentada há muito tempo, tempo demais, acho que vale a pena expandir a resposta que dei ao leitor. Os disquinhos remasterizados estão acondicionados numa caixa e também podem ser comprados um a um. Enfim a obra de Dinho Ouro Preto (voz), Loro Jones (guitarra), Flávio Lemos (baixo), Fê Lemos (bateria) e Bozo Barretti (teclados) se completa na estante, ao lado das de outras duas grandes bandas que Brasília produziu no anos 80, Legião Urbana e Plebe Rude.

Fez-se justiça, justiça feita na onda de tentar aproveitar o inédito sucesso do Capital com seu excelente *Acústico MTV* (lançado ano passado pela Abril Music), mas ainda assim justiça, daquelas exigidas pela multidão que aclamou o grupo no último Rock in Rio. Boa parte dessa multidão também não entenderia por que o RPM teve um capítulo próprio em *BRock* e o Capital teve que se contentar em dividir um com Plebe, Ira!, Kid Abelha, Inocentes, Camisa de Vênus, Biquíni Cavadão e Nenhum de Nós. Por quê? Teria sido eu injusto? Quero crer que não. Aquela garotada ou não era nascida ou tinha 1, 2 anos de idade quando Paulo Ricardo Medeiros vendeu 2,2 milhões de cópias de *Rádio Pirata ao vivo*, suas fãs inundavam estádios Brasil adentro e, incrível, até os críticos aplaudíamos. Crianças, aquilo foi o mais perto que o país chegou da beatlemania.

Dentro da lógica daquele livro, o tal capítulo de cômodos que abrigava o Capital estava reservado a bandas que ou eram sucesso de público mas não de crítica (caso do Kid Abelha, que só há pouco adquiriu status de clássico dos anos 80) ou eram sucesso de crítica mas não de público (caso da banda dos irmãos Lemos, ao menos quando do lançamento de seu primeiro disco, homônimo, de 1986), nunca ambas as coisas ao mesmo tempo. Dentro dessa ótica estritamente oitentista, tinham casa própria em *BRock*, além do RPM: Blitz, Barão Vermelho (com e sem Cazuza), Paralamas do Sucesso, Titãs, Ultraje a Rigor, Legião e Engenheiros do Hawaii, sem falar num puxado para o Vímana, a banda meio progressiva dos anos 70, na qual haviam tocado Lulu Santos, Lobão e Ritchie, as três maiores figuras individuais do rock brasileiro da década seguinte, Cazuza à parte.

Ouvindo a caixinha com os quatro primeiros álbuns do Capital Inicial, algumas coisas me vêm à cabeça. A primeira diz respeito à força do rock brasiliense. Meu disco favorito dos anos 80 — ou das bandas surgidas neles — é o *O concreto já rachou*, da Plebe Rude, seguido de perto pelos da Legião Urbana, em rodízio (no momento, já é *O descobrimento do Brasil*). Nessa listinha hipotética, que nunca tive coragem de fechar, figuram *Cabeça dinossauro*, dos Titãs; *A revolta dos dândis*, dos Engenheiros; *Rock'n geral*, do Barão; *Bora Bora*, dos Paralamas; *Ronaldo foi pra guerra*, do Lobão... Ih, caramba, tanta coisa, num carrossel controlado por meu estado de espírito. Mas não tenho como não pensar que *Capital Inicial*, o discaço, fecharia direitinho uma trindade candanga com o EP da Plebe e o de plantão da Legião. Dinho canta "No cinema", "Psicopata", "Gritos", "Leve desespero", sem falar em três bens herdados do seminal Aborto Elétrico: "Música urbana", "Veraneio vascaína" e, Deus, "Fátima".

Os três discos seguintes na obra do Capital não são tão homogêneos. Ficam entre altos ("Independência", a reciclada "Descendo o Rio Nilo", "Fogo", "Belos e malditos") e baixos. De qualquer forma, eles nos ajudam a entender perfeitamente por que as novas gerações se voltaram com avidez para o grupo de Brasília — e para muitos de seus pares oitentistas. Mas não vou ficar bancando a viúva da minha própria juventude. Uma coisa é ter crescido junto com todos aqueles caras, com a firme impressão de eles estavam cantando "Quem me olha só", "Teorema" ou "Apenas mais uma de amor" só para mim (e mais ninguém). Outra é fechar os ouvidos a "nossas" crias, como o Rappa, o Pato Fu, Los Hermanos, o Astromato, os Autoramas. Ou à garotada que reanima um gênero que me parece morto aqui e alhures, à garotada que vive de gerar bons CDs demo, tipo Jack Valente, Casino (ex-4-Track Valsa), Onno, Face Oculta, Real Sociedade... Bem, quem disse mesmo que não existe vida após a morte?

(31/8/2001)

O ROBÔ PERENE

As lições da universidade não estão todas nas aulas e nos livros. Além de ter aprendido razoavelmente as técnicas jornalísticas, que hoje passo adiante, devo outra descoberta a meu primeiro mestre na PUC. Certo dia no começo dos anos 80, Fernando Ferreira mencionou em sala um aluno de um período mais adiantado que o meu. Segundo o mestre, o tal colega escrevia muitíssimo bem, mas estava longe de fazer *lead* e *sublead*. O tal apresentava "radionovelas" multimídia nos pilotis e no auditório do departamento. O tal se chamava Fausto Cardoso e já atendia por Fausto Fawcett. Isso faz uns vinte anos.

Desde aquela primeira dica venho trombando com o personagem, em seus discos, em seus livros, em seus shows, na plateia de shows alheios, no Cervantes. Com o tempo, percebi que, sim, ele faz uma espécie de jornalismo, heterodoxo, certo, mas jornalismo. Só que enquanto a maioria de nós escreve sobre fatos do passado, sobretudo do passado recente, Fausto sempre escreveu sobre fatos do futuro, um futuro mais próximo do que ousamos imaginar. Escreveu o *lead* do Apocalipse. Por isso, acho perfeitamente coerente que ele estreie um show no Ballroom na próxima quarta-feira, 11 de setembro.

Porque o mundo que surgiu quando baixou a poeira do World Trade Center é um mundo que Fausto Fawcett já havia pressentido em suas perambulações noturnas por entre as torres de Copacabana, a dos hotéis Othon Palace e Meridien, quase gêmeas separadas no nascimento. Aquela fauna cyberbarroca de drogados, prostituídas, terroristas, tarados, loucos e visionários é comum a ambas as metrópoles (e a tantas outras). Surgem não da precognição ficcional e sim da percepção alterada de uma realidade preexistente. As pistas estão espalhadas, como drops de Istambul meio chupados, por toda sua obra.

No comecinho de "Rap d'Anne Stark", por exemplo, faixa do primeiro álbum, *Fausto Fawcett e os Robôs Efêmeros*, de 1987, ele definia o seu tipo de apreço pelo noticiário: "Copacabana/ Constante Ramos/ Nos fundos de uma loja eletrônica Sony funciona a butique jornalística Paulo Francis/ Reduto de todos aqueles fissurados pelo lado feérico obsceno apocalíptico espetacular do jornalismo/ Reduto de todos aqueles amantes desses shows de realidade patrocinada que são os telejornais." Eis um autorretrato. Reality shows, como se lê, eram uma de suas obsessões desde muito antes dos *Big Brothers*, das *Ilhas da tentação*. No livro *Básico instinto*, publicado em 1993, na cola do sucesso do show erótico-musical homônimo, Fausto escreveu: "De tanto ver o mundo ser transformado em imagem, de tanto ver a vida ser transformada em show de realidade patrocinada, os habitantes do gueto capitalista já não sabem o que é e o que não é real."

Osama bin Laden programou o choque do segundo jato contra a segunda torre para minutos depois do primeiro impacto, quando a audiência global já tivesse sido arrebanhada para diante dos aparelhos de TV. Parecia um filme, não foi o que todo mundo disse? Do mesmo modo que ninguém levava o terrorista saudita muito a sério, Fausto Fawcett também padece de uma certa falta de crédito, agravada, olha a ironia, pelo estouro de "Kátia Flávia, a Godiva do Irajá" e seu grito de guerra "um Exocet calcinha!". A mídia sempre tentou domá-lo como um esquisitão engraçadinho, um robô fetichista por louras.

Fausto Fawcett, porém, é um sujeito sério. A perenidade e a integridade do seu trabalho atestam isso. Oficialmente, aliás, a estreia de quarta-feira, batizada "Coliseu, o show", comemora o décimo aniversário de "Básico instinto", um baita evento no inverno carioca de 1992. Naquele espetáculo lúbrico, em honra a Sharon Stone, ele subia ao palco do Mistura Fina com Carlos Laufer (guitarra, Robôs Efêmeros), Dado Villa-Lobos (guitarra, Legião Urbana), Dé (baixo, Barão Vermelho) e João Barone (bateria, Paralamas do Sucesso) e com as louras-cantoras-passistas Katia

Bronstein, Regininha "Poltergeist" Soares, Gisele Rosa e Luzia Maia, rebatizados como Falange Moulin Rouge. Um marco.

De resto, a risada de Fausto Fawcett pode ser ouvida ao fundo de parte considerável do que se faz de rap no Brasil, especialmente Fernanda Abreu (uma das convidadas especiais de "Coliseu", junto com Laufer, Dado, Marcelo Bonfá, Toni Platão, Chacal) e Gabriel O Pensador (outro ex-aluno de Comunicação na PUC, mais novo). E assim segue adiante, impávido, o nosso Lou Reed da Prado Júnior, o nosso Linton Kwesi Johnson do Beco das Garrafas, o nosso Allen Ginsberg da Princesa Isabel. Melhor escutá-lo.

(6/9/2002)

MEUS PERGAMINHOS

O exercício da crítica nos suplementos culturais requer um troca-troca permanente entre objetividade e subjetividade. Sem distanciamento dos fatos, não há informação. Sem envolvimento emocional, não há apreciação artística. É preciso, pois, articulá-los: razão e paixão. Um fã pode prescindir do julgamento, mas sob risco de tornar-se mero macaco de auditório. Um profissional pode prescindir da fruição, mas sob risco de tornar-se apenas um chato de galochas. Na maioria dos casos, porém, ambos compartilham categorias.

Ainda que instintivamente, também o ouvinte (ou o espectador, ou o leitor etc.) separa o que consome em quatro prateleiras mentais diferentes, a saber, de baixo para cima: as coisas das quais nem gosta nem reconhece valor; aquelas nas quais reconhece valor, embora não goste; as coisas das quais gosta mesmo admitindo a ausência de valor ou o pouco valor; e aquelas nas quais enxerga grande valor e pelas quais devota admiração. O resenhista funciona mais ou menos assim, só que com a consciência disso.

Na minha estante mental de rock internacional, por exemplo, é como se, do chão ao teto, eu tivesse, sei lá, Coldplay, Queen, Monkees e Radiohead.[1] Cada vez mais, entretanto, me convenço de que há algo além da objetividade e da subjetividade, um sótão no qual música e metafísica se embaralham. É uma nota na guitarra que arranca lágrimas aqui, uma virada de bateria que arrepia lá, uma letra que parece ter sido escrita sob medida acolá. Coisas que de fato nos tocam.

Acho que a geração a que pertencemos tem muito a ver com essa prateleira suprema. Não apenas conservamos com carinho, vida afora, cova adentro, os sons que nos tornaram ouvintes como acompanhamos, com interesse e empatia renovados, o que andam fazendo atualmente as pessoas responsáveis por aquelas músicas primordiais. Claro que ninguém precisa — e nem pode, lógico — ter nascido na Alemanha do século XVIII para hoje se enternecer por Johann Sebastian Bach. Contudo, imagino que um vampiro daquele tempo que vagasse entre nós haveria de tê-lo em conta ainda mais alta.

Na verdade, essa tese aí de cima se cristalizou em torno da volta à ativa dos Paralamas do Sucesso. Fiquei feliz pela miraculosa recuperação de Herbert Vianna, pela incrível qualidade do seu trabalho na banda e porque ele, Bi Ribeiro e João Barone fazem parte da minha própria vida. Na plateia do show gravado no Projac para o *Fantástico*, eu lembrava ao Tom Leão que, quase vinte anos atrás, em novembro de 1982, o trio tocou pela primeira vez no Western, um barzinho que ficava no Humaitá, numa casa onde hoje funciona algum negócio associado a esoterismo. Naquela ocasião, Tom e Hermano Vianna eram os bilheteiros. E eu, pois é, eu estive lá.

Eu ainda não usava óculos e ainda não era de todo careca, mas as meninas do Leblon nunca me deram a menor pelota. Foi bom, nas duas décadas que se passaram, ver as palavras e os sons dos Paralamas amadurecendo comigo. De tal forma que, hoje em dia, quando Herbert canta, na faixa-título do CD *Longo caminho*, "quantas canções vieram antes/ quantas há por vir/ quantos amores errantes/ por onde eu me perdi", relacionando arte longa e vida breve, tenho certeza de que ele fala por ele,

---

1 Atualizei esta lista. Na época da publicação, ela era Limp Bizkit, Sepultura, Green Day e, já, Radiohead.

por mim e por todos que estamos no final dos nossos anos 30, começo dos nossos anos 40.

Encontro o mesmo tipo de solidariedade no trabalho de outros contemporâneos, como Roberto Frejat (sobretudo em suas parcerias com os ótimos poetas Bruno Levinson e Mauro Santa Cecília, ambos também nessa faixa etária), Nando Reis e Leoni. Todos falam, cada qual à sua maneira, de um só tema: amadurecer/envelhecer/apodrecer diante de amor/trabalho/morte. E quando um colega deles, Sérgio Britto, dos Titãs, escreve "Epitáfio", externa esse misto de serenidade e angústia, antes que a inevitável motocicleta nos atropele e nos jogue para o alto (como fez com Marcelo Fromer): "Devia ter complicado menos, trabalhado menos/ Ter visto o Sol se pôr/ Devia ter me importado menos, com problemas pequenos/ Ter morrido de amor/ Queria ter aceitado a vida como ela é."

Frejat, do Barão Vermelho, em seu disco solo, relembra em "Quando o amor era medo" (parceria com Santa Cecília e com o baixista Rodrigo Santos): "No fim do túnel tudo escuro/ Ela me procurando com o olhar/ Mas as flores não chegaram/ Quando deveriam chegar." Nando Reis, agora ex-Titãs, no seu terceiro solo, *Infernal*, explica em "O segundo sol" (imortalizada por Cássia Eller): "Eu só queria te contar/ Que eu fui lá fora e vi dois sóis num dia/ E a vida que ardia/ Sem explicação." E Leoni, ex-Kid Abelha e ex-Heróis da Resistência, conta em *Você sabe o que eu quero dizer*, faixa "As cartas que eu não mando" (parceria com Luciana Fregolente, sua mulher): "E as pilhas de envelopes/ Já não cabem nos armários/ Vão tomando meu espaço/ Fazem montes pela sala/ Hoje são minha cama/ Minha mesa, meus lençóis/ E eu me visto de saudades/ Do que já não somos."

Ao escutá-los, sinto-me como um personagem de Gabriel García Márquez num final de livro: lendo pergaminhos que narram minha própria história até este preciso instante, no qual, veja só, leio pergaminhos. Pergaminhos que me fazem quase 40 anos de companhia.

(11/12/2002)

E O KID?

No começo dos anos 80, nós ainda achávamos que o rock era capaz de mudar o mundo. Ou, ao menos, o nosso mundinho, chamado Brasil. O país estava num processo de abertura política "lenta, segura e gradual", tensionada entre o desejo dos quartéis e o dos comícios. Nesse processo, os roqueiros, antes vistos como alienados pró-ianques, bancavam os bois de piranha revolucionários. Legião Urbana, Blitz e Leo Jaime, entre tantos outros, davam voz às ruas. Suas músicas, falando que na favela e no Senado havia sujeira para todo lado, que queriam ver a menina nua, que na Aids não ia adiantar botar band-aids, testavam e alargavam os limites da Censura Federal, braço anti-intelectual do regime militar.

Até um dos grupos mais engraçadinhos do lote, o Ultraje a Rigor, teve a honra de ser citado pelo doutor Ulysses Guimarães, que, em janeiro de 1984, em plena Campanha das Diretas Já, recomendou que o general-presidente João Figueiredo escutasse "Inútil" ("A gente não sabemos escolher presidente/ A gente não sabemos tomar conta da gente"). E o Kid Abelha? Bom, nesse contexto de indignação cívica era politicamente incorreto dizer que se gostava dele, de seu som pop, sua new wave suave, suas letras levinhas, intimistas. No máximo, se flagrados em delito, pigarreávamos, dávamos uma disfarçada machista e dizíamos que só prestávamos atenção na banda por causa da cantora gostosinha.

Na época, eles se intitulavam Kid Abelha & Os Abóboras Selvagens, não apenas Kid Abelha. (Fico imaginando se um dia ainda vão adotar um *radioheadiano* Kid A. Nada a ver, nada a ver.) Acho que assisti ao seu segundo show. Foi no Monte Líbano, a 5 de dezembro de 1982. (Não, nada tão marcante assim, mas eu tenho um álbum com canhotos de ingressos, lembra?) Era uma festa-show de lançamento para o álbum ao vivo *Still life*, dos Rolling Stones. Vários grupos se apresentaram no salão. Tocaram suas músicas e deram um jeito de meter uma versão para os Stones no meio. O Kid cantou "Let's spend the night together". O Kid era Paula Toller (vozinha), Carlos Leoni (baixo), Carlos Beni (bateria), George Israel (sax), Beto Martins (guitarra) e Richard Owens (teclados).

No ano seguinte, uma formação menor, sem Beto e Richard, vendeu mais de 100 mil cópias — compacto de ouro à época — de "Por que não eu?". Cinco anos depois, num Festival Alternativa Nativa, realizado no Maracanãzinho lotado, Paula tirou uma de Marilyn Monroe com seus cabelos recém-platinados. Ela se agachou na beira do palco, sua saia subiu com um corrente de ar e, bem, os fotógrafos se fartaram. Eu estava por perto. Ainda ali, tendo o grupo vários discos elogiados e bem-vendidos, a ênfase costumava ir toda para a cantora, não para a canção. Hoje, conforme escuto o seu recém-lançado álbum *Acústico MTV*, penso: "Meu Deus, como fomos tolos!"

Preocupados com coisas materiais, não tivemos coragem para assumir que o Kid Abelha também elevava o espírito e que, portanto, não havia nenhuma razão para nos envergonharmos de gostar dele. Faço essa autocrítica não é de hoje. Este acústico, porém, é outra prova cabal de que, sim, é possível fazer música pop no Brasil sem descambar para a irrelevância. "Grand' Hotel", por exemplo, parceria de Israel com Paula e o marido, o cineasta Lui Farias, tem um verso cruel e preciso para descrever a modorra em que se transformam certos relacionamentos: "O nosso amor se transformou em 'bom dia'." Isso está, em vários sentidos, muito adiante de "baba, baby, baba". Ou da bonitinha "Quero te encontrar", de Claudinho & Buchecha, que o Kid toca no CD.

Aliás, imagino a trabalheira do grupo e do produtor Paul Ralphes — um craque galês radicado no Brasil por amor — ao selecionar repertório e bolar arranjos para este *Acústico MTV*. Primeiro, pelos 20 anos de sucessos. Segundo, porque o Kid já tinha gravado um ótimo álbum semiacústico ao vivo, bem intitulado *Meio desligado* (1994). Nada bate. Mesmo as três únicas músicas comuns aos dois discos, "Como eu quero", "Eu tive um sonho" e "Grand' Hotel", surgem muito diferentes. E, de lá para cá, novas belezinhas somaram-se às antigas: "Nada sei", "Eu contra a noite", "Eu só penso em você", "Te amo pra sempre". O fato é que o Kid — há bastante tempo um trio com Paula, Israel e Bruno Fortunato (guitarra) — melhorou com o tempo. A "cantora gostosinha", em particular, tornou-se mãe, encorpou uma bela voz e ficou mais bonita aos 40 anos.

Na alvorada de um verão que pelo visto trará mais tatuagens descendo por barriguinhas do que um homem com minha pressão arterial pode suportar, quedo-me em paz escutando o Kid Abelha, sem nenhum saudosismo, apenas sabendo que a vida nos torna menos indefesos ante a sedução da última novidade musical. Porque sabemos que ela com certeza não é a última e que ela muito provavelmente nem é nova. De qualquer forma, satisfeito com os White Stripes e os Strokes, decepcionado com os Hives, indiferente ao Calling e aos Vines, o ouvido já coça curioso por esse tal The Coral. Isso não acaba nunca?

(22/11/2002)

BELEZA IMACULADA

Faz duas semanas que escuto direto o último disco de Los Hermanos. Não é pouca coisa. O rock anda acomodado e eu, impaciente. Tenho certeza, porém, que é possível passar meses, anos apreciando o CD *Ventura* (BMG), cada arranjo, cada letra, promovendo um rodízio de favoritas entre as 15 faixas. Hoje "Samba a dois", amanhã "Cara estranho", domingo "De onde vem a calma"... Tenho essa certeza porque há anos — desde o single de "Anna Júlia" — aprecio o trabalho do grupo. Ouço com frequência os álbuns *Los Hermanos* (1999) e *Bloco do eu sozinho* (2001). Ou seja, eles se tornaram clássicos aqui no meu aparelho de som. Basicamente por duas razões.

Primeira razão: a ousadia de fazer diferente e, depois, diferente do diferente numa época em que a tônica é fazer mais do mesmo. *Los Hermanos* era um time que estava vendendo: 300 mil cópias na cola de "Anna Júlia". Ainda assim, a banda mexeu nele em *Bloco do eu sozinho* e, sem o peso do sucesso, de novo agora em *Ventura*. Segunda razão: a qualidade das letras de Marcelo Camelo e de Rodrigo Amarante, os dois vocalistas e guitarristas. Sei que já se criou bom rock em cima de onomatopeias, bênção Little Richard. *Awopbopaloobopawopbamboom*! Mas eu me ligo em letras, o que posso fazer? Vivo delas. Estimo uma frase bem torneada, um pensamento original, uma palavra justa.

"Anna Júlia" continua sendo uma grande música pop, das que, conquanto durem meros três minutos, deixam entrever a Eternidade. Teria sido mole para Los Hermanos meterem uma "Maria Helena" em *Bloco do eu sozinho* e uma "Márcia Cristina" em *Ventura*. A opção foi fugir delas qual o diabo da cruz. Como aquela menina bonita, sei lá, imagine aí a Mariana Ximenes, estrela do clipe de "Anna Júlia", que decide triunfar pela inteligência, não pela boniteza, e começa a borrar a maquiagem, picar o cabelo todo e pintar de cereja, se vestir como um menino, se sabotar, se odiar, você conhece o tipo. A verdadeira beleza, no entanto, ainda está ali, imaculada.

Está ali em *Bloco do eu sozinho*, de "Retrato pra Iaiá" ou de "Sentimental", à disposição de quem quer que ponha cachola e coração para funcionar além da primeira camada, a das aparências. Agora, em *Ventura*, aquela beleza primordial surge por trás de outros sons, de outras roupagens. Generalizações quase sempre são perigosas, mas... Viver é correr riscos, aqui vou eu: *Los Hermanos* era um CD meio ska, meio hardcore; *Bloco do eu sozinho*, meio cabaré, meio Quarta-Feira de Cinzas; e *Ventura*, bem, *Ventura* é tudo isso e outra meia-dúzia de coisas, excelente sinal em tempos de grupos, pessoas, ideias unidimensionais. Cada uma de suas faixas possui personalidade própria.

Leio uma tendência de se considerar *Ventura* um disco de samba. Isso é um 1/15 de verdade. A informação carnavalesca já estava lá, em capa e/ou título(s), desde *Los Hermanos* e *Bloco do eu sozinho*. Como seus antecessores, *Ventura* permanece um disco de rock, mas um disco de rock de uma banda alerta ao que de melhor o mundo em volta pode oferecer. Para mim, por exemplo, a faixa de abertura, "Samba a dois", é tão Chico Buarque quanto Picassos Falsos, em todas as suas estranhezas e assimetrias. "Cara estranho", de guitarras iradas e redondas, é o Weezer transferido da UCLA para a PUC. E a lindíssima "De onde vem a calma" — a última faixa, que luxo — é *lo-fi* com falsete.

Além da boa música de Camelo, Amarante, Bruno Medina (teclados) e Rodrigo Barba (bateria), produzida por Kassin, há as letras, que funcionam até separadas das melodias. Há um tema no CD: a angústia da cobrança de sucesso, de vitória, de virilidade. "Eu que já não sou assim/ Muito de ganhar,/ Junto as mãos ao meu redor/ Faço o melhor que sou capaz/ Só para viver em paz", canta Camelo, em "O vencedor", como se cantasse só para si, sob ataque dos metais. "Talvez se nunca mais tentar/ Viver o cara da TV/ Que vence a briga sem suar/ E ganha aplausos sem querer", especula "Cara estranho". "Como não entende de ser valente/ Ele não sabe ser mais viril", faz coro "De onde vem a calma".

Essa melancolia romântica, lato sensu, permite uma *private joke* como em "Samba a dois". Quando Camelo entoa "me laça a alma, me leva agora" está a compor o nome da namorada, Mila. Mais torturado, Rodrigo Amarante também faz bons achados amorosos em "Do sétimo andar" (para uma garota fugida) e em "Um par" (para um filho sumidão). Na primeira, ele declara "Deus sabe, o que eu quis foi te proteger/ Do perigo maior que é você (...) O seu caso é o tempo passar/ Quem fala é o doutor". Na segunda, "eu rezo, ai Deus do céu ou alguém no chão diga-me o que foi que eu deixei faltar! O que eu não consigo é entender como é que um filho meu é tão diferente assim de mim".

Tais letras, parece-me, encontram um momento significativo num meio bolero, meio surf music, "A outra". Nela, Camelo rompe com o machismo vigente no rock ao assumir, qual Chico antes dele, uma voz feminina, que dá um ultimato ao cidadão infrator: "Paz, eu quero paz/ Já me cansei de ser/ A última a saber de ti/ Se todo mundo sabe/ Quem te faz chegar mais tarde." Só com esses dois Hermanos já não daria para ficarmos nos queixando da falta de bons letristas no pop-rock dos anos 90/00. Sabendo-se, então, que seus versos se articulam com músicas inquietas, como "Tá bom" ou "Conversa de botas batidas", temos motivos mais que suficientes de alívio: não estamos sozinhos no bloco.

(30/5/2003)

OS QUATRO COIOTES

Heráclito de Éfeso foi um filósofo grego que viveu entre os séculos sexto e quinto antes de Cristo. Um dos seus aforismos que sobreviveu afirma que não se pode entrar duas vezes no mesmo rio. O que ele queria dizer com isso? Não apenas que os rios estão em eterno movimento, mas que os homens estão em permanente mudança. Ou seja, entre um mergulho e outro, as águas não são mais as mesmas, e o banhista também não. Todo seu pensamento talvez possa ser sintetizado numa pequena frase: as coisas mudam.

John Cage foi um compositor americano que viveu no século XX. Sua peça mais famosa dura precisamente quatro minutos e trinta e três segundos de silêncio. Contudo, "4'33"" nunca é a mesma música. Ou a mesma ausência dela. É pontuada por tosses, ranger de poltronas, som de ar-condicionado, talvez de vento nas folhas das árvores, se o concerto for ao ar livre. Cage escreveu que quase tudo o que ouvimos é ruído e que, se tentarmos ignorá-lo, ele nos perturbará; mas, se prestarmos atenção nele, ficaremos fascinados.

Foi com essas coisas na cabeça que mergulhei na audição da caixa *Revolução! RPM 25 anos*, lançada pela Sony & BMG. Ela traz a integral da obra brevíssima da banda de rock liderada pelo ex-crítico Paulo Ricardo Medeiros: os CDs de *Revoluções por minuto* (1985), *Rádio pirata ao vivo* (1986) e *Quatro coiotes* (1988); mais um CD de remix*es e raridades*; mais um DVD com o show *Rádio pirata* e o *Globo repórter* sobre a banda; mais um livreto com fichas técnicas e texto de Marcelo Leite de Moraes.

Nunca havia voltado aos álbuns que conservei em LP. Nunca voltei a *Revoluções por minuto* e *Rádio pirata ao vivo* porque eles estavam sulcados não só no vinil preto como na massa cinzenta. Nunca voltei a *Quatro coiotes* porque o tinha apagado da memória como um retumbante fracasso, agravado pelo show de lançamento no Canecão. Além disso, o terceiro disco ainda estava inédito em CD até reaparecer em *Revolução!*.

Por isso, Heráclito e Cage em mente, foi sobre *Quatro coiotes* que me joguei de verdade. No caminho, ouvi que os outros dois álbuns do RPM — formado por Paulo Ricardo (voz e baixo), Luiz Schiavon (teclados), Fernando Deluqui (guitarra) e Paulo P.A. Pagni (percussão) — continuam vivos e bem, apesar da bateria com eco que data para o mal grande parte do rock produzido no mundo durante os anos 80. E contêm, ambos, uma das canções mais bonitas já produzidas em qualquer tempo ou gênero no Brasil: "A cruz e a espada".

E *Quatro coiotes*? O disco também não tinha como ser exatamente o mesmo, eu sabia. Vinte anos de "ruídos" haveriam de ter-lhe modificado o sabor: tudo o que ouvi desde então, tudo o que estamos ouvindo agora, faz parte de *Quatro coiotes*. Como, aliás, qualquer outra experiência estética. O *Sgt. Pepper's* escutado em 1977 não foi o mesmo *Sgt. Pepper's* escutado em 1967. O *Ulysses* lido na juventude não é o *Ulysses* relido na maturidade. Sem falar na vida que flui em torno da arte, Heráclito sabia das coisas.

Os anos anteriores *a Quatro coiotes* foram violentos na vida do RPM. A entrevista da mestra Ana Maria Bahiana, de Los Angeles para a capa do Segundo Caderno de 23 de março de 1988, já mencionava, por entre as naturais declarações triunfalistas de quem lança um trabalho ("O público vai adorar", dizia Paulo Ricardo), a pressão depois do sucesso dos LPs anteriores, os conflitos internos, o período de separação, a dura da gravadora CBS.

Revoluções por minuto atraíra 500 mil compradores. E *Rádio pirata ao vivo* havia sido posto na rua meio às pressas, para capitalizar o sucesso da versão para "London, London", de Caetano Veloso, vazada de um show para as rádios. O disco vendera 2,5 milhões de cópias. E o que você faz depois que vende três milhões de LPs? Você enlouquece, é óbvio, ébrio de egolatria e de cocaína, cheirada em carreiras gigantescas a cada três minutos e meio. "Cheguei a cronometrar", disse-me Paulo Ricardo, no balcão de um bar da Vila Madalena, em São Paulo, anos depois. "A gente já não era normal."

Quatro coiotes nasceu num covil em que cada músico rosnava por um naco dos direitos autorais. Não tinha como ser um trabalho coeso. E fracassou. Para os padrões da banda. Vendeu 200 mil cópias. Hoje, muito emo daria o kit de maquiagem para alcançar essa marca. Ademais, vinte anos depois, o "disco perdido" do RPM transmite a pungência de quatro caras trancados num estúdio, colocando todos os seus limites à prova. Se não basta para torná-lo um grande disco, é mais do que suficiente para torná-lo um disco bem diferente do que era em 1988.

A megalomania superproduzida de *Quatro coiotes* confronta-se com a falta de ambição mal-ajambrada de inúmeras bandas contemporâneas. Não leva todas, sobretudo não no bizarro samba-rock-funk-árabe "O teu futuro espalha essa grandeza", que tem a participação de Bezerra da Silva. Já "A dália negra" e "Ponto de fuga", por exemplo, ganham uma urgência inesperada no novo mergulho proporcionado por *Revolução!*.

No conjunto da obra, o tecnopop sombrio do RPM atira migalhas de pão na trilha que, lá fora, levaria a Kassabian e Klaxons, para ficarmos apenas na letra K. Não, a banda brasileira não os influenciou, não se trata disso. A sua audição é que hoje é influenciada pelo novo dance rock inglês. Eu disse, ninguém escuta a mesma música duas vezes.

(8/8/2008)

DE PERTO

O leitor talvez desconfie que nem tudo do farto material que registra a morte de uma pessoa conhecida é feito da noite para o dia ou em poucas horas. Há, sim, um arquivo de obituários prontos, ou para quem já está bem velhinho, e vê a inevitável despedida se aproximando, ou para quem está mal de saúde, e corre risco de morrer precocemente.

Não se trata de desrespeito. Ao contrário, é reconhecimento do valor daquela pessoa para a Humanidade, a História, o fã. É constatação de que ela nem pode nem merece ser exposta às inevitáveis imperfeições do jornal aprontado às pressas. O *New York Times*, famoso também por obituários mais definitivos que os da concorrência, chega a entrevistar o futuro defunto. Afinal, ele tem direito de se expressar em tão grave hora.

O leitor decerto pode imaginar a alegria que o jornalista sente ao ver sua reportagem publicada. É tamanha que a rotina da redação nunca a mata de todo. Há, em contrapartida, o texto que temos pesar em publicar. Lembro-me do que escrevi quando da morte do poeta Cacaso, no final de dezembro de 1987, no antigo *Jornal do Brasil*. Não só pelo choque da sua perda, aos 43 anos, mas porque, naquele momento, entre feriados, naquele mundo sem celular e sem e-mail, acabei involuntariamente dando a notícia para alguns de seus amigos.

Noutro final de dezembro, o de 2001, vínhamos voltando do cine Paissandu, onde acabáramos de assistir à versão *redux* de *Apocalypse now*, quando a multidão na porta de uma clínica na Rua das Laranjeiras denunciou a presença de alguém conhecido. Cássia Eller tinha acabado de morrer, aos 39 anos. Respirei fundo, segui em frente e sentei-me aqui, onde estou sentado agora, para escrever o obituário que seria publicado no velho site NO. Eu assinara o texto do release do primeiro LP dela, de 1990. Cássia era uma promissora carioca voltando de Brasília. O leitor pode imaginar a minha tristeza.

E o que ele percebe, então, é que não publicar algo também pode proporcionar bastante alegria a um jornalista. Há um texto, em especial, que me deixa feliz por jamais ter sido lido por mais ninguém. É o obituário de Herbert Vianna que a gravidade da situação mandou-me escrever quando, também aos 39 anos, ele se acidentou de ultraleve, em fevereiro de

2001. (Sua mulher, a inglesa Lucy Needham, mãe de seus três filhos, morreu na hora.) Diria até que, para mim, apenas uma reportagem que foi publicada deu-me tanta alegria: a da minha estreia, lá no *Jornal do Brasil*, com a banda brasiliense Plebe Rude, cujo primeiro disco era produzido, leia a coincidência, por Herbert Vianna.

O cantor e guitarrista dos Paralamas do Sucesso passou, o leitor há de lembrar, 44 dias internado no hospital Copa D'Or. A Escala de Glasgow classifica os comas entre os níveis 3 (o mais profundo) e o 15 (o mais leve). No recém-lançado documentário *Herbert de perto*, de Roberto Berliner e Pedro Bronz, o neurocirurgião Paulo Niemeyer explica que Herbert chegou em coma nível 4, no qual a probabilidade de morte supera os 50%.

Durante 44 dias, o obituário que eu escrevera para Herbert ficou num limbo, lá no site, entre os botões virtuais de "publicar" e "deletar". No dia em que ele saiu do hospital, destruí o texto com requintes de felicidade. Ninguém nunca o leu, ninguém jamais o lerá, não me lembro do teor dele e, tenho certeza, não estarei mais na área para escrever nada parecido. Herbert ficou paraplégico, ao menos até que as pesquisas com célula-tronco se adiantem, mas lúcido, apesar das lacunas na memória. Cada vez menos lacunas, aliás.

Porém, enquanto o que vigorava era a incerteza, escrevi aqui no *Globo* algo em torno da pergunta "por que coisas ruins acontecem a pessoas boas?" e, assim, tentar dar vazão à angústia. Hoje, entendo que a pergunta era ingênua. Coisas acontecem. Ponto. Não há sentido nelas. Usar a palavra milagre para descrever a recuperação de Herbert desmerece a perícia de toda a equipe médica, ignora a força do próprio acidentado e, aos crentes, propõe um paradoxo: se a onipotência divina o salvou, o que o teria acidentado?

(Ver HOUSE, Gregory. *Terceira temporada, episódio final, Erro humano, 2007.*)

Não tenho distanciamento para falar de *Herbert de perto*. Os fatos felizes e os fatos infelizes registrados no documentário dizem respeito a pessoas que, no decorrer de um quarto de século de vida em zigue-zague, tornaram-se mais que objetos de reportagem e fontes jornalísticas. Há, contudo, gente alheia a esse "universo paralâmico" que gostou do filme. Como há, claro, gente que não gostou. Não posso nem gostar nem desgostar. Sou testemunha, do surgimento dos Paralamas no BRock à vigorosa retomada após o acidente.

Para mim, a cena mais emocionante do filme é a de Herbert vendo um velho vídeo. No passado, ele, Lucy e as crianças se preparam para uma viagem. A mulher explica ao pequeno Luca que não, o gato tigrado não vai no carro. No presente, ele pede para assistir à cena de novo. A câmera se fixa em sua expressão. Herbert sorri, como se sorrir repuxasse algum músculo que dói. É algo que o espectador não pode nem imaginar, mas pode sentir.

(16/10/2009)

NOVO CALOR

A reunião atingira o objetivo de toda reunião: a perpetuação da sua própria espécie, ou seja, a marcação de outra reunião. Eu caminhava pela João de Barros na direção da Bartolomeu Mitre distraído, nessa filosofia sem botequim, quando um carro veio devagar, cruzou a rua e parou um pouco adiante, na General Urquiza. Da janela do carona, um rapaz de barba rala botou meio tronco para fora e disse: "Ô Dapieve..."

Tomei um susto naquele fim de tarde, dois ou três anos atrás, e prestei atenção. "Ô Dapieve...", repetiu ele. O tom era íntimo, quase carinhoso, mas indubitavelmente de reclamação. Imaginei que fosse se queixar do excesso de referências ao Botafogo ou de alguma sacaneada no presidente Lula. "Sou seu leitor", prosseguiu o rapaz. "Queria te dizer pra escrever sobre música brasileira. Você não escreve sobre música brasileira..."

Era uma coisa estranha de se dizer para quem na época, além de artigos no jornal, já tinha um livro sobre rock brasileiro dos anos 80 e outro sobre Renato Russo, mais os textos da fotobiografia dos Paralamas do Sucesso, do Maurício Valladares. De qualquer forma, estava fora de cogitação comentar minha bibliografia no meio da rua. Levantei o polegar e fiz sinal de positivo. Aquilo era estranho, mas não surpreendente.

Uma quantidade frustrante de gente de todas as idades tem uma concepção muita estreita do que pode ser música brasileira. Pode MPB, samba, choro, caipira, axé, ritmos folclóricos, vale até o latino bolero. Entretanto, dependendo do grau de xiismo, mesmo a bossa nova continua *sub judice*. Tom Jobim, afinal, foi "acusado" de não fazer música brasileira. Não, não pode jazz, rock, funk, rap, eletrônica ou sertanejo. Em suma, nada que cheire, ainda que cada vez mais remotamente, a influência da música americana. Talvez essa pseudo-ortodoxia nada mais seja do que outra forma de antiamericanismo.

No caso do rock, porém, o cisma também foi alimentado, por razões diferentes, pela própria galera que surgiu na década de 80. Acreditava-se, então, que era necessário passar cerol na "linha evolutiva da MPB", de modo a marcar uma distância punk-crítica dos astros da década anterior. Depois, esse confronto geracional foi-se abrandando, conforme o BRock amadureceu e incorporou ritmos de origem não americana. Coisa que, aliás, Roberto Carlos e os Mutantes já haviam feito na década de 60.

Existem poucas músicas tão visceralmente brasileiras quanto "Perfeição", o anti-hino nacional que a Legião Urbana gravou em 1993, num disco chamado, ora veja, *O descobrimento do Brasil*. No entanto, lembro-me de uma entrevista que fiz no ano seguinte, na qual Renato Russo se queixou, daquele seu jeito às vezes meio cômico, de um papo que ouvira entre alguns pirralhos. Eles discutiam se Legião era rock ou MPB. Concluíram que rock era Pantera — uma banda americana de metal, tão expressiva que hoje precisa ser lembrada assim, entre travessões — e que Legião era MPB. "Eu não entrei numa banda de rock para acharem que faço MPB!", irritava-se Renato.

As duas lembranças, a do encontro nas ruas do Leblon e a da entrevista num apartamento de Ipanema, voltam-me à cabeça a propósito do segundo disco solo de Marcelo Camelo, o recém-lançado *Toque dela* (Universal/Zé Pereira). Será que alguém, seja qual for a geração, vai perder tempo discutindo se é rock ou MPB? Espero que não. Inclusive porque o disco é rock e MPB e, talvez, mais alguma coisa que ainda não estejamos aptos a definir. Um caminho natural para quem é egresso de uma banda de rock carioca com nome em espanhol que, nos seus únicos quatro álbuns de estúdio, já misturava rock, hardcore, ska, samba, choro e *otras cositas más*.

Toque dela é um disco de canções. Isso pode soar uma obviedade, mas não é. O solo anterior de Camelo, *Sou/Nós*, de 2008, era um disco de climas, apesar de ter ao menos duas grandes canções, "Janta" e "Santa chuva", gravada anteriormente por Maria Rita. Era bom, embora menos focado que *Toque dela*, o que se reflete na própria duração, de mais de 55 minutos (contra os quase 42 minutos do novo CD). Era como se, fora do casamento com Los Hermanos, Camelo experimentasse novas relações. Com o piano de Clara Sverner, com a sanfona de Dominguinhos e, também, claro, com sua namorada Mallu Magalhães. Por sinal, o disco foi um pouco obscurecido pela fofocada sobre o casal, alimentada pelo Bolsonaro que muitos trazem no peito.

Toque dela, eu dizia, é um disco de canções. Não à moda literária de Chico ou Caetano, mas fragmentadas, dentro do espírito de um tempo computadorizado. O disco abre logo com três excelentes canções. "A noite" traz Camelo acompanhado pela banda de rock que já lhe fornecia um chão em *Sou/Nós*, a paulistana Hurtmold. "ÔÔ" tem a melhor declaração de amor do primeiro trimestre: "Tudo que eu fizer vai ser pra ver aos olhos dela." E "Tudo que você quiser" apresenta um bonito solo de acordeom de outro Marcelo talentoso, o Jeneci, que no ano passado lançou *Feito pra acabar*.

Nove das dez faixas do novo CD de Camelo incluem ao menos um instrumento de sopro, normalmente todo um naipe. Essa característica às vezes aproxima do Beirut — música americana? balcânica? mexicana? europeia ocidental? quem se importa? — esse Camelo delicado como sempre, senhor de si como nunca. Esta característica sonora dá a *Toque dela* um calor especial.

(8/4/2011)

ANTES DA EXPLOSÃO

Como tanta música na vida, inclusive o Clash, quem me apresentou ao Acidente foi Ana Maria Bahiana. Na virada dos anos 70 para os 80, ela escrevia para a revista *SomTrês*. Até aí o morreu o Neves, embora o Ezequiel ainda estivesse vivo e bem: como quase todo mundo que importava, Zeca também escrevia na revista editada por Maurício Kubrusly. A publicação da Editora Três se dedicava a dois animais hoje em extinção, salvo num ou noutro santuário tecnológico: discos e equipamentos de som.

No começo dos anos 80, vivíamos, nós, roqueiros por formação, à espera de um Messias, alguém que naturalizasse o rock como forma de expressão jovem e urbana no Brasil. Antes, tivéramos Rita e Raul, claro, mas eles eram únicos. Mais recentemente, tínhamos tido Gang 90 & As Absurdettes, de Júlio Barroso, que, aliás, era outro que escrevia na *SomTrês*. Não havia sido o bastante para formar uma massa crítica, não ainda, não antes da explosão da Blitz, em meados de 1982. Estávamos órfãos.

A música popular brasileira da época não nos dizia muita coisa, preocupada que estava ou em driblar a Censura Federal com metáforas cada vez mais herméticas ou em apenas se autocongratular. De vez em quando até ouvíamos coisas muito legais, que certamente não ignoravam que no vasto mundo lá fora havia o tal de roquenrol: Novos Baianos, A Cor do Som, 14-Bis, Kleiton & Kledir. No entanto, elas estavam mais próximas da "linha evolutiva" das músicas baiana, mineira ou gaúcha do que do rock.

Nesse contexto de alta ansiedade, a *SomTrês* de janeiro de 1982 trazia mais uma resenha da Ana Maria Bahiana, dedicada ao LP de um quinteto de rock chamado Acidente. No texto, ela se lembrava que o seu líder — um cara que atendia por Paulo Malária e, só por isso, já atiçava minha curiosidade punk — costumava passar na redação do *Jornal da Música* e fazer comentários ácidos sobre a forma física dela, Ana Maria. A crítica não foi vingativa. Ao contrário, foi um alento para banda e leitores.

Naquele estilo muito próprio, Ana Maria tentava imaginar o que se passava na cabeça do pessoal do Acidente para lançar, em junho do ano anterior, um LP petulante como aquele *Guerra civil*. Ela escreveu: "Olha, foda-se a MPB, nós gostamos mesmo é de rock'n'roll, nós só ouvimos rock'n'roll a vida toda, então é isso que nós sabemos e queremos fazer." Nem era preciso elogiar mais (e Ana Maria elogiava) para fazer um menor de idade copacabanense sair à cata do primeiro LP independente do rock carioca.

Tenho-o ainda hoje. Por isso, fiquei feliz ao descobrir que, em comemoração ao aniversário de 30 anos, ele está saindo pela Stolen Records junto com o segundo LP, *Fim do mundo* (1983), e o EP *Piolho* (1985). Os três reunidos num CD batizado *Rock*, singelamente. *Piolho* inclui a profética "Camarada Mao": "A China se tornou capitalista/ Com ganas de ser logo a primeira da lista/ O chinês agora/ É consumidor/ Ar-condicionado, geladeira, fogão/ Já era o comissário do povo/ A onda agora é patrão."

Guerra civil, o LP pioneiro, ainda não era a senha para a chegada do Messias roqueiro. Porém, como a Ana Maria tinha sacado, ele era tocado com tal convicção que isso nem tinha lá tanta importância. Ninguém naquele tempo — ou, pensando bem, em qualquer outro — tinha a cara de pau de fazer uma música chamada "O assassinato de Trotsky". Apesar do sarcasmo e do olho feroz na política, o Acidente não era punk, musicalmente. Fazia era uma salada de subgêneros do rock, mais blues e country, com ecos de Raul, Mutantes, Sá & Guarabira. Um elo perdido entre o "antes" e o "depois".

No CD que teve de ser tirado diretamente das imperfeições de um LP, é tocante como Malária (voz e teclados), Hélio Jenne (voz e violão), Fernando Sá (guitarras), Guto Rolim (baixo), Zeca Pereira (baixo) e convidados dizem coisas como "Quem os deuses querem destruir/ Primeiro enlouquecem/ Com o veneno da ciência/ e a paranoia" ("Loucos") ou "Sei que sou melhor do que vocês/ Só não quero que me chamem/ Defensor da causa pública/ Se eu pudesse eu lhes faria sofrer" ("Eu ainda amo vocês").

Nos bares do circuito roqueiro do Rio no início dos anos 80, como o Western ou o Emoções Baratas, o Acidente fazia apresentações provocativas, difíceis de sequer se imaginar numa época em que o grande público é tão adulado. O botafoguense Malária anunciava com antecedência que iria queimar uma camisa do Flamengo, sempre salva na hora H por outro membro da banda. Aliás, você lembra de ter visto há pouco tempo, nos telejornais esportivos, um sujeito de óculos tocando uma escaleta na arquibancada de São Januário, em protesto contra alguma má fase do Botafogo? Malária.

Malária, ou melhor, Paulo Izecksohn, felizmente mantém suas paixões. Graças a ele, um Acidente continua na ativa, como grupo de rock progressivo, subgênero que já estava lá nos sulcos de *Guerra civil*. A propósito, o bom *Gloomland*, de 1994, plena fase prog, está sendo relançado em CD com faixas-bônus. Dá para os menores de idade de hoje terem uma ideia de como fazer rock no Brasil já foi um negócio bem perigoso.

(5/8/2011)

A LIBIDO MIGRA

Arrependo-me do subtítulo que dei ao meu primeiro livro, *BRock*, publicado em 1995 pela Editora 34: "O rock brasileiro dos anos 80." O mais justo teria sido: "O rock brasileiro nos anos 80". Porque "dos" aprisiona artistas e bandas naquela década, como se eles não tivessem produzido nada de bom nas seguintes, ao passo que "nos" apenas os flagraria nela, mais conforme ao espírito de um livro-reportagem.

Por outro lado, sempre me policiei para que o merecido elogio a Legião Urbana, Paralamas, Titãs ou RPM não soasse como nostalgia, essa paralisia existencial. Embora pessoalmente goste muito mais da geração acima (a minha), tentei nunca ficar surdo aos méritos da galera que veio logo depois, sobretudo os mineiros Pato Fu e Skank, além do Jota Quest mais suingado (os pernambucanos Chico Science & Nação Zumbi e mundo livre s/a já estavam fora da força gravitacional do BRock). Então, vieram os anos 00 e...

O desafio autoproposto de fazer uma lista com cinco ou dez novos nomes do rock brasileiro que fizeram o meu coração bater mais forte, de verdade, desde o Rock in Rio III mostrou-se além das minhas forças. No cenário internacional, ainda consegui me entusiasmar menos ou mais fugazmente com Arcade Fire, Beirut, Damien Rice, Futureheads e Vampire Weekend. Aqui, todavia, os últimos dois grupos que me pegaram de jeito foram O Rappa (formado em 1993) e Los Hermanos (em 1997).

Isso não significa que eu não tenha conhecido bandas bem boas desde então. Cabaret, Moptop, Mombojó, Vanguart, Luisa Mandou um Beijo e Columbia, por exemplo. No entanto, a escala dessa turma é menor. Quase escrevi "voluntariamente menor", indie, alternativa, mas há circunstâncias externas que complicaram suas vidas, impedindo que discos fossem lançados ou shows agendados com regularidade. Citar também Marcelo Yuka, com o F.UR.T.O., ou Marcelo Camelo solo faria jus a trabalhos distintos dos do Rappa ou dos Hermanos, sim, mas sua qualidade não seria surpresa.

A vasta maioria das bandas brasileiras surgidas nos últimos dez anos, entretanto, se complicou já a partir dos parâmetros pinçados no rock internacional, que não viveu seu melhor decênio após 2001. Talvez nem tivesse como. Aqui ou lá fora, é mais difícil fazer rock original hoje do que nos anos 90, assim como nos anos 90 já tinha sido mais difícil do que nos anos 80, assim como nos anos 80 tinha sido mais difícil do que nos anos 70... Cada geração oprimindo como um pesadelo o cérebro da seguinte.

Se se recuar no tempo, pode-se dizer que os Mutantes foram os Mutantes porque a sua criatividade era desafiada pelos Beatles e pelos Tropicalistas. Nos anos 80, os Paralamas começaram a tocar inspirados por Police e UB40, mas devido à banalidade desses grupos ingleses, Herbert, Bi e Barone os superaram (para ilustrar o meu primeiro parágrafo, aliás, lembro que um de seus melhores CDs, *Longo caminho*, é de 2002). Hoje, quem aqui se arrisca a encarar o Arcade Fire ou o Vampire Weekend? Com o Beirut, ocorre algo curioso: Brasov e Móveis Coloniais de Acaju já faziam música de toques balcânicos nos anos 90, ou seja, antes de Zach Condon conhecer a Europa.

Naturalmente, a libido tão saliente no auge do BRock migrou, nas décadas seguintes, para outras formas de música naturalizadas brasileiras, como o rap e o funk, ou formas híbridas, como uma certa bossa eletrônica — além de se reafirmar em gêneros preexistentes, como o samba. O rock já tinha desempenhado papel crucial na transição da ditadura militar para a democracia. Dissera com a crueza necessária (e na medida em que a Censura Federal fora amolecendo) o que tinha de ser dito a João Figueiredo ou a José Sarney. Com a eleição direta de Fernando Collor, em 1989, porém, o rock perdeu o palanque. Ficou complicado antagonizar a maioria do eleitorado. Apenas O Rappa e Marcelo Yuka conseguiram captar a sutileza: o "inimigo" agora éramos nós mesmos.

Houve também uma mudança global que afetou a qualidade do rock feito a partir dos anos 90, aqui ou alhures. Renato Russo, Cazuza, Lobão, Arnaldo Antunes, Herbert, Leoni, Leo Jaime, Frejat, Nando Reis, Humberto Gessinger... Este povo pertencia a uma geração letrada, isto é, na qual a grande fonte de (in)formação ainda eram os livros. Contudo, a televisão foi se impondo e, mais recentemente, cedeu espaço à internet. Tanto uma quanto outra se caracterizam pela dispersão cognitiva, pela lógica não linear. Logo, num reflexo natural, as letras passaram a ser mais fragmentadas, tal qual a perplexidade de se estar no mundo hoje em dia. Não há bem história, início, meio, fim, mas uma sucessão mais ou menos bem-sucedida de momentos ou iluminações.

Lá fora, funciona assim no Radiohead. Aqui, funcionou nos Hermanos. Depois do surgimento deles e do Rappa, para mim, foi Caetano Veloso quem fez o melhor rock brasileiro dos anos 00, em discos como *Cê* (2006) e *Zii e Zie* (2009), que somaram a cultura letrada ao entusiasmo pelo novo som de Camelo, Amarante, Medina & Barba.

Quando escuto por acaso algo do Restart ou do NX Zero, me pergunto se fui eu quem se afastou um pouco do rock ou se foi o rock que se afastou um bocado de mim. E se o rock brasileiro, em particular, vai morrer de velho ou vai morrer de jovem.

(4/11/2011)

COISAS TÃO MAIS LINDAS

No segundo semestre de 1990, alguém me ligou da PolyGram perguntando se eu toparia escrever um release apresentando aos colegas jornalistas uma nova roqueira, que vinha de Brasília. Pedi a fita cassete com a gravação do LP — sim, isso faz tempo — e depois de ouvi-la não poderia mesmo restar nenhuma dúvida. Topei, com taquicardia.

O nome da nova roqueira que vinha de Brasília era Cássia Eller e, lançado em outubro, aquele seria o seu primeiro LP. Existiam, porém, algumas coisas a esclarecer no texto. Como Renato Russo, ela vinha de Brasília, mas era carioca. Diferentemente dele, a moça não era bem uma roqueira, em termos musicais. O repertório de *Cássia Eller* tinha Beatles, Legião e Cazuza, sim, mas também tinha Arrigo, Itamar e Premê.

Chamou-me a atenção, entre outras coisas, o jeito brincalhão, quase distanciado, de Cássia cantar. Aos 27 anos, ela ministrava sentimento em doses certeiras. Escrevi no release: "(...) Reina sua voz áspera, feito um trompete envenenado, que entra rasgando canções até o osso para tirar a gordura, para reduzi-las ao essencial." Carreira afora, ela calibraria ainda melhor seus dotes, claro, mas esse traço nunca desapareceria.

Liguei para Cássia, que na ocasião morava em São Paulo, para que ela falasse um pouco de sua trajetória. Havia sido influenciada pelo modo de John Lennon cantar, mais do que por qualquer cantora. Tocara surdo num grupo de samba. Tentara ópera, teatro e frevo. "Sempre gostei de dar mais personalidade ao meu trabalho", disse-me ela, ao telefone. "Não pegar coisas batidas, para não ter comparação." Olhando em retrospecto, essa preocupação parece despropositada. Cássia tornou-se incomparável.

Nunca nos conhecemos pessoalmente, embora viéssemos a morar boa parte de nossas vidas futuras no mesmo bairro. Na Rua das Laranjeiras, em 29 de dezembro de 2001, soube do seu fado. Voltava do Paissandu, de uma sessão de *Apocalypse now redux*. Diante de uma clínica perto do Parque Guinle, havia uma aglomeração. No meio dela, uma fotógrafa do jornal, Ana Branco, avisou que Cássia Eller estava morta. Gelei.

Cássia tinha acabado de completar 39 anos. É inútil imaginar o que ela estaria fazendo hoje. Para quem perdeu o fio da sua história, uma caixa com nove CDs e um DVD chegará às lojas no fim do mês, pela Universal (sucessora da PolyGram). Para quem nunca perdeu o fio da sua história, o pacote foi precedido por uma coletânea dedicada exclusivamente às músicas que Nando Reis escreveu para Cássia, *Relicário*.

Apesar de também ter se entendido bem com as canções deixadas por Cazuza, às quais dedicou o álbum *Veneno antimonotonia* (1997), a parceria de Cássia com o ex-Titã de vigorosa carreira solo foi um raro alinhamento de planetas. Nela, eu já destaquei em diversas ocasiões e volto a destacar agora: "O segundo sol" é uma das músicas mais bonitas da história da música brasileira, canção de amizade que sobrevive até ao fim do mundo, à "vida que ardia/ sem explicação".

A imagem do segundo sol já fora usada ao menos uma vez na música pop, na última faixa do último LP do Pink Floyd com Roger Waters (ou vice-versa), *The final cut*, de 1983. Em "Two suns in the sunset", entretanto, não sobrava nada depois do apocalipse nuclear, "cinzas e diamantes/ inimigo e amigo/ fomos todos iguais no final".

Há versões diferentes de músicas incluídas em *Relicário* pelo próprio Nando Reis, que o produziu com Felipe Cambraia. Algumas possivelmente melhores ou, ao menos, mais entranhadas na memória afetiva. A coletânea, contudo, isola a parceria do resto da obra de Cássia e a coloca na devida perspectiva. Ela deu tão certo porque Nando é outro artista intenso. Não muito depois da morte de Cássia, assisti a um show dele no Rival. Temi pela sua sobrevivência imediata, tamanha a entrega no palco.

"Relicário" batiza o disco com rara felicidade. Porque o que temos dentro dele é algo precioso: ótimas letras, muito bem cantadas e tocadas, com garra roqueira, algo hoje à margem da melhor música brasileira, na qual prepondera — mesmo em outros gêneros — a estilização emocional e formal da bossa nova. Só a chamada música brega — que não é formada por um único gênero — assume numa boa os seus sentimentos.

Cássia & Nando atingiram um equilíbrio, nunca erraram a mão na emoção. Usaram-na com profundidade, inteligência, graça e humor em "O segundo sol", "Relicário", "All Star" ou "E.C.T.". Uma canção que, à época de seu aparecimento, no CD *Com você... Meu mundo ficaria completo* (1999), não brilhou tanto quanto as já mencionadas merece duas versões na nova coletânea, uma delas, inédita, dueto entre compositor e intérprete: a delicada "As coisas tão mais lindas". Dez anos depois da morte de Cássia, seus versos finais ganham outra leitura: "As coisas são mais lindas/ porque você está/ onde você está./ Hoje você está/ nas coisas tão mais lindas."

(11/11/2011)

AFETOS

No começo dos anos 80, eu e o rock brasileiro estávamos querendo pegar mais gente. Durante dois períodos fiz musculação numa pequena academia na Siqueira Campos para cumprir a Educação Física da faculdade. Fracassei miseravelmente. Não em abater os créditos, mas em abater as moças. Talvez por isso há quase trinta anos eu não entre em academia nem para pedir informação sobre endereço, quadro que breve talvez seja alterado por força da idade e da falta de tempo para exercícios ao ar livre.

Já o rock brasileiro dos anos 80 — que chamei de BRock num livro — se deu bem melhor na tarefa de pegar mais gente. Ele investiu em cantar num português reto, que contrastava com os labirintos metafóricos nos quais o resto da música popular havia sido aprisionada pela ambição e pela Censura Federal. A partir do grito "mas realmente, realmente, eu preferia que você estivesse nua!", da Blitz, ele fez tanto sucesso que quase monopolizou a década. Em 1986, o Plano Cruzado de José Sarney — um congelamento de preços que logo jogou o país de novo na hiperinflação — catapultou as vendagens do BRock para a casa do milhão. Dois milhões e tal de *Rádio Pirata ao vivo*, do RPM.

Quando, ao final daquela década, Fernando Collor foi eleito presidente com 35 milhões de votos e deu visibilidade aos sertanejos que faziam romaria à Casa da Dinda para puxar-lhe "aquilo roxo", o rock ficou em segundo plano, mas não a ponto de sumir do mapa, como se tivesse sido mais um modismo vindo de fora. Ficou num nicho, de vez em quando enviando boas notícias como O Rappa ou Los Hermanos. Rock em português. Hoje, a não ser pelos xiitas congelados no Fla-Flu ideológico dos anos 60, é reconhecido como uma das infinitas maneiras de se fazer música brasileira.

Resolvida a naturalização, as responsabilidades dos descendentes do BRock hoje são menores. Além disso, as massas são outras, ascenderam socialmente com outros gostos (e uma questão crucial para os produtores culturais é como falar também a este público sem deixar-se estagnar, isto é, sem renunciar ao poder transformador da arte). Isso permite a dois veteranos dos anos 80 lançarem discos cantados em inglês. Há pouco foi Dinho Ouro Preto, vocalista do Capital Inicial, hoje uma das bandas mais populares do país. Agora, Ritchie, contemporâneo da Blitz naquele grito libertário.

Nas minhas memórias, a trilha sonora dos dois períodos em que fiz musculação em 1983 foi "Menina veneno", do inglês Richard David Court, radicado desde o comecinho dos anos 70 no Brasil, para onde viera atraído pelos Mutantes. Era quase só o que tocava no som da academia. "Menina veneno" não chegou a saturar porque, logo em seguida, vieram "Pelo interfone", "A vida tem dessas coisas" e "Casanova". O LP no qual elas estavam, *Voo de coração*, vendeu mais de 800 mil cópias. Trazia um tecnopop de letras espertas que grudou no inconsciente coletivo. Em 2008, quando saiu a edição de 25º aniversário, tive a honra de ser convidado a escrever o release.

Voo de coração não era a primeira experiência musical de Ritchie no Brasil. Ele criara o Escaladácida, entrara para a Barca do Sol e formara o Vímana com Lulu Santos, Lobão, Luiz Paulo Simas e Fernando Gama. No entanto, o seu novo disco tem pouco a ver com esse passado todo. Se chama *60* porque, sim, comemora o 60º aniversário do cantor. Curiosamente, é o primeiro gravado no seu idioma original. Não, nada de "Poison girl". Ritchie coletou músicas da década de 60 que lhe despertaram o desejo de ser artista. Entre as 15 faixas estão "Sunshine superman", de Donovan, e "How can we hang on to a dream?", de Tim Hardin. Minhas favoritas, porém, são as baladas "Wichita lineman", de Jimmy Webb, e "Trains, boats and planes", de Bacharach & David. O conjunto resultou num CD classudo, puxado para o melancólico.

Essa foi também a sensação que tive ao ouvir o disco solo de Dinho Ouro Preto, de 48 anos, com clássicos do rock em inglês. Melancolia. É o que une não apenas as letras da maior parte das canções escolhidas mas os arranjos registrados, até quando "animados". Ora, um CD não se chama *Black heart* à toa. Só a faixa de abertura, "Hallelujah", de Leonard Cohen, não funciona bem (como, né, depois do que o finado Jeff Buckley fez dela?). Nas outras onze, contudo, ouço Dinho senhor de sua voz, que, como a de Ritchie, nunca foi grande, extensa. Maturidade tem de servir para alguma coisa, certo? Dinho resgata "Nothing compares 2 U", do Prince, da chatice de Sinéad O'Connor. Manda bem em "There is a light that never goes out", de Morrissey & Marr. E, para encerrar, realça toda a tristeza subjacente a "Being boring", dos Pet Shop Boys.

Se um antecessor distante — *The Stonewall celebration concert*, de Renato Russo, cantado em inglês para se diferenciar da Legião Urbana e lançado em 1994 — tinha uma agenda política, de ativismo gay, os novos discos de Ritchie e de Dinho têm compromisso apenas com seus próprios afetos. Já não seria pouca coisa em tempos tão insinceros, mas também não é nada mau que eles falem aos afetos alheios.

(11/5/2012)

TEMPO QUE PASSA

No primeiro dia de aula, uma de minhas colegas veio trazer a notícia: "John Lennon está lá na sala!" Os anos 80 ainda não tinham começado. Mark Chapman ainda não havia feito plantão na porta do Dakota. Era altamente improvável que o sobrinho da tia Mimi, de Liverpool, sentisse necessidade de se refugiar no Segundo Grau do Mallet Soares, em Copacabana. Quem estava lá era outro garoto de cabelos compridos e óculos de lentes redondas. Ele tocava *air guitar* enquanto o professor não entrava em cena.

Logo saberíamos que o nome do novo colega era Fernando e que, de todos nós, ele era o que mais levava a sério toda aquela história de rock'n'roll. Enquanto os outros apenas ouvíamos com avidez os LPs, ele também tocava guitarra. Guitarra de verdade, uma Gibson SG. Fernando rapidamente contaminou toda a turma com a sua gana de tocar. Tive algumas aulas de violão com ele, o suficiente para saber tirar músicas do AC/DC e "Smoke on the water", do Deep Purple, mas logo comprei uma bateria usada.

Costumo dizer que eu a tocava como John Bonham, o baterista do Led Zeppelin — caso ele fosse maneta, perneta e confuso. Fernando, não. Ele tocava bem o bastante para ter uma bandinha e se apresentar sem fazer feio no sarau do colégio. Má tradução da música dos Rolling Stones, mas de qualquer forma um bom nome para uma banda de rock, a Simpatia pelo Demônio tinha outro guitarrista, chamado Flávio Murrah.

Assistir aos ensaios de Fernando era uma oportunidade de ouvir também os intrincados fraseados de guitarra que Flávio inventava entre as músicas da Simpatia pelo Demônio. Entre elas, o grande hit era "O blues do leproso". Se a memória não me trai, o que ela tem feito com frequência vexaminosa, o personagem "tentou ioga, mas acabou se viciando em drogas". Era maneiro se dizer isso lá por 1979, 1980.

Um pouco depois, Flávio começou a tocar noutro grupo. Fui com Fernando assistir a um ensaio num apartamento na esquina de Henrique Dumont e Visconde de Pirajá. Lá o papo era sério. Além de um Flávio ainda mais hábil, encontramos um vocalista que sabia cantar, de nome Tony Platão, e uma seção rítmica bem entrosada, formada pelo baixista Marcelo Larrosa e pelo baterista Álvaro Albuquerque.

Este outro grupo era o Hojerizah, e ele fazia um som que depois até poderíamos associar ao REM dos primeiros tempos ou aos Smiths. Na ocasião, porém, isso era impossível: a novíssima banda americana não se tornara conhecida no Brasil — o que só aconteceria graças à "maldita" Fluminense FM, fundada naquele 1982 — e a banda inglesa estava se formando no mesmo ano. Se o rock carioca da época era chegado a uma gracinha, o Hojerizah era grave, melodramático, um ponto muito fora da curva.

Com seu jeitão meio operístico, Tony cantava as sempre angustiadas, e não raro herméticas, letras de Flávio. "Agora eu sei/ Que o tempo é triste e nunca/ Hesita/ Em levar e trazer sem dizer/ Que a vida/ Exala e floresce de cada corpo/ Que murcha/ E árido se sufoca/ Se devora", dizia "Tempo que passa". Outra ia no mesmo caminho, caminho espantoso para alguém que, no final das contas, era um garoto. "O tempo é outro e as esperanças ficaram/ Dentro do quarto/ Ou na lâmina de uma gilete", dizia "Roma". Ambas estariam no primeiro LP do Hojerizah, lançado em 1987 e portador do quase sucesso do grupo, a linda "Pros que estão em casa", de Flávio e Rômulo Portella.

O segundo e último LP, *Pele*, do ano seguinte, tinha na capa foto de Maurício Valladares, em preto e branco, emblemática: os quatro membros do grupo andando em direção ao poente, sombras esticadas sobre os paralelepípedos da rua. Tinha também a música de Flávio para um poema do francês Rimbaud traduzido por Lêdo Ivo, "Canção da torre mais alta". Tudo a ver. Nos versos, o protagonista era novamente o tempo.

Assim como nunca entendi por que o tempo não esteve do lado de Badfinger, Gin Blossoms e Jayhawks, também nunca entendi por que o Hojerizah não foi longe. Tinha a qualidade artística que, em parte, migrou para os discos de Tony (outro que até hoje não teve o sucesso da dimensão merecida). Não houve uma grande desgraça na trajetória do grupo, apenas algum azar e muita incompreensão.

Flávio enfrentou problemas de saúde, sim, mas fundou duas outras bandas, Hordha e Metalépticos, interessantes e de ainda menor repercussão. De vez em quando, eu o encontrava na Modern Sound. Entretanto, versões em CD dos discos originais do Hojerizah jamais puderam ser encontradas na saudosa loja de Copa: só uma coletânea com vinte das 22 músicas presentes nos dois LPs saiu em formato digital, em 1999.

Ao falar dos "meninos sem estrela" estrangeiros, semana passada, mencionei que, para mim, o Hojerizah tinha sido o similar nacional. Leitores sugeriram O Peso, Joelho de Porco, Zero, Kongo, Fellini, Bacamarte, Violeta de Outono e, sobretudo, Picassos Falsos, cuja história quase se confunde com a do Hojerizah, de tanto fazerem shows em dobradinha pelo Rio. Os Picassos também se quedaram aquém de suas possibilidades, concordo, embora algo deles tenha sobrevivido em Los Hermanos. Até por seu amor não ter dado em nada, nem sobrancelhas eriçadas, o Hojerizah me fascina há décadas.

(1º/6/2012)

A ÚLTIMA LEGIÃO

"Você gostou do tributo à Legião Urbana na MTV?" Escuto ou leio a pergunta nas duas últimas semanas. Em muitos casos, tenho a impressão de que quem a faz está apenas buscando uma espécie de licença para achar algo que na verdade já achava. Algo que ficara soterrado no Twitter ou no "Face" porque lá o descolado — céus, como odeio essa acepção paulistana da palavra — é ficar detonando com piadinhas tudo o que os outros fazem, simplesmente porque eles têm mais o que fazer na vida real do que estar o tempo todo no Twitter ou no "Face". Minha resposta à pergunta tem sido a paráfrase de uma frase de Wagner Moura, feliz, no palco: "Show bonito da porra."

Pode-se ter gostado ou não do show, por ene razões, inclusive não curtir Legião Urbana. Já o pretenso escândalo porque o ator — e também vocalista da banda Sua Mãe, que toca música brega brasileira com arranjos de rock deprê inglês — desafinara aqui e ali me pareceu tão sem sentido no contexto que talvez seja sintoma de algo maior. Acho que o público anda anestesiado por multidões de artistas sem face e sem calor, que não correm riscos nem no repertório nem no modo de interpretá-lo. Logo, quando surge alguém que não só canta, mas *vive* uma canção, acha-se logo "defeito".

Caso alguém nunca tenha percebido, a Legião Urbana sempre foi sobre emoção, às vezes no limite do que o "bom gosto" chama de brega.

Nos primórdios da banda, Renato Russo demitiu um guitarrista porque ele tocava bem demais. O lema punk "faça você mesmo" implicava, essencialmente, que a sinceridade deveria preponderar sobre a técnica. No decorrer da carreira, Renato, Dado Villa-Lobos e Marcelo Bonfá — bem como seus colegas de geração — entenderam que proficiência não implica falta de tesão. Esta foi uma das desavenças na saída do baixista Renato Rocha, *careca*, radical. Fossem como fossem, as músicas da Legião sempre fizeram gato e sapato do ouvinte.

Apenas após a morte de Renato, em 1996, é que se revelou todo o drama por trás dos discos seguintes ao relativamente sereno *As quatro estações* (1989). Tais discos, então, começaram a me falar de coisas dolorosas demais. Evitei-os. *V* (1991) tornara-se mais que o sombrio álbum sobre a Era Collor, a fase da heroína e um pé na bunda de proporções transamericanas: agora era também o primeiro trabalho registrado depois que Renato descobrira ser soropositivo para HIV. Ele, que temia isso com todas as suas forças. Demorei anos para conseguir escutar *V* outra vez. E mais alguns anos para retornar a *O descobrimento do Brasil* (1993), do período de remissão do alcoolismo.

Até assistir pela MTV à primeira noite do show de Wagner com Dado e Bonfá, eu ainda não tinha conseguido encarar *A tempestade* (1996) de novo. A rigor, o disco é a última Legião. *Uma outra estação*, lançado no ano seguinte, já era uma coletânea póstuma. Entre as suas 15 músicas, dez haviam sido gravadas nas mesmas sessões que renderam as 15 de *A tempestade*. A falta de tempo para mixar todas elas e o preço proibitivo que um álbum duplo teria para a maioria dos fãs determinaram a quebra em dois CDs. *Uma outra estação* foi para as lojas nove meses depois da morte de Renato. *A tempestade*, no mês anterior à sua morte, quando público, imprensa e amigos menos chegados não sabiam se o sumido Renato tinha Aids ou Síndrome do Pânico.

Portanto, na noite do último 29 de maio, Dado e Bonfá tocaram músicas de *A tempestade* em público pela primeira vez na vida: "A Via Láctea" e "Esperando por mim". O guitarrista passou parte da primeira deitado no chão, olhando o céu projetado. "A Via Láctea" foi a única música do lote final de 25 que Renato, já fraco demais para permanecer no estúdio, gravou à vera, duas vezes. É um terrível adeus: "Hoje a tristeza não é passageira/ Fiquei com febre a tarde inteira (...) Quando tudo está perdido/ Não quero mais ser quem eu sou/ Mas não me diga isso/ Não me dê atenção/ E obrigado por pensar em mim." Comovido, achei que era chegada a hora de trocar o disco da Legião.

A hora e sete minutos de *A tempestade* está cheia de nós na garganta assim. Isso explica por que, no panorama de uma música onde a emoção tende a ser estilizada desde o triunfo que é a bossa nova, o repertório do CD também não venha sendo revisitado por outros artistas. As notáveis exceções são "1º de julho", do refrão "sou fera, sou bicho, sou anjo e sou mulher", gravada por Cássia Eller, outra que cantava com destemor; e "Esperando por mim", dos definitivos versos "digam o que disserem/ o mal do século é a solidão", registrada há pouco por Leila Pinheiro, amiga de Renato.

O encarte de *A tempestade* abre com uma epígrafe de Oswald de Andrade: "O Brasil é uma república federativa cheia de árvores e gente dizendo adeus." Bandeira pouca é bobagem. E o CD fecha com "O livro dos dias", seu título alternativo, que nos leva de volta aos lindos hinos semirreligiosos de Renato. "Todos se afastam quando o mundo está errado/ Quando o que temos é um catálogo de erros/ Quando precisamos de carinho, força e cuidado", pregou o sujeito que não queria ser o messias de ninguém.

(15/6/2012)

REMÉDIO PRA DAR ALEGRIA

Não é de hoje que vivemos um processo em que tranquilizantes bloqueiam ou amenizam a ansiedade nascida da multiplicação das relações humanas. A *rivotrilização*, como define um amigo. Nas mídias sociais, então, a falsa obrigação de ficar conectado e disponível gera a culpa de se estar em falta com alguém. Nelas, o mais próximo de conviver com todos é manter contato superficial com muitos. Como qualquer remédio (no caso, para a concentração do conhecimento), a cultura digital tem efeitos colaterais.

A nossa sedação coletiva se reflete no campo das artes, é claro. Na música pop, que traduz de maneira imediata e bandeirosa os humores de um tempo, escutamos aqui e lá fora a preponderância de trabalhos emocionalmente neutros, que remuneram o descomprometimento do artista com o descomprometimento dos ouvintes. Falta tesão, sentimento. Em 1984, quando computadores pessoais, celulares e internet eram quase ficção científica, uma canção do Kid Abelha já fazia um diagnóstico sagaz dessa alienação moderna: "Eu tenho pressa/ e tanta coisa me interessa/ mas nada tanto assim."

Um antigo "veneno antimonotonia" está na música que também clama por "algum remédio que me dê alegria", ou seja, em "Todo amor que houver nessa vida". É a nona das dez faixas originais do primeiro LP do Barão Vermelho, lançado em 27 de setembro de 1982. Como parte das comemorações pelos trinta anos da banda — na verdade, formada para uma apresentação abortada na Feira da Providência do ano anterior —, o disco foi relançado pela Som Livre em versão remixada e com três faixas bônus no final de 2012. Mais do que nunca, o disco soa como uma porrada na testa.

Diferentemente do que o ressentimento volta e meia ainda propala, o Barão não conseguiu contrato *porque* Cazuza era filho do presidente da Som Livre: o Barão conseguiu contrato *apesar de* Cazuza ser filho do presidente da Som Livre. João Araújo relutou. Só foi convencido quando o diretor artístico Guto Graça Mello jogou pesado: "Pior vai ser se seu filho estourar em outra gravadora." Araújo topou, mas ficou longe. Graça Mello pegou dois fins de semana ociosos nos estúdios e, junto com o primeiro padrinho da banda, o saudoso crítico Ezequiel Neves, produziu *Barão Vermelho*.

Embora pouco entendessem de técnicas de gravação, Cazuza, Roberto Frejat, Maurício Barros, Dé Palmeira e Guto Goffi manjavam o bastante de som para sacar que o resultado das sessões não ficara legal. Isso já não importava muito na época — e agora, com a remixagem e a remasterização, importa menos ainda. O que conta mesmo é que aqueles cinco garotos entre 24 anos (de Cazuza) e 17 anos (de Dé) fizeram do estúdio uma festa, registrando a versão carioca do rock cru, sujo e meio caótico escutado na Inglaterra nos Stones *circa Exile on Main St.* (antes), nos

Smiths (simultaneamente ao Barão), no Oasis (um pouco depois) ou nos Arctic Monkeys (bem, bem depois).

Graças à Fluminense FM, *Barão Vermelho* não passou em brancas nuvens, mas foi diminuído pelo sucesso de *As aventuras da Blitz*, lançado coincidentemente na véspera, 26 de setembro de 1982. No ano seguinte, porém, Caetano Veloso cantou em show "Todo amor que houver nessa vida" e Ney Matogrosso gravou "Pro dia nascer feliz", já do segundo LP do Barão, inferior ao primeiro. A partir daí, a banda — e na cola dela todo o BRock — alcançou mais gente e mais respeito. Caetano, Graça Mello e Leo Jaime assinam pequenos textos no encarte da nova edição de *Barão Vermelho*.

"Todo amor que houver nessa vida" continua gloriosa. "Down em mim" (um blues, gênero *antirrivotrilização* por excelência), "Billy Negão" e "Bilhetinho azul", *cults* na Flu FM, também. No entanto, além da inédita "Sorte e azar", faixas menos badaladas na época agora saltam aos ouvidos, pintando um painel do Baixo Leblon da década de 80 do século passado, pré-Aids e pré-militarização do tráfico de drogas.

Há o ronco malicioso de "Posando de star", com Cazuza quase engolindo o "se" do verso "você precisa é dar-se" num efeito hilariante. Escuta-se a guitarra de Frejat, já adulta entre 19 e 20 anos, no solo de "Certo dia na cidade". E, sobretudo para mim, sente-se a força de uma trinca de canções furiosas: "Conto de fadas", "Rock'n geral" e "Por aí". Nas novas audições, o verso que me abriu o supercílio está nesta última, um terno hino à porra-louquice: "Eu tenho um plano que eu não sei achar." Caraca!

É preciso ter em mente que, se hoje comemoramos trinta anos com o Barão e lamentamos quase um quarto de século sem Cazuza, àquela altura não existia perspectiva de um segundo disco, nem da banda nem de artistas solo dela egressos. Daí a espontaneidade de *Barão Vermelho*. Os caras seguiam, sem vergonha ou ansiolítico, o lema de Frank Zappa: é melhor se sentir mal do que não sentir coisa nenhuma.

(25/1/2013)

EPIFANIA ROQUEIRA

Existem entidades poderosas demais para terem seus nomes mencionados impunemente. Elas se materializam. Na coluna passada, sobre o LP de estreia do Barão Vermelho, citei "o primeiro padrinho da banda, o saudoso crítico Ezequiel Neves". Pois no mesmo dia fui brindado com o pequeno vislumbre de uma epifania *ezequieliana*.

Antes, um pouco de contexto. O verbete dedicado a Ezequiel na Wikipedia é minúsculo. E ele foi membro do que eu ficaria tentado a chamar de meu "Sexteto Fantástico". Quando estudante, eu não gostava apenas de música, gostava de ler sobre música. Eram sobretudo seis os críticos que eu acompanhava: Ana Maria Bahiana, Ezequiel Neves, Jamari França, José Emílio Rondeau, Luiz Antônio Mello e Tárik de Souza. Cada qual ao seu estilo, todos me ensinaram a ouvir e a escrever melhor.

Embora "Exagerado" seja a canção-tema de Cazuza, ela também fala de Ezequiel, coautor com Leoni e com o próprio intérprete. O exagero divertido era a sua assinatura existencial. O jornalista tinha implicâncias (tipo chamar o progressivo de "rock de penteadeira de bicha") e entusiasmos lendários. Entusiasmo, antes de tudo, pelos Stones, daí o apelido Zeca Jagger. Depois pelo Barão Vermelho. Mas não só.

Eis o começo de sua crítica ao LP triplo *Sandinista!*, do Clash, na revista *SomTrês* de maio de 1981: "Demencial! Totalmente demencial!!! Fica difícil acreditar que o The Clash tenha conseguido transcender tudo o que havia feito no devastador *London calling*, lançado ano passado. Mas é justamente isso o que acontece nesse caudaloso e despirocado *Sandinista!*, sua quinta ameaçadora obra-prima."

Quantos de nós hoje cogitam exclamar num texto? E usar "despirocado"? Seria errado, entretanto, supor que Zeca escrevia como falava: ele escrevia é como sentia. Pena que tenha publicado um único livro, *Barão Vermelho — Por que a gente é assim*, coescrito com o baterista da banda, Guto Goffi, e com Rodrigo Pinto em 2007.

Lembro-me de encontrá-lo numa noite de autógrafos alheia. Papo vai, papo vem, Zeca comentou que estava com 67 anos. Retruquei que ele não aparentava a idade (era verdade). Veio uma resposta típica: "Os garotos não se queixam..." Zeca morreu aos 74 anos, em 2010, na mesma data em que o amigo Cazuza morrera em 1990: 7 de julho.

Voltando à minha epifania... Seria ridículo macaquear o estilo de Ezequiel Neves para homenageá-lo. Porém, na sexta-feira passada, acho que senti parte do que ele deve ter sentido ao ouvir o cassete do Barão em 1981. Como eu me queixava da *rivotrilização* da sociedade e de seus reflexos na música pop, um leitor me passou o link para o primeiro clipe da banda do filho, "Você ainda vai me ver com outra". (Esse aí: http://migre.me/d0x6J) Modestamente, ele achava que o trabalho tinha sentimentos.

Conferi. Vi um quinteto pelas ruas e paisagens do Rio. Ouvi um rock básico sem ser ingênuo, melódico sem ser açucarado, debochado sem ser metido a engraçadinho. O som me remeteu a Noel, Stones, Jovem Guarda, Barão, *britpop*. Bacana, bacana. Então, depois de uma quebrada, atingiu-me em cheio o refrão, sobre guitarras que chegam a dar choque: "Você ainda vai me ver com outra/ Você ainda vai se sentir pior que eu/ Você ainda vai chorar na cama/ Você ainda vai se arrepender do que aconteceu."

Achei que era o primeiro candidato a melhor refrão de 2013. Descobri que era o último candidato a melhor refrão de 2012. Os Tangarás — este o nome da banda — estão ativos desde 2011, mas lançaram o trabalho de estreia na Internet só no mês passado. As cinco faixas do EP *Diamantes* estão disponíveis de graça no Soundcloud (e parece que rola num tal de Facebook também). Baixei e logo queimei um CD (sou da Velha Guarda dos Fetichistas de Laranjeiras). Só escuto Tangarás desde então.

Com idade média de 22 anos, Ciro Acioli (voz), Nino Ottoni e Lucas Gonzalez (guitarras), Miguel Dias (baixo) e Daniel Falcão (bateria) não se rasgam como Cazuza, mas também têm sarcasmo ao falar de amor. Ou do fim dele. O soul-rock "Não sei viver como você" peita a guria: "Segundo ela, eu não consigo relaxar/ Mas pra ela é fácil com remédio pra tomar/ É Rivotril, Prozac, cachaça pra dosar/ Vai se tratar-ar-ar... vai!" A personagem chatinha reaparece na balada "Só": "Ela pergunta se pode opinar no que eu faço/ É claro que não!/ E pergunta por que eu não vou pelo caminho mais fácil/ Eu perco a razão." Adolescente? Ora, todo amante tem espinha na cara.

Não sou o Zeca nem o grupo é "o novo Barão". Comparações com o Zico já mataram a carreira de muito garoto bom de bola na Gávea. Só acho que os Tangarás merecem ao menos 18 minutos e 44 segundos do teu tempo. No meio de tanta bossa eletrônica para elevadores, no meio de tantos clones de Los Hermanos, eles salvaram a minha semana, quiçá as minhas férias.

(1º/2/2013)

CANÇÕES DA REVOLTA

Uma voz chorosa se juntou às manifestações de rua no Brasil. Morrissey lançou esta semana o single com a faixa-título de seu próximo álbum, "World peace is none of your business", algo como "A paz mundial não é da sua conta". Nela, o cantor inglês faz a apologia da abstenção eleitoral depois de dizer para que servem governos (cobrar impostos, imobilizar o cidadão com choques e manter pobres na pobreza, basicamente).

"A cada vez que você vota, apoia o processo/ A cada vez que você vota, apoia o processo/ A cada vez que você vota, apoia o processo/ Brasil e Bahrein/ Egito, Ucrânia/ Tanta gente na dor", canta Morrissey, rimando Bahrein e "Ukraine" com *pain*. Sim, está longe de ser a sua melhor letra, a melodia também não é brilhante, e os países citados protestam por razões bem distintas (embora todas possam ser reunidas sob a faixa "crise de representatividade"), mas o reforço do bom e velho Moz não é para ser dispensado.

Morrissey já fantasiou a morte da rainha, já mandou Margaret Thatcher para a guilhotina, já lamentou que se escute pouco sotaque inglês em Londres, já deu muitas dentro e algumas fora, já até cantou "amor, paz e harmonia?/ Oh, muito bacana, muito bacana, muito bacana, muito bacana/ Mas talvez no outro mundo". Morrissey nunca renunciou à possibilidade de o rock ser um instrumento político. Nem nunca assumiu a pose messiânica do Bono Vox, ufa. Morrissey jamais faria uma social em Davos.

Os nossos Titãs também jamais tiraram a política de seu radar depois de *Cabeça dinossauro*. Naquele magnífico álbum de 1986, eles fizeram um inventário dos seus ódios. Lembro-me de uma festinha no Humaitá, na qual eu explicava à namorada australiana de um amigo o que berrava o LP na vitrola. "Esta música é contra a igreja", eu disse. "Esta música é contra a polícia. Esta é contra o Estado. E esta é contra... Bem, contra bichinhos fofinhos. Esta outra, contra o capitalismo selvagem... E esta..."

Logo, logo, as manifestações de rua contra o governo do então presidente José Sarney (ei, o governo Sarney algum dia acabou?!) incorporavam "Polícia" e "Comida", músicas do LP seguinte, o igualmente agressivo *Jesus não tem dentes no país dos banguelas*. Com canções como essas e como a histórica "Inútil", do Ultraje a Rigor, trilha das Diretas, pudemos tirar a agulha de "Pra não dizer que não falei de flores". Foi a época em que me ocorreu usar a sigla/expressão BRock para assinalar a aceitação do gênero como uma das muitas possibilidades de se fazer música popular brasileira.

Agora, com seu 14º CD de estúdio, *Nheengatu*, os Titãs renovam a trilha das passeatas. Da primeira faixa, "Fardado", na qual incorporam um velho bordão de protestos ("Você também é explorado/ Fardado/ Você também é explorado — aqui!"), até a última, "Quem são os animais?", quando investem contra as manobras da bancada religiosa para transformar o país numa teocracia ("Te chamam de viado/ De sujo, de incapaz/ Te chamam de macaco/ — Quem são os animais?"), o grupo fez mais um disco contundente, filtrado *ma non troppo* pela maturidade cinquentona. *Nheengatu* está conectado por banda larga ao Brasil de hoje. É um dos melhores na história dos Titãs.

No ano passado, precisamente a 16 de junho, outro músico da mesma geração, Leoni, botou no YouTube um vídeo editado pela mulher e pela filha a partir de imagens das manifestações, todas tiradas das redes sociais. Ficou comovente. A trilha era uma música acústica sua, "As coisas não caem do céu". O título parecia autoexplicativo, mas Leoni a compusera cinco meses antes, em fevereiro: "Por que é que a gente ainda espera?/ As coisas não caem do céu/ Esquece a esperança e entra na dança/ As coisas não caem do céu/ Por que todo mundo reclama/ Do que lê de manhã no jornal?"

(Na semana que vem, será disponibilizada na internet a versão elétrica, com uma *coda* meio Radiohead e a participação do cantor Humberto Effe, dos Picassos Falsos.)

Sempre foi possível ler a história dos países em suas artes. Dentre elas, a música popular é, pelas próprias características, a mais imediata. É sintomático, assim, que o funk ostentação tenha ganhado tanto espaço durante os anos do PT no governo. Ele fala do orgulho legítimo pelas conquistas materiais e, ao mesmo tempo, "grita" que elas não vieram acompanhadas de conquistas cívicas, como educação, saúde, transporte — ou seja, exatamente a pauta das grandes manifestações de junho do ano passado.

Nesse sentido, e também fora do campo do rock, deve-se registrar que o Movimento dos Trabalhadores Sem Teto adaptou "Lepo Lepo" num protesto em São Paulo, semana passada. "Eu não tenho casa/ Eu sou sem-teto/ Copa do Mundo no Brasil me revolta...", cantaram os manifestantes, com humor, perto do Itaquerão. Faz sentido. Afinal, o pop-pagode da banda baiana Psirico trata, ele mesmo, à sua maneira, dos órfãos do consumo e do crédito.

(23/5/2014)

ROBERTO CARLOS É REI

Está todo mundo com a cabeça na Copa, mas eu estou falando daquele outro Roberto Carlos, o cantor, o Rei. Algum dia, espero que com ele ainda vivo, o Brasil bem-pensante há de perdoar seu conservadorismo político, seus álbuns burocráticos e suas manias insólitas e afinal constatar ser ele o grande gênio de nossa música popular. Ninguém, nem da velha nem da jovem guarda, gravou discos tão bons quantos os seus de 1962 a 1971.

São dez discos, todos disponíveis em CD, que venho escutando furiosamente, sem parar, desde que a pesquisa para um livro me fez trombar com o vazio da letra R da minha estante nacional. Nela agora está reunido o cânone do pop pátrio, canções que todos conhecemos sem nem prestar muita atenção, incrustadas que ficaram em nosso inconsciente coletivo desde que viram a luz do dia. Depois desses dez, os discos foram piorando, piorando e hoje Roberto Carlos manipula seu público-alvo dedicando cançonetas muito aquém de seu talento a mulheres de óculos, gorduchas e mal-amadas. Mas quem é Rei, e além do mais foi todo relançado em CD, nunca perde a majestade. Portanto, como diria Emerson Fittipaldi, eu recôomêendo...

Splish Splash, de 1962. É considerado o primeiro disco de Roberto Carlos — embora ele tenha lançado *Louco por você* em 1961 — talvez porque somente aqui tenha sido registrada a parceria com Erasmo, a começar por "Parei na contramão", hino da juventude transviada. Há ainda composições de gente que brilharia com o intérprete: Luiz Ayrão ("Só por amor"), Helena dos Santos ("Na Lua não há"), Jovenil Santos ("Nunca mais te deixarei", com

Paulo Roberto), José Messias ("Oração de um triste") e Rossini Pinto ("Relembrando Malena").

É PROIBIDO FUMAR, de 1963. Roberto Carlos está na capa de camisa vermelha, símbolo dos transviados, e no disquinho desfralda outra bandeira rebelde, "É proibido fumar", parceria com Erasmo. O amigo-de-fé--irmão-camarada resolve bem também duas das versões do álbum: "O calhambeque" e "Nasci para chorar". E o próprio Rei transforma "Unchain my heart" em "Desamarre meu coração".

ROBERTO CARLOS CANTA PARA A JUVENTUDE, de 1964. Junto a Helena dos Santos ("Como é bom saber"), Rossini Pinto ("Parei... Olhei"), José Messias ("Os velhinhos") e Jovenil Santos ("Rosita", com Francisco Lara), estreia na turma de compositores Getúlio Côrtes ("Noite de terror"). Mas o grande achado do disco é mesmo da grife Roberto & Erasmo: "Eu sou fã do monoquíni".

JOVEM GUARDA, de 1965. Aqui Getúlio Côrtes diz presente com duas músicas, "O feio" (com Renato Barros) e "Pega ladrão", ao lado dos Rossinis e Helenas. Mas, claro, Roberto sempre foi melhor com Erasmo, e aqui se destacam "Quero que vá tudo pro inferno", "Não é papo para mim" e "Mexerico da Candinha".

ROBERTO CARLOS, de 1966. Dentro da linha transviada, este aqui já registra o início da densificação no trabalho do Rei. Nele convivem "Eu te darei o céu", "Namoradinha de um amigo meu" (ambas de Roberto & Erasmo), "Negro gato" (de Getúlio Côrtes) e "É papo firme" (de Renato Correa e Donaldson Gonçalves). Os arranjos já são mais elaborados, abrindo caminho para a apoteose dos próximos discos.

ROBERTO CARLOS EM RITMO DE AVENTURA, de 1967. Espécie de trilha sonora do filme homônimo, este aqui dá um *upgrade* na obra do Rei. Ele assina sozinho cinco canções, "Como é grande o meu amor por você", "Por isso corro demais", "De que vale tudo isso", "Quando" e "E por isso estou aqui", fora a dobradinha "Eu sou terrível", com Erasmo Carlos. Clássico é pouco.

O INIMITÁVEL ROBERTO CARLOS, de 1968. Se o anterior era sensacional, este aqui é um assombro. Além dos tesouros de praxe de Roberto & Erasmo ("Se você pensa", "As canções que você fez para mim" etc.), tem ótimas músicas de Antônio Marcos ("Eu não vou mais deixar você tão só"), Edson Ribeiro e Hélio Justo ("Ninguém vai tirar você de mim") e, sobretudo, Luiz Ayrão (na gloriosa, "Ciúme de você").

ROBERTO CARLOS, de 1969. Este é o único que não tem a lista de músicas na contracapa, escondendo seus tesouros: a maravilhosamente cafona "As flores do jardim da nossa casa" (Roberto & Erasmo); a delicadeza da balada "Aceito seu coração" (de Puruca) e do blues "Quero ter você perto de mim" (Nenéo); a melancolia instrumental de "O diamante cor-de-rosa"; a força funk de "Não vou ficar" (Tim Maia); a tristeza *blasée* de "As curvas da estrada de Santos"; e a crueldade romântica de "Sua estupidez" ("Meu bem, pense ao menos uma vez..."). É o meu favorito: dele avulta um Rei *soulman*, nosso James Brown.

ROBERTO CARLOS, de 1970. O primeiro disco da transição do Rei da juventude transviada para o Rei da maturidade. É bonito, bem arranjado, mas, pela próprias estrelas do repertório dá uma ideia de como Roberto Carlos passou a acender uma vela para Deus, "Jesus Cristo", e outra para o Diabo, "Vista a roupa meu bem", parcerias com Erasmo.

ROBERTO CARLOS, de 1971. O segundo da transição. Traz "Detalhes" e "Amada amante" como traz "Debaixo dos caracóis dos seus cabelos", cantada na intenção de um Caetano exilado, e "Como dois e dois", do próprio Caetano. Depois, cada lançamento passou a trazer uma ou no máximo duas faixas de interesse. Isso, contudo, não pode obscurecer o fato de que, nos seus primeiros dez discos, o Rei nos deixou um baita legado. Devemos ser eternamente gratos a ele.

(9/5/1998)

ACERTO DE CONTAS

Durante muito tempo, tudo o que eu tinha em comum com a bossa nova era estudar no mesmo colégio onde vinte anos antes haviam estudado Luiz Eça, Roberto Menescal e Carlinhos Lyra, o Mallet Soares, na Xavier da Silveira, Copacabana. Porque eu era contra a bossa nova. E não só a bossa nova. Era contra a emepebê, o samba, o tango, o jazz, a música clássica, era até contra solo de guitarra. Isso tudo era coisa de burguês e eu me achava punk. Gostava de Sex Pistols, Clash, Buzzcocks, três ou quatro acordes, letras diretas, politizadas. Ver um sujeito num banquinho com um violão me dava ânsia de vômito.

Enjoavam-me aquelas letrinhas tipo "é sal, é sol, é sul" (embora, justiça poética seja feita, nem Menescal, nem Ronaldo Bôscoli, autores de "Rio", nem ninguém da turma da bossa nova jamais tenha cometido versos rimados em "unda", como nossos Cole Porters do *pagodaxé*). Me enjoava aquela celebração nostálgica de uma Copacabana e de uma Ipanema perdidas para sempre (embora, aqui, a náusea contenha a inveja de ter chegado tarde demais).

Quando Ruy Castro publicou *Chega de saudade*, em 1990, há muito eu já superara a fase da repulsa automática aos gêneros "burgueses" — com exceção da bossa nova. Essa, eu continuava achando de lascar. O magnífico livro do Ruy, contudo, me fez rever posições e reconhecer o valor daquela música — mas ela lá e eu cá, certo? Agora, afinal, me caiu entre as patas um disco capaz de dissolver antipatias e desfazer mal-entendidos. Trata-se do CD duplo *A trip to Brazil — 40 years of bossa nova*, lançado no exterior no final do ano passado. A gravadora Universal importou algumas cópias, rapidamente esgotadas. De lá para cá, lojas como a Modern Sound e a Tracks têm feito a importação diretamente. E continuam vendendo que nem pão quente. Na Europa, o álbum chegou a estar, em fevereiro, no primeiro lugar da parada de *world music*, à frente até mesmo do *grammyado Buena Vista Social Club*, de Ry Cooder, Compay Segundo e outros.

A trip to Brazil é um disco destinado ao mercado externo, ponto pacífico. Talvez não acrescente muito a quem já gosta do gênero desde 1958, quando Elizeth Cardoso gravou "Chega de saudade", de Tom & Vinicius. Mas, para quem, como eu, ou se sente ou já se sentiu um figurante do *Arquivo X* em relação à bossa nova, o álbum compilado, comentado e produzido por Arnaldo DeSouteiro para o selo alemão Motor Music é simplesmente empolgante. E vai muito bem com as amenas tardes de maio.

O pulo do gato do disco, creio, é a formação do próprio DeSouteiro: além de produtor, ele é crítico de jazz. Assim sendo, sua abordagem da bossa nova é eminentemente jazzística. Cultores e detratores sempre disseram tanto que ela incorporava elementos *do* jazz quanto ela tinha incorporado elementos *no* jazz. Só que a imagem bossa-novista por excelência ficou sendo aquela coisa pouco jazzística e bastante apática do sujeito, do banquinho e do violão, um estereótipo de chatice alimentado sobretudo pelo João Gilberto mais recente e misantrópico.

A seleção de DeSouteiro é extremamente feliz em relembrar como o bicho pegava no Beco das Garrafas, com pencas de grupos de excelentes instrumentistas tocando sem acompanhamento vocal ou abrilhantando o desempenho de cantores e cantoras, num clima que não ficava a dever ao da célebre Rua 52, em Nova York, nas décadas de 40 e 50. *A trip to Brazil* é igualmente feliz em registrar "o outro lado", ou seja, o da influência no jazz, alinhando cobras americanos empenhados em apreender aquela batida diferente do samba. Das suas cinquenta músicas, 28 têm algum tipo de vocal e 22 são inteiramente instrumentais. O álbum duplo funciona, portanto, como uma espécie de "Tudo o que você sempre quis saber sobre bossa nova mas nunca teve saco de perguntar".

A partir da gravação seminal de 1958, *Chega de saudade*, com Elizeth Cardoso acompanhada por João Gilberto e arranjada por Tom Jobim, o disco explora a bossa nova em suas diversas facetas. Tem "Samba de uma nota só" na dicção cristalina de Sylvia Telles, a brincar na partitura metalinguística. Tem "Influência do jazz", com Carlos Lyra e o Tamba Trio original, isto é, Luiz Eça no piano, Bebeto no baixo e Hélcio Milito na bateria. Tem a versão do sax-tenorista Stan Getz e do guitarrista Charlie Byrd para "Desafinado". Tem "Corcovado", na qual Tom Jobim alcança um nível de introspecção do qual a atual "música brasileira" desdenha. Tem "Insensatez" no piano de Dick Farney, mostrando por que, certa vez, em entrevista ao crítico Tárik de Souza, São Bill Evans falou com tanto entusiasmo de seu colega carioca. Tem João Gilberto, João Donato, Baden Powell, Menescal, Meirelles & Os Copa 5, Wes Montgomery, Oscar Peterson. Tem São Paul Desmond. Não tem erro.

Mesmo "Meu mundo é uma bola", com o cantor perna de pau Pelé, socorrido pelos craques Sérgio Mendes e Gerry Mulligan, faz sentido no contexto do álbum. Por falar em futebol, estão em *A trip to Brazil* os temas utilizados pela Nike em seus anúncios para a, com o perdão das más palavras, Copa da França: "Mas que nada", com o Tamba Trio, trilha sonora do bate-bola da seleção no Aeroporto Tom Jobim; e "Soul bossa nova", com Quincy Jones e *combo*, música daquela série do golzinho de praia entre Ronaldinho, o espanhol Luiz Enrique e outros craques da grife.

Ou seja, em *A trip to Brazil*, a bossa nova é tirada do museu, recuperada como um gênero vibrante e jogada para o presente dos *samplers*. Mas ela tem futuro também. Tem futuro numa banda de rock como a 4-Track Valsa: cinco meninas e meninos do Rio que reprocessam em *low tech* aquele clima de ócio praiano em fitas cassete do selo independente Midsummer Madness.

Sei, falo da bossa nova com a ingenuidade de um novo rico, de quem descobriu a pólvora. Mas vou fazer o quê? Eu era punk no Mallet Soares.

(7/5/1999)

"MANHÃ DE CARNAVAL"

Na minha ainda recente conversão à bossa nova — via jazz, o que não deixa de comprovar a tese do grande José Ramos Tinhorão sobre a ianquefilia do gênero nascido no asfalto da Zona Sul do Rio de Janeiro — nenhuma música causou maior impacto do que "Manhã de Carnaval", de Luiz Bonfá e Antônio Maria. Agora, ouvindo mais uma versão, esta gravada pelo sexteto do baixista americano Ron Carter, habitué do nosso Mistura Fina, no seu novo disco, *Orfeu* (Blue Note), penso: por que a gente gosta de uma música em particular? Nunca saberemos ao certo. O que fazemos, creio, são as aproximações racionais à menos palpável, e por isso divina, forma de arte.

Muita gente gosta de "Manhã de Carnaval". Gente demais talvez, gente que a exaltou até a quase saturação: acima de quinhentas regravações. Tendo sido cantada por chatas tão distintas quanto Cher e Joan Baez, a composição de Bonfá com letra de Maria esteve perigosamente perto de ser banalizada como música de elevador desde que saiu da gaveta do violonista, em 1958, para a trilha sonora do filme *Orfeu do Carnaval*, do francês Marcel Camus. O diretor não queria usar as canções compostas por Tom Jobim e Vinicius de Moraes para a peça *Orfeu da Conceição*, de 1956, mito grego revivido no Carnaval carioca. Conta Ruy Castro no livro *Chega de saudade* que a produção franco-ítalo-brasileira obrigou a dupla a escrever mais três músicas pelo telefone (pois na época Vinicius era diplomata em Montevidéu, Uruguai): "A felicidade", "Frevo" e "O nosso amor". Para Camus, era pouco. Ele pediu alguma coisa extra a Bonfá, que tocava violão na trilha. De partida para os Estados Unidos, este ofereceu dois temas instrumentais, que, com letras de Antônio Maria, passariam a atender por "Samba de Orfeu" e "Manhã de Carnaval".

Aqui surge minha maior razão de fascínio e, dada a emotividade da arte musical, cabe frisar a palavra "razão". É que há um divórcio evidente entre música e letra, não tivessem sido bolados tão em separado. Não se trata, porém, de um divórcio técnico, ou seja, não que as palavras não se encaixem na melodia ou algo parecido, nada disso. Nesse sentido, parecem feitas umas para a outra. O divórcio entre elas se dá no plano existencial: o que Bonfá compôs é desalento puro, no máximo a paz de espírito que se segue às derrotas, como quem toma um pé na bunda e sente-se aliviado; já o que Maria escreveu é enlevo puro, mistura de pensamento positivo e estado de graça, num otimismo assaz incomum na obra do boêmio de Copacabana. Somando A + B, fico com a impressão de que o sujeito simplesmente não acredita no que está a cantar. Façamos uma aproximação para os mais jovens. Sabem quando o Cake regrava "I will survive", da Gloria Gaynor? Pois é. Parece uma piada amarga alguém cantar "eu vou sobreviver" como se estivesse nas últimas. "Manhã de Carnaval" tem esse clima de Quarta-feira de Cinzas.

A letra de Antônio Maria é curta e suave, de bossa nova e não de dor de cotovelo: "Manhã, tão bonita manhã/ Na vida, uma nova canção/ Cantando só teus olhos/ Teu riso, tuas mãos/ Pois há de haver o dia/ Em que virás/ Das cordas do meu violão/ Que só teu amor procurou/ Vem uma voz/ Falar dos beijos/ Perdidos nos lábios teus/ Canta o meu coração/ Alegria voltou/ Tão feliz a manhã/ Deste amor." Quem a cantou no ganhador do Oscar de melhor filme estrangeiro e da Palma de Ouro em Cannes foi Agostinho dos Santos, que ganhou a parada de João Gilberto pela cor de suas cordas vocais: negras, como o protagonista do filme. O baiano foi à forra gravando lindamente *João Gilberto cantando as músicas do filme "Orfeu do Carnaval"*, compacto duplo da Odeon com "A felicidade" e "Manhã de Carnaval" num lado e "O nosso amor" e "Frevo" do outro. (Nesse recente e polêmico *Orfeu*, de Cacá Diegues, Toni Garrido não fez feio ao cantar a música tema desta coluna, acompanhado pelo violão de Heitor TP).

Despida até os instrumentos, a melodia de "Manhã de Carnaval" arroxeia de inveja muito *standard* da canção americana, tanto que ganhou inúmeras reinterpretações por parte dos maiores *jazzmen*. Essa recentíssima de Ron Carter não está entre as melhores, apesar dos bons momentos do tenorista Houston Person. No entanto, não funciona muito bem a ideia, exposta por Carter nas notas do encarte, de pôr Bill Frisell (guitarra), Stephen Scott (piano), Payton Crossley (bateria) e Steve Kroon (percussão) para criar ritmos e batidas diferentes por trás do solista, dialogando e confrontando-se com ele. Cerebral demais para cativar. Mas o baixista anota um ponto positivo na primeira frase de seu dito a Kiyoshi "Boxman" Koyama: "A ênfase neste álbum é em números com melodias tão fabulosas que você se sente como se cantasse junto — algo que ultimamente está faltando no jazz." Uma boa melodia na qual se agarrar, enfim.

A versão de "Manhã de Carnaval" que se instalou no meu inconsciente nas últimas semanas foi a do trompetista Freddie Hubbard, num magnífico disco gravado em 1963 mas que só no ano passado chegou, remasterizado, ao CD: *The body & the soul* (Impulse!). O arranjo de Wayne Shorter para a banda que inclui, entre muitos outros, o trombonista Curtis Fuller e o sax-flautista Eric Dolphy é fenomenal, classudo que só e, importantíssimo, não cai na tentação de tentar fazer (canhestra) música brasileira. É jazz, não paródia.

(3/3/2000)

SAMBA DE ARROUBO

Pisar terreno conhecido é sempre mais seguro, mas sair dos trilhos costuma trazer recompensas mais saborosas. Não conheço o assunto tão bem quanto um João Máximo, um Nei Lopes, um Aldir Blanc, e minha cintura é tão dura quanto a do zagueiro polaco Tomasz Waldoch. No entanto, o fato de não escrever amiúde sobre samba não significa desprezo pelo gênero: pelo contrário, é um sintoma de respeito de quem não quer cair na batatada. Há, porém, momentos em que a prudência cede ao entusiasmo. O CD de Argemiro Patrocínio, 79 anos, membro da Velha Guarda da Portela, justifica qualquer arroubo.

Além do mais, são atos que podem andar em paralelo: escrever não apenas *por* entender e sim também escrever *para* entender. A primeira fornada de *Argemiro Patrocínio* saiu casadinha, numa sobrecapa, com o CD de Seu Jair do Cavaquinho, de 80 anos, pelo selo Phonomotor, da cantora Marisa Monte, o mesmo pelo qual foi lançado, em 1999, *Tudo azul*, do coletivo Velha Guarda da Portela. Conquanto esses dois últimos títulos sejam formidáveis, a estreia (acredite, estreia) solo de Argemiro brilha no meio deles. Por que alguns discos *batem* e outros não? Não há resposta, apenas tentativas.

Antes até da audição do CD, o encarte de *Argemiro Patrocínio* já sugere uma vertente de análise. Além das letras, das notações e das fichas técnicas de cada música, cuidados comuns ao trabalho de Seu Jair, ele conta um causo revelador. Levado por Paulinho da Viola a um bar onde estavam Vinicius de Moraes e Chico Buarque, alguém pediu-lhe, meio galhofeiramente, para fazer "um samba sobre essa garrafa" (deviam estar na maior água, lógico). A resposta do pandeirista da Portela foi de uma inteligência fulminante: "Eu não vou fazer porque eu não tô sentindo nada por ela."

Então, de cara a gente fica sabendo que os sambas de Argemiro — em parceria com gente da estirpe de um Casquinha, um Alberto Lonato, um Francisco Santana — estão encharcados de sentimento. Não têm nada a ver nem com os pagodes descoloridos dos Belos da vida nem com a corrida maluca dos atuais sambas-enredo. Sua cadência alicia, envolve, seduz, faz pensar. E é até engraçado quando a gente se pega batucando na mesa do bar ou do computador — esse batuque erroneamente associado só à alegria — e cantarolando baixinho algo tão dolorido quanto "Solidão": "Quanto mais que se procura/ Em noites claras ou escuras/ Vive só em seu humilde barracão/ Para ele, as noites longas são mais frias/ As esperanças são sombrias/ Assim é a solidão."

Argemiro canta bem porque canta do jeito que compõe: com sentimento. Por isso as letras são valorizadas. A maior parte delas versa brilhantemente sobre abandono, perda, sofrimento, solidão mesmo. Como "A chuva cai" (dele com Casquinha): "Já lhe pedi, não vá embora/ Espere o tempo melhorar/ Até a própria natureza/ Está pedindo pra você ficar."

Ou como "Nuvem que passou": "Você foi uma nuvem que passou/ E que não volta mais/ Mudar o meu viver você tentou/ Não conseguiu jamais." Mas há uma ou outra janela entreaberta para o humor, como em "Saia da casa dos outros" (dele com Darcy Maravilha): "Saia da casa dos outros, mulher/ E vem arrumar seu ninho/ Você gosta de meter a colher/ Na conversa do vizinho/ Panela que muito se mexe/ A comida estraga."

O tempero de Argemiro está explicado em "Deslize da vida" (com Francisco Santana): "A vida/ Não é somente doçura/ Tem que haver amargura/ Para se dar o valor." Por trás desses versos, apenas o autor, ao pandeiro; Paulão Sete Cordas, nos violões; Mauro Diniz, no cavaquinho e no balde; e Marcelo Costa, na vassourinha. Essas escalação mostra bem o acerto da produtora Marisa Monte e do coprodutor Antoine Midani. Eles e os arranjadores Sete Cordas e Diniz optaram por uma instrumentação esparsa. Não se optou nem por uma orquestração luxuosa, como a que marca as excelentes produções de Rildo Hora para Zeca Pagodinho, nem por entupir as faixas de pianos acústicos ou elétricos (aliás, aqui totalmente ausentes), vício que pasteuriza tantos discos que poderiam soar melhor.

Outra bola dentro em *Argemiro Patrocínio* está nas participações especiais. Os instrumentistas surgem para realçar a melancolia das composições, caso das intervenções do celista Jaques Morelenbaum e do acordeonista Waldonis. E os cantores, entre eles a própria Marisa e Zeca Pagodinho, não se sobrepõem ao dono do pedaço, como nos CDs em que os convidados parecem estar num pau de sebo ou numa coletânea. O destaque, porém, vai para Moreno Veloso (um Caetano menos árabe, em "Vou me embora para bem longe") e para Teresa Cristina ("Amém", parceria da musa da Lapa com Argemiro). Portanto, o álbum do velho portelense é íntegro em mais de um sentido da palavra. Nem a faixa-bônus-para-dar-um-toque-de-modernidade — um remix de Marcelo D2 e Cleber França para "Vou me embora pra bem longe" — ousa afastar-se demais do resto do trabalho. Fica bem legal.

Alguém já abriu a votação para melhor disco brasileiro do ano?

(14/6/2002)

O LABORATÓRIO DE DREXLER

Uma das coisas mais idiotas — entre as muitas coisas idiotas — que nós brasileiros fazemos na ânsia de sermos cidadãos do Primeiro Mundo é ensurdecermos à música produzida por nossos vizinhos. Enquanto a literatura e o cinema latino-americanos têm circulação restrita, mas regular, quase nada sabemos do que hoje se canta em espanhol. Fascinados pelo pop anglófono, que não anda em boa fase, associamos o idioma apenas àquelas coisas cafonérrimas, voltadas justamente para o mercado latino dos Estados Unidos.

Temos exceções que confirmam a regra. Se não fosse *Buena Vista Social Club*, o disco produzido pelo americano Ry Cooder e o filme dirigido pelo alemão Wim Wenders, continuaríamos ignorantes daqueles velhinhos sensacionais, como Omara Portuondo, Compay Segundo, Ibrahim Ferrer e o pianista Rubén González. Passada a onda inicial, porém, já quase nada se lança de música cubana no Brasil. Se não fossem os brasileiríssimos Paralamas do Sucesso, nomes como os dos argentinos Fito Páez, Charly García ou Los Pericos sequer teriam sido mencionados aqui, que dizer editados e ouvidos.

Descobri um uruguaio que produz uma música extraordinária. Chama-se Jorge Drexler. Uma fã deu um CD-R dele de presente ao cantor Paulinho Moska, que no começo do mês declarou sua admiração aqui na seção "Discolândia". Antes, Moska apresentara Drexler a Celso Fonseca. O autor de "Slow motion bossa nova", com Ronaldo Bastos, chapou. Celso, por sua vez, apresentou-me a Drexler. Chapei também. Aqui vai uma tentativa de compartilhar com meras palavras o deslumbramento de nossa confraria drexleriana.

Drexler nasceu em Montevidéu, numa família judaica, em 1964. Começou a aprender piano aos 5 anos, violão aos 11 e, daí em diante, harmonia, composição e técnica vocal, o que explica o refinamento de seu som. Foi poeta antes de ser letrista, o que explica a densidade de suas palavras. Em 1995, mudou-se para Madrid, Espanha. Sua dupla condição — de judeu cujos antepassados fugiram da Europa ante a Segunda Guerra Mundial e de uruguaio que deixou o país em busca de horizontes menos sombrios — marca sua obra mais recente, inscrevendo-a numa tradição de saudade e nostalgia que, a meu ver, deu ao mundo alguns de seus mais interessantes gêneros: o blues, o fado, o tango, a rembétika grega.

No disco *Sea* (2001), há duas músicas bem representativas desse duplo exílio: "El pianista del gueto de Varsovia" e "Un país con nombre de río". A primeira, uma balada dramática com elementos de hip hop (!), inspirou-se no relato autobiográfico de Wladyslaw Szpilman, em que também se baseou o filme *O pianista*, de Roman Polanski: "Eu tenho tuas mesmas mãos/ Eu tenho tua mesma história/ Eu poderia ter sido o pianista do gueto de Varsóvia/ Duas gerações menos/ Duas gerações mais/ Datas, tão-somente datas/ Eu estou aqui, tu estavas lá." A segunda, quase uma canção folclórica, fala do próprio Uruguai: "Venho de um prado vazio/ Um país com o nome de um rio/ Um Éden esquecido/ Um campo na beira do mar/ Poucos caminhos abertos/ Todos os olhos no aeroporto."

Tais versos são cantados com uma serenidade, uma candura que alivia um pouco o peso dos temas. Contudo, simultaneamente, os torna mais desconcertantes. Escute-se a amorosa "La edad del cielo", do CD *Frontera* (1999): "Não somos o que queríamos ser/ Só um breve pulsar/ Um silêncio antigo/ Com a idade do céu/ Calma, tudo está em calma/ Deixe que o beijo dure/ Deixe que o tempo cure/ Deixe que a alma/ Tenha a mesma idade que a idade do céu." As referências musicais funcionam como substâncias a serem misturadas neste laboratório de Drexler: Beatles, Atahualpa Yupanqui, Howie B.

O que torna nossa ignorância ainda mais vergonhosa é que ele venera nossa música. Um de seus contemporâneos favoritos é Lenine. Uma de suas canções, "Edén", menciona João Gilberto. E, acerca de *Frontera*, declarou, após dizer ter desejado nascer no Rio de Janeiro dos anos 50 para tocar bossa nova: "Me identifico com essa obsessão brasileira de meter no mesmo projeto raiz e modernidade, por atualizar a tradição, por relacionar, enfim, a pele com o microchip." Sim, o sujeito também é bom dando entrevistas.

(29/11/2002)

MORRER NO MAR

Em 90 anos de vida, Dorival Caymmi compôs pouco mais de 120 canções. Dentro do universo minimalista de "Só louco", "Maracangalha" e "O que é que a baiana tem?", uma delas sempre me fascinou em particular: "É doce morrer no mar", parceria com seu conterrâneo Jorge Amado. Devo tê-la ouvido primeiro na versão que Clara Nunes fez em 1973. Eu era um garoto de 9 ou 10 anos em Copacabana. Por coincidência, o bairro escolhido pelo compositor quando se mudou de Salvador para o Rio, em 1938.

Tendo praticamente sido criado dentro da água salgada, e já tendo visto alguns cadáveres carcomidos devolvidos à praia, causava-me algum espanto que a morte no mar pudesse ser considerada doce. Eu ainda não tinha sido apresentado às licenças poéticas. A música, no entanto, era linda linda linda e nunca me saiu da cabeça. Um pouco mais tarde, testemunhando o esforço infrutífero dos salva-vidas para resgatar alguém que se debatia no Posto Cinco, pensei "ele foi se afogar/ Fez sua cama de noivo/ No colo de Iemanjá".

Entendi a mensagem. Passou-se mais um tempo até eu ouvir a versão que o próprio Caymmi gravara para seu primeiro LP, *Canções praieiras*, de 1954. Naquele tempo, um LP tinha apenas dez polegadas, não 12, e continha oito faixas. "É doce morrer no mar" abria o lado B. Sozinho ao violão, vozeirão imponente, o compositor baiano tornava a canção mais sombria, dava-lhe a força de um mito grego, conforme, fazendo suas as palavras de uma mulher, lamentava "o marinheiro bonito" que a "sereia do mar levou".

Canções praieiras, lançado pela Odeon, era um álbum conceitual. Coletava, em novas gravações, canções de Caymmi dedicadas ao tema do mar, recorrente como ondas em sua obra. O LP também trazia, por exemplo, "O mar", "A jangada voltou só" e "Quem vem pra beira do mar". Com exceção desta, primeiro registrada por Aracy de Almeida naquele mesmo 1954, as outras citadas eram bem anteriores. "É doce morrer no mar", por exemplo, fora composta em 1940. E lançada num 78 RPM da Columbia em 1941.

Em *Dorival Caymmi — O mar e o tempo* (Editora 34/Grupo Pão de Açúcar, 2001), biografia que escreveu para o avô, minha colega de faculdade Stella Caymmi contou as circunstâncias singulares em que "É doce morrer no mar" havia sido composta em 1940. Era um almoço de São João em Vila Isabel, na casa do pai de Jorge Amado, o coronel João Amado de Faria. Estavam presentes, entre outros, Erico Verissimo, Moacyr Werneck de Castro e Otávio Malta. No meio dos comes, bebes e chistes, Caymmi anunciou que pretendia musicar um trecho de *Mar morto*, romance de Jorge Amado sobre os saveiristas da Bahia, publicado pela José Olympio Editora quatro anos antes.

Os presentes, então, se empenharam em, numa espécie de concurso, criar e adaptar uma letra. Alguns versos, como "a noite em que ele não veio/ Foi de tristeza para mim/ Saveiro voltou sozinho", já constavam de *Mar morto*. Outros foram sendo incluídos por Caymmi ou sugeridos pelos comensais. O compositor, mestre em sua arte, ia copidescando Jorge Amado e até dispensando Erico Verissimo. Como anota Stellinha, "ora veja o leitor, eles podiam se dar ao luxo de cortar um verso do grande Erico Verissimo. Que fartura!".

Seja como for, "É doce morrer no mar" mostrou-se uma obra-prima, uma das muitas de Caymmi. Na sua melodia simples embora solene, na sua triste embora conformada letra a quatro mãos, ela sintetiza uma das principais vertentes da obra do compositor que tem a palavra "mar" no título de sua biografia e no da caixinha que reúne seus discos (*Caymmi, amor e mar*, EMI, 2000). Nela, o oceano surge tanto como uma origem, uma vasta extensão de líquido amniótico, quanto como um fim, um nada, uma força inapreensível pela razão. Ou, como ele próprio escreveu em "Quem vem pra beira do mar", "A onda do mar leva/ A onda mar traz/ Quem vem pra beira da praia, meu bem/ Não volta nunca mais".

É curioso, ainda, que tal linha de trabalho de certa forma tenha sido afogada pela popularização, e Caymmi tenha se tornado o grande responsável por isso, como homem e como artista, da imagem de uma Bahia idílica, solar, sorridente, carnavalesca. Porque suas músicas também estão coalhadas de jangadas fantasmas, pescadores desaparecidos, cadáveres roídos de peixes, esperanças naufragadas, destroços emocionais. E são maravilhosas assim.

Quem quer que tenha passado boa parte da vida diante, dentro ou em cima das águas de Itapoan, de Copacabana ou de qualquer outra praia, mais ou menos bravia, carrega vida afora o respeito pelas ondas e pelas pessoas que as enfrentam, pescadores ou surfistas, sejam seus nomes Chico Ferreira ou Mark Foo. E entende que, sim, é doce morrer no mar. Feliz aniversário e obrigado, muito obrigado, mestre Caymmi.

(30/4/2004)

CONFISSÃO

Tentei acabar com a carreira de Chico Buarque na tarde de 29 de janeiro de 1994. A carreira futebolística. Numa pelada amistosa entre o Polytheama dele e o nosso "Segundo Caderno". Perdemos. Não me lembro de quanto. Nada vexaminoso. Vexaminosa foi minha entrada imprudente sobre o dono da voz, da bola, do time e do campo.

A horas tantas, fui afoito marcar o Chico. Vinte anos mais velho e um ano-luz mais técnico e ágil, ele jogou a bola para o lado e eu, bonde desgovernado, acertei-o em cheio. Deve ter doído. Conforme o anfitrião se levantava, cara de poucos amigos, ouvi Antônio Pitanga apelar à beira do gramado: "Pelamordideus, não faz isso com o nosso Chico!"

Eu fiz. Durante mais de dez anos sublimei a história para que parecesse um mero lance patético de um beque amador fora de forma, ou seja, de um cara perfeitamente apto a ser titular da zaga profissional do Botafogo hoje em dia. Neste caderno em honra ao 60º aniversário de Francisco Buarque de Hollanda, porém, a última ficha caiu: fiz de propósito. No fundo, minha sórdida intenção era ser o Mark Chapman do Chico. O Mark Chapman, não, o Márcio Nunes do Chico. Lembra do jogador do Bangu que quebrou a perna do Zico? É mencionado apenas por isso: uma triste nota de pé de página na biografia do craque.

Agora enxergo tudo. Num átimo, no campo quente do Recreio, qual um *pied noir* armado numa praia da Argélia, devo ter pensado: peraí, este sujeito esguio com a bola toda compõe pencas de músicas maravilhosas (naquele janeiro pré-Real, com ingressos a Cr$ 6.000,00 ele fazia no Canecão a temporada do CD *Paratodos*, o que inclui "Futuros amantes", que coisa, meu deus, que coisa), escreve o ótimo "Estorvo" (naquele janeiro ir-Real, ele não tinha publicado nem *Benjamin* nem *Budapeste*, que reputo o melhor), tem aos seus pés multidões de belas mulheres (entre elas Marieta Severo e filhas), enfim, empreende uma trajetória brilhante, íntegra e discreta...

E ainda por cima joga bem futebol?! Ah, aí é demais. Pau nele.

Saiba ou não, admita ou não, todo homem brasileiro tem inveja do Chico Buarque. A inveja, naturalmente, além de ser uma merda, é uma forma doentia de admiração. Não se deseja só o que o outro tem — berço, gênio, uma bela família, olhos azuis, um drible difícil de marcar, um apê no Marais — mas também o que o outro é. Portanto, saiba ou não, admita ou não, todo homem brasileiro gostaria de ser o Chico Buarque. Ao mesmo tempo, e aqui afinal chego ao meu ponto, o Chico já é todo homem brasileiro.

Quando diz "o meu pai era paulista/ Meu avô pernambucano/ O meu bisavô, mineiro/ Meu tataravô, baiano/ Vou na estrada há muitos anos/ Sou um artista brasileiro" (em "Paratodos", a canção), ele não está fazendo um exercício de retórica nacionalista. Na verdade, dizer que Chico é todo homem brasileiro é, além de machismo, miopia estética, porque já está suficientemente demonstrada sua capacidade de também ser, como nenhum de seus pares, toda mulher brasileira, cedendo-lhe entranhas e voz, como em "Teresinha" ou "Folhetim", para ficar em duas músicas incluídas na *Ópera do Malandro*.

Em seus 60 anos de vida e 40 de carreira, Chico foi o ghost-writer de tantas de nossas declarações de amor ("Não se afobe, não/ Que nada é pra já/ Amores serão sempre amáveis/ Futuros amantes, quiçá/ Se amarão sem saber/ Com o amor que eu um dia/ Deixei pra você", em "Futuros amantes", que coisa, meu deus, que coisa), de tantos de nossos protestos contra a ditadura ("Você vai se amargar/ Vendo o dia raiar/ Sem lhe pedir licença/ E eu vou morrer de rir/ Que esse dia há de vir/ Antes do que você pensa", em "Apesar de você"), de tantos de nossos bilhetes de despedida ("Eu bato o portão sem fazer alarde/ Eu levo a carteira de identidade/ Uma saideira, muita saudade/ E a leve impressão de que já vou tarde", em "Trocando em miúdos", obra-prima em parceria com Francis Hime).

De tal forma Chico foi nosso ghost-writer nas últimas quatro décadas que, quando li *Budapeste*, não pude deixar de enxergar o seu rosto no protagonista, José Costa, ghost-writer tão talentoso que em pouco tempo consegue *fantasma-escrever* até em húngaro; ghost-writer tão talentoso que vê a sua mulher, Vanda, ficar caidinha pela prosa do alemão Kaspar Krabbe, para quem ele próprio escreveu o best-seller *O ginógrafo*.

Sintam o drama: emprestar, emprestar, não, vender em silêncio as palavras que serão usadas para conquistar o mundo, inclusive sua amada, qual uma versão boa-pinta de *Cyrano de Bergerac*. Quantos de nós, homens e mulheres, já não usamos as palavras de Chico para nossos propósitos? Ainda na semana passada, eu citava de passagem "Mulheres de Atenas", dele com Augusto Boal, no meu arrazoado sobre a capital grega.

Daí a admiração, daí a ponta (ou o pontapé) de inveja, ou melhor, daquele terno ressentimento que o ser humano guarda de quem lhe fez um grande bem. Chico Buarque só nos fez bem estes anos todos. Escreveu tanta coisa bonita. Viveu a sua vida em paz, longe da intrigalhada ou da ânsia da celebridade máxima. De certa forma, ele vive as nossas vidas, porque, ao tão gentilmente agraciar-nos com os seus poemas, tornou-se parte delas. Dar-lhe os parabéns, então, é também, de fato e de direito, nos congratularmos.

(18/6/2004)

MR. HIME

Na mesa do Estrela da Lapa, durante show no começo do mês, a moça se espantou: "Nunca tinha notado que metade das coisas que gosto são dele." Dele, Francis Hime. Aquela casa de espetáculos, ao menos até que as contas sejam refeitas, foi de uma beleza efêmera. A obra de Hime, não; sua beleza perdura desde que a primeira música, "Sem mais adeus", parceria com Vinicius de Moraes, foi composta na varanda do Antonio's, em 1963.

Tendo assistido a shows do maestro no Rival BR, no Canecão e no Estrela da Lapa desde setembro do ano passado, sinto-me no prazer de lembrar que ele estará, hoje, às 21h, e amanhã, às 20h e 23h, se apresentando no Mistura Fina. Quem sabe o leitor também não se surpreenderá, como a moça na Lapa, com o latifúndio que Hime ocupa, escritura dividida com Vinicius e Chico Buarque, entre outros, no nosso imaginário afetivo.

O pretexto para estes shows, bem como para os do início de setembro, é o relançamento do songbook *Álbum musical* (1997) pela Biscoito Fino. O pretexto poderia ser, como os espetáculos do ano passado, divulgar o seu disco mais recente, *Brasil Lua cheia*, que inclui "Corpo feliz" (parceria com Cacaso), "Disfarçando" (com Olívia Hime) e "Choro incontido" (com Paulinho da Viola). Tanto faz. A alta qualidade é a mesma.

Ajuda o fato de que Hime compôs bastante, algo em torno de 400 músicas, mas gravou pouquíssimo: apenas dez álbuns desde o inaugural *Francis Hime* de 1973, o LP que continha "Atrás da porta" e "Minha". Esta seletividade garante a excelência nem sempre devidamente reconhecida da obra deste carioca bem-nascido a 31 de agosto de 1939.

Hime, porém, aparenta ser muito mais novo do que é, aparenta ser o irmão mais novo do Fábio Júnior. Essa juventude aos 65 anos pode ser tão surpreendente quanto notar que metade de tudo o que a gente gosta leva a sua assinatura. Essa juventude explica o vigor dos shows e o eterno ar de "estou de bem com a vida, sim" que o maestro passa ao microfone e ao piano.

O parceiro mais assíduo no *Álbum musical*, claro, é Chico Buarque: 11 das 18 faixas levam também o jamegão daquele sujeito que joga bola direitinho e ainda escreve *Budapeste*. Como intérprete, Chico aparece em, olha ela aí de novo, "Sem mais adeus". Esta música — bem como "Anoiteceu" (outra de Vinicius), "Embarcação", "Atrás da porta" e "Trocando em miúdos" (as três do camisa 10 do Polytheama) — formam uma espécie de segmento gilete-por-favor-para-cortar-os-pulsos. Convém escutá-las nos dias bons. No entanto, mesmo nos ruins, o sereno Hime injeta algum sentido nessa joça de vida.

Gravada originalmente no seu LP de 1982, *Pau Brasil*, "Embarcação" assombra-nos como um navio-fantasma, sobretudo na interpretação que a mulher e parceira Olívia Hime registrou no *Álbum musical*, com arranjo de Cristóvão Bastos. Ficou tão bom, mas tão bom, que o próprio Francis passou a considerá-la um pouco coautora. É um samba, samba tão triste que a gente só atina isso quando ouve o baixo se fazendo de surdo.

A letra antiépica diz: "(...) Deus, eu pensei que fosse Deus/ E que os mares fossem meus/ Como pensam os ingleses/ Mel, eu pensei que fosse mel/ E bebi da vida/ Como bebe um marinheiro de partida, mel/ Meu, eu julguei que fosse meu/ O calor do corpo teu/ Que incendeia meu corpo há meses/ Ar, como eu precisava amar/ E antes mesmo do galo cantar/ Eu te neguei três vezes/ Cais, ficou tão pequeno o cais/ Te perdi de vista para nunca mais (...)" Melódica e harmonicamente ricas, e sempre compostas antes das letras, as músicas de Hime são um estímulo para qualquer parceiro. Aqui, Chico teve de ser sublime.

Depois disso, quando nada para aliviar a barra, vale ouvir a delicada "Luiza". No *Álbum musical*, ela ganhou a interpretação de Toquinho. Cantiga de ninar composta pela dupla para a terceira filha de Hime (Luiza, com Z) e para a terceira filha de Chico (Luísa, com S, o que o faz grafar a música "Luísa"), ela é fundamentalmente uma delicada canção que amor, que abre com os versos "Por ela é que eu faço bonito/ Por ela é que eu faço o palhaço/ Por ela é que eu saio do tom/ E me esqueço no tempo e no espaço". Atemporal.

A única faixa de *Álbum musical*, que carece de atualização é "E se", outra parceria Hime-Chico. Alistando coisas improváveis, a letra de 1980 (aqui cantada por Daniela Mercury) fala o seguinte: "E se o Botafogo for campeão." Ora, o verso deveria mudar para "E se este time sem-vergonha do Botafogo conseguir permanecer na Primeira Divisão". Atropela a métrica, sim, mas o maestro, vascaíno descendente de dois pioneiros jogadores alvinegros, os ingleses Norman e Gilbert Hime, é craque e há de dar um jeito nisso.

Afinal, Hime, o Francis, é, como os seus antepassados, um *gentleman*. Esta característica está não apenas no modo, desprovido de afetação, com que se dirige às plateias de seus shows ou que circula pela cidade que ama. Está, também, no próprio modo de cantar e de tocar coisas lindíssimas como "Meu caro amigo", "Navios" ou "Vai passar". Ele é, como um de seus personagens, um sujeito que bate o portão sem fazer alarde. Entretanto, Francis Hime sempre nos deixa a leve impressão de que nunca é tarde.

(24/9/2004)

O CRÍTICO

Desculpe-me por tratar do show de Maria Bethânia só na terceira e última semana em cartaz no Canecão. Nenhuma novidade, porém. Em se tratando de Maria Bethânia tenho um retardamento histórico. Tempo tempo tempo tempo.

Minha geração era contra Maria Bethânia. Não só ela. Contra todo mundo que havia feito música no Brasil antes de 1982, com a exceção de Raul Seixas e a possível exceção de Rita Lee. Éramos — ou pretendíamos ser — punks. Eu tinha uma camiseta dos Sex Pistols.

Além da cartilha do faça-você-mesmo, revolução para tomar a arte da mão dos virtuoses aburguesados, também importamos de Londres e de Nova York o conflito explícito de gerações musicais. Algo estranho a um país que, em todos os campos, prefere a continuidade à ruptura. Ok, talvez fosse um trabalho sujo. Os punks precisávamos fazê-lo.

Nossa ideologia era essa. Hoje pode soar burra ou pueril. Ao menos tínhamos uma. A grande banda de minha geração, talvez você conheça, chamada Legião Urbana, no começo da carreira despediu um guitarrista porque ele solava bem e solava muito. Tocar mal era uma forma de expressão, de chamar atenção para a mensagem crua, e a mensagem crua era: nas favelas, no Senado, sujeira pra todo lado, ninguém respeita a Constituição.

No processo de trocar a metáfora pela pedrada, então, éramos contra Bethânia. Tínhamos, palavras de Lobão, um "respeito geriátrico" por Caetano, Gil e Gal, os doces bárbaros mais próximos da inflexão roqueira, e por Chico Buarque, nada roqueiro mas tão politizado quanto a Censura deixava. Éramos contra o resto.

Com o tempo tempo tempo tempo, envelhecemos, todos, e passamos a dedicar a Bethânia, Caetano, Gil, Gal, Chico, e Tom Jobim, e Milton Nascimento, e Paulinho da Viola, e Francis Hime, e Edu Lobo, e muitos outros, um respeito sem aspas ou adjetivo.

Dos anos punks, mantenho a paixão pelo Clash e um déficit de conhecimento, irrecuperável, sobre a música popular brasileira pré-"Você não soube me amar": sim, porque se comprei quase todos os CDs, Caymmi, Cartola, Dick Farney, Edison Machado, já não tenho mais como estar no aqui & agora daqueles momentos que lhes deram a liga.

Foi assim, virgem de shows de Maria Bethânia, que fui ao Canecão na semana passada. Tinha lido críticas respeitosas do mesmo modo que, em rodinhas de conversas, tinha escutado críticas mais pesadas. Não tenho, em nenhum dos dois casos, razão para desqualificar o conhecimento de causa dos seus autores. Não tenho uma série histórica, de corpo presente, para comparar o atual espetáculo com os anteriores de Bethânia. Um DVD *Brasileirinho ao vivo* aqui, um CD *Rosa dos ventos* lá. Não *the real thing*.

Talvez por isso eu tenha adorado *Tempo tempo tempo tempo*. No palco, Maria Bethânia sofre a mutação impressionante: a mulher pequena, quase frágil, fica do tamanho de sua voz, imensa. "Diabólica", disse-lhe Fernanda Montenegro. Assino embaixo. Sempre, bom, "sempre" gostei também do apreço da cantora pelo que canta, pelo repertório refinado, do lindo disco recém-lançado em homenagem a Vinicius de Moraes (*Que falta você me faz*, Biscoito Fino) ao projeto de musicar a poetisa portuguesa Sophia de Mello Breyner Andresen, falecida ano passado. Bethânia não apenas canta bem: lê e recita bem.

No fogo cruzado entre o que ouvi fora e o que ouvi dentro do Canecão, vi-me numa situação comum ao leitor: "Por que a minha opinião é diferente da opinião dos outros críticos?" Ora, no caso, porque eles ouviram e viveram mais Maria Bethânia que eu. Têm, portanto, referências e, por terem referências, podem estabelecer um juízo de valor sobre seu objeto. É isso que gabarita alguém a exercer profissionalmente a crítica: ter visto, ouvido, lido mais que a média. No caso dos que escrevem, eles têm, ainda, a capacidade de entender e de expressar o que sentem. Não se trata, como se lê, de mera questão de opinião.

Bem, esta é a tese. Porque, claro, não faço a defesa incondicional de todas as críticas. Profissionais têm lá seus humores, tédios ou déficits, ou promovem amigos espaçosos como gênios. O crítico erra. Erra porque é humano. Se não fosse humano não poderia ser crítico. O real paradoxo é que o trunfo às vezes vira calcanhar de aquiles: sabendo tanto, ele não tem mais como ter a inocência do primeiro olhar ou, ao menos, a do olhar diletante. Diante de *Tempo tempo tempo tempo*, levei a vantagem do neófito.

E, assim, enquanto via Maria Bethânia brilhar em "A felicidade", "Quem te viu, quem te vê" ou "Gîtâ", talvez eu tenha afinal entendido por que os críticos somos frequentemente acusados de novidadeiros: porque a mais recente banda de Glasgow, ou a nova revelação do cinema iraniano, ou da literatura alternativa de Sampa, nos restitui, ainda que de modo fugaz, a inocência que, em nossos íntimos, sabemos perdida para sempre.

(11/3/2005)

REFERÊNCIAS

No tempo em que havia roda de samba em frente à Dona Maria, na hora em que banheiro do bar não dava mais conta de tantas bexigas cheias de cerveja (*ic!*) por conta de algum furdúncio organizado (*sic...*) em torno de Aldir Blanc ou de Moacyr Luz, um portão derrubado na Rua Garibaldi dava acesso ao mictório improvisado (*hurra!*) ao longo de um muro. Atrás, as ruínas do palacete edificado em 1921 agravavam o quadro de decadência.

Agora, porém, depois da transformação da casa no Centro Municipal de Referência da Música Carioca, dá até meda de encostar no muro e sujá-lo, enquanto a roda de samba se apresenta em frente ao moderno anexo com o auditório e a escola de música. Ficou lindo. O endereço é Rua Conde de Bonfim, 824, conquanto o portão de entrada fique poeticamente bem na junção com a Garibaldi. O conjunto da obra dá uma amostra do que o Estado (no caso, a Prefeitura) pode fazer de útil quando devolve parte do que arrecada à sociedade.

O Centro de Referência foi aberto em 16 de junho, sob a direção artística de Mário Sève, craque saxofonista dos quintetos Nó em Pingo D'Água e Aquarela Carioca. Eu não conhecia a reforma até a manhã do último sábado, quando inaugurou-se o projeto "Hóspede do mês", que articula atividades na casa em torno de aniversariantes ilustres. O de setembro é Aldir Blanc, 61 anos feitos no domingo, dia 2. Os homenageados dos próximos meses serão Nelson Cavaquinho, Paulinho da Viola e Noel Rosa. A ideia é muito simpática.

No caso setembrino, inaugurou-se uma pequena exposição de itens da *memorabilia* blanquiana e, simultaneamente, *Caras e perfis da nossa música*, Aldir incluso, exposição de desenhos de Amorim e textos de Luís Pimentel. Nas quartas-feiras do mês, o Cineclube passa, com entrada franca, às 15h, a animação *Santa de casa*, de Allan Sieber (baseada num conto do hóspede) e o documentário *Dois pra lá, dois pra cá*, de Alexandre Carvalho (sobre o hóspede). No dia 26, após a exibição, haverá debate com os dois diretores.

Tudo muito justo. Aldir não é só o morador mais ilustre da Garibaldi. Também não foi apenas um dos entusiastas do tombamento da casa projetada por Gaspar José de Souza Reis para gente como seu segundo proprietário, Mário Bianchi, dono de viações de ônibus. Muito justo, sim, porque Aldir é, *data venia* todos os outros, o maior letrista brasileiro vivo: não só por ser bastante alto, metro e oitenta e tanto, metro e noventa, mas por unir ao coração de poeta os sentidos apurados do cronista.

Qual a fronteira entre poesia e crônica em "Eu fui de bengala, tossindo, com febre, lá no Renascença/ Porque em toda a vida o samba foi cura pra minha doença/ Sentei no meu canto, uma voz perguntou: 'O que qui vai querer?'/ Perdi a cabeça e falei pra menina:/ — Eu queria você..."? Versos de "Recreio das meninas II", dele com Moacyr. Qual a fronteira em "Eu sou do Engenho de Dentro e você vive no vento do Arpoador/ Eu tenho um jeito arredio e você é expansiva, o inseto e a flor/ Um torce pra Mia Farrow/ O outro é Woody Allen"? Versos de "Catavento e girassol", dele sobre música de Guinga.

Acho que Aldir nasceu foi no Estácio, mas ama as meninas (as dele, as dele) e o tempo o fez um arredio, sim. O joelho há muito estourado e o outro, cansado dos anos de sobrecarga, limitaram-lhe drasticamente a circulação fora da lendária biblioteca-bunker na Muda, sua querida "Tijuca Profunda". Até os birinaites que lá animavam papos sobre Segunda Guerra, samba-jazz ou psiquiatria hoje são raros. As noitadas na Lapa, então, que só terminavam quando viam o sol, como aquelas adagas gurkhas que só voltam à bainha depois de sentir o gosto de sangue, essas minguaram, espero que não de vez.

Encontrar o Aldir é encontrar também os personagens do universo afetivo que ele criou e cultivou ao seu redor: seu pai, Alceu, firme aos 84 anos; sua patroa, Mary; a pequena multidão de filhas e netos; o parceiro Moacyr Luz; o frasista alvinegro Baiano; o artista plástico Mello Menezes. Estavam quase todos lá, em torno da roda de samba, na qual o autor deu sua sempre arrepiante interpretação para o hino "O bêbado e a equilibrista". A bem da verdade, e sem alcaguetagem, Baiano ficou pela Dona Maria, comendo linguiça acebolada com Ruy Castro e Heloísa Seixas, tomando cerveja, sacaneando o garçom.

Por todo o exposto, e um pouco mais, fui ao Aldir dar-lhe um abraço e pedir-lhe a bênção. Ainda guardo, malocado aqui no escritório, o presente que Aldir me mandou por intermédio do editor Paulo Roberto Pires, amigo comum, anos atrás. Trata-se de, como dizer?, uma p@#$%&*iroquinha de dar corda, como aqueles pintos d'outrora, pintos mesmo, filhotes de galinha, arrematada pelo vate de um ambulante chinês no Nova Capela.

O chinês é por minha conta, pois, claro, eu não bebi naquela noite. E a calcinha com o escudo do Vasco na zona do agrião, que veio no lote de mimos, meu caro doutor Blanc, essa eu passei adiante num amigo oculto da firma, o senhor há de compreender.

(7/9/2007)

SINAL FECHADO?

E lá vem Paulinho da Viola, fascinado por automóveis, fluindo sem retenções no seu novo trabalho, não mais um disco acústico, mas o *Acústico*, apresentando à geração MTV a gloriosa sutileza de "Timoneiro", "Coração leviano", "Para um amor no Recife", "Pecado capital"... Quando no meio da avenida se acende uma luz vermelha.

Na obra deste vascaíno de Botafogo, "Sinal fechado" ocupa um lugar sui generis desde 1969, ano em que conquistou o Festival da Record. Não é samba, nem choro, nem vela, apesar de soar como oração profana. Concebida dentro de um ônibus, no Aterro, e influenciada por Villa-Lobos, às vezes, é quase dissonante. Registra um diálogo entre dois motoristas parados lado a lado, tensos como num *grid* de Fórmula-1:

— Olá, como vai?
— Eu vou indo. E você tudo bem?

— Tudo bem. Eu vou indo correndo, pegar meu lugar no futuro, e você?
— Tudo bem. Eu vou indo em busca de um sono tranquilo, quem sabe? (...)

Paulinho não raro escala a canção como um interlúdio, separando as metades do show. Isso também ocorre neste CD/DVD *Acústico MTV*: faixa nove em 15, faixa 10 em 21. O autor sabe a perturbação que ela nos causa. Porque, mesmo nas suas composições mais melancólicas, a tristeza vem filtrada por uma serenidade zen-sambista. "Sinal fechado", não. É iminência de a luz verdejar, angústia, pressa, esquecimento, fragmentação.

No século XIX, Leon Tolstói recomendou algo como: "Se queres ser universal, fala da tua aldeia." Até os maiores gênios — e Paulo César Batista de Faria é um dos nossos grandes, embora desprovido do senso de marketing pessoal de alguns outros — são gênios não porque pairam no espaço e no tempo, mas porque são escravos da sua aldeia e do seu instante sobre a terra. Ou "Não sou eu quem me navega/ Quem me navega é o mar".

Como o tempo de Paulinho sempre foi hoje, "Sinal fechado" tornou-se um clássico porque é a cara (fechada) de 1969, o primeiro dos dez anos sob a vigência do nefando AI-5. O ato discricionário baixado pelo marechal-presidente Arthur da Costa e Silva permitia ao regime, entre outras coisas, cassar os mandatos dos parlamentares e os direitos políticos de qualquer cidadão por 10 anos, suspender a garantia de *habeas corpus* nos casos de "crimes políticos, contra a segurança nacional, a ordem econômica e social e a economia popular".

Quando Paulinho parou os dois motoristas no "Sinal fechado", portanto, até o personagem-título corria o risco de ir em cana, simplesmente por ser vermelho. É deste sufoco, e não só da correria, competitividade, anonímia e amnésia da vida moderna que a canção (não) nos fala. O subentendido ao mesmo tempo lhe garante a temporalidade — ela se sustenta melhor como retrato da época do que, por exemplo, as metáforas *kitsch* de "Pra não dizer que não falei das flores (Caminhando)", de Geraldo Vandré — e atemporalidade.

Um dos motoristas de Paulinho da Viola se desculpa com o outro: "Tanta coisa eu tinha a dizer, mas eu sumi na poeira das ruas". De uma forma ou de outra, muitos ainda somem na poeira ou no pó das ruas, como reafirma, de modo contundente, uma canção de dois anos atrás, "Não se preocupe comigo", do único CD do F.UR.T.O., grupo-projeto de Marcelo Yuka. Ela dá voz fictícia ao seu primo Danilo Carvalho de Souza, desaparecido na manhã de 1999: "(...) Não se preocupe comigo/ Mas com a época que devora caminhos e destinos/ Com tanta pressa/ Apagando rastros que nos ensinam e nos permitem voltar/ Não se preocupe comigo/ Mas eu não volto mais pra casa não."

Aliás, do jeito que as coisas vão, temo que em mais uma geração a premissa de "Sinal fechado" não seja mais compreendida, a não ser, talvez, nos exames teóricos do Detran ou no terreno da pura licença poética. "Peraí, como assim, dois motoristas *param* num sinal fechado?", indagar-se-á o habilitando de 2032. "PARAM num sinal?!" Já agora ninguém para mais num sinal fechado, mas todos reclamam dos avanços do Renan.

A justificativa da insegurança, concreta, letal, desconsidera a própria infração de avançar o sinal como fator a realimentar a sensação de insegurança. De qualquer forma, isso ocorre a qualquer hora, em qualquer esquina, na maior cara de pau. Cometido também por motociclistas e ciclistas, que creem que as leis do trânsito não se aplicam a eles.

Ainda que vivêssemos num mundo melhor, na qual dois motoristas parassem em sinal fechado, respeitando o mais fraco pedestre, eles provavelmente não enxergariam o amigo no carro ao lado, tão carregado o insulfilm aplicado aos vidros dos veículos. (Não sei quanto a você, eu não faço sinal para táxis mascarados; ué, não é para evitar olhar para dentro deles?) Ainda que nos teletransportássemos a um universo de ficção científica, no qual os dois motoristas não apenas parassem em sinal fechado como não escurecessem o vidro, eles não se veriam, entretidos aos respectivos celulares. Não entre si, claro. Pensando bem, até aí, por vias transversas, vigoraria a incomunicabilidade de "Sinal fechado".

(26/10/2007)

AO LADO DO CAMINHO

Pode-se contar essa história da seguinte maneira. Era uma vez um presidente risonho, Juscelino Kubitschek, que entronizou a indústria automobilística como modelo da economia nacional e deliberadamente afastou o centro do poder da população, construindo Brasília no deserto do cerrado. Porém, ele ao menos tinha um projeto: modernizar o país, tirando-o do atraso com seu plano de metas, o que propunha avançar "50 anos em cinco".

Em consonância com os novos ares, parte da música popular brasileira refletiu essa ânsia de modernização criando, sob a influência do jazz, uma forma estilizada de samba, a cosmopolita bossa nova. A emoção bruta, derramada, popularesca ficou associada a um passado "primitivo", pré-JK. A partir daí, a expressão dos nossos sentimentos passou a ser refinada, contida, sofisticada, prenúncio de um futuro-quase-presente "civilizado", pós-JK.

Em termos de emoção, apesar de já haver sutileza à beça num Caymmi, é com a bossa nova que a música popular brasileira — da canção de protesto à MPB propriamente dita, da Tropicália ao BRock — se entende e se confronta desde então. A obra de gênios como Tom, João, Chico, Caetano, Gil, Paulinho, Edu e Francis entrelaçou-se numa renda rica, complexa, reconhecida mundo afora. É música educada, que fala baixinho.

O seu sucesso jogou para o lado do caminho a emoção mais escancarada, associada (também na vida em sociedade e não só aqui) a uma certa incontinência pobretona. Esse sentimentalismo sobreviveu, por exemplo, no brega, no sertanejo, em parte do samba e em figuras isoladas que, embora usassem o elevador social, se rasgaram sem pudor em público, como Elis, Maysa e Cazuza. Sua dor é obscena, constrangedora, quase insuportável.

Talvez ninguém tenha buscado a reconciliação do "pós-JK" com o "pré-JK" tanto quanto os manos Caetano e Bethânia. Ele, lustrando um Peninha ou garimpando joias latino-americanas em *Fina estampa*. Ela, imprimindo uma intensidade ímpar a Roberto Carlos ou trabalhando com a cubana Omara Portuondo. A música em castelhano também perdeu força entre nós a partir da sua associação ao subdesenvolvimento terceiro-mundista.

A história da vizinha Argentina não tem alguém como Juscelino, alguém que tenha estabelecido uma cisão entre o passado e o futuro, ainda que mais simbólica do que prática. Ela tem sido, isso sim, um longo contínuo de governos descontinuados por golpes militares e, desde 1946, um jogo de atração e repulsa pelo peronismo, inclusive na versão Kirchner.

Essa circunstância, e o fato de o apogeu econômico ter ficado muito para trás, dá aquela impressão tão cara aos turistas brasileiros, a de que em Buenos Aires o tempo não passou.

Claro que a música argentina não ficou imóvel, mas as coisas lá não se colocaram em termos de estilo *versus* emoção. Ela permaneceu passional na obra renovadora de Astor Piazzolla, que, mesmo assim, chegou a ser ameaçado por supostamente desvirtuar o tango. O que, afinal, é "Adiós nonino", instrumental composto quando Piazzolla recebeu a notícia do falecimento do pai? Estilizado e emotivo. Tradicional e moderno. Sintético e caudaloso. Como "Saudades do Brasil", de Tom. Duas das músicas mais bonitas do mundo.

Uma canção digna desse rol foi composta por Fito Páez, hoje com 46 anos. Quanto tinha 29, em 1992, este argentino de Rosário lançou o LP que trazia a música "Un vestido y un amor". Apenas dois anos depois, o alerta Caetano regravou-a em *Fina estampa*. Nela, Fito encapsulou o preciso instante do enamoramento no verso "e eu não procurava ninguém e te vi". Apaixonar-se é isso. Nada mais, nada menos. Não buscar e achar.

Recém-lançado inclusive no Brasil, pela Sony, o título do terceiro álbum ao vivo de Fito, *No sé si es Baires o Madrid* (Não sei se é Buenos Aires ou Madri), faz um trocadilho com outro verso de "Un vestido y un amor", "não sei se eras anjo ou um rubi". No disco, a convidada do argentino para cantá-la é a espanhola Gala Évora, cuja interpretação chega perto do flamenco, de tão torturada. Entre outros, Fito recebe ainda o espanhol Joaquín Sabina ("Contigo") e o cubano Pablo Milanés ("Yo vengo a ofrecer mi corazón").

No sé si es Baires o Madrid difere de *Euforia* (1996) porque não foi gravado com uma orquestra ou para uma rede de TV. Difere do duplo *Mi vida con ellas* (2004) porque não pretendeu homenagear as mulheres da vida de Fito ou foi coletado de diversos shows. Inteiramente registrado na noite de 24 de abril do ano passado, no Palacio de los Congresos, na capital espanhola, o novo álbum traz Fito quase sempre só, ao piano.

É assim que ele encara uma composição de dez anos atrás, "Al lado del camino". No CD *Abre*, ela era um apenas mais um épico roqueiro, sufocado pelo arranjo elétrico. Aqui, ela refulge como um hino religioso. A certa altura, Fito canta: "Se um dia cruzares comigo na rua/ Dá-me teu beijo e não te aflijas/ Se vês que estou pensando em outra coisa/ Não é nada mau, é que passou uma brisa/ A brisa da morte enamorada/ Que ronda como um anjo assassino/ Mas não te assustes, sempre me acontece/ É só a intuição do meu destino." Na obra de Fito, o excesso e o melodrama não entram em contradição com o bom gosto classe-média. Em Fito, há letra de tango e melodia de Beatles.

(22/5/2009)

TATUÍ

Enquanto milhões voltavam os olhos para a Sapucaí, orientei meus ouvidos para Tatuí. Rima, solução, retiro espiritual em homenagem a Pena Branca, falecido no dia 8. Foi no conservatório daquela cidade paulista que ele, seu irmão Xavantinho e Renato Teixeira gravaram *Ao vivo em Tatuí*. Trata-se não apenas de um clássico da música caipira, mas de um dos melhores discos brasileiros em qualquer gênero ou tempo.

O trabalho foi lançado pelo selo Kuarup, ora desativado, primeiro num LP de 15 faixas, depois num CD de 21. As músicas foram registradas em 21, 22 e 23 de setembro de 1992. As datas ganham significado extra quando se lembra que seis dias depois, por 441 votos a 38, a Câmara autorizaria o Senado a abrir processo de impeachment contra Fernando Collor e determinaria o seu afastamento da presidência da República por crime de responsabilidade. Antes do final do ano, Collor seria passado. Até ressuscitar.

De certa forma, essa batalha também era de Pena Branca, Xavantinho, Teixeira e outros caipiras orgulhosos. Três anos antes, a eleição de Collor dera maior visibilidade a um grupo de caipiras envergonhados, tão envergonhados que se nomearam "sertanejos". Embora, é claro, haja pontos de contato entre uns e outros, sobretudo Chitãozinho & Xororó da primeira fase, são tipos distintos de música. Caipira é roça, sertanejo é agronegócio. Collor e as duplas de bajuladores nas caminhadas em torno da Casa da Dinda representavam o mesmo sonho de afluência. O sertão virando mar. Em Miami.

Em Tatuí, Pena Branca, Xavantinho e Teixeira entrelaçaram repertórios que falavam de um mundo diferente, imemorial. Eles cantavam, com suprema delicadeza, os grotões onde a eletricidade não havia chegado para maquiar a escuridão. Talvez por isso até as suas canções mais festeiras traíam a melancolia de quem sabe que uma hora a luz cai. Ficavam a léguas das baladas românticas fantasiadas de caubói que caracterizam os sertanejos, em particular os que perderam seus parceiros, como Leonardo e Daniel.

Em "Rapaz caipira", seu bem-humorado protesto contra o preconceito que cerca o interior (e o sotaque cujo R peleja para virar L), Teixeira mete um caco adequado aos tempos: "Agora caipira tudo tem picape, né?" Apesar de em retrospecto o encontro com José Ramiro Sobrinho, o Pena Branca, e Ranulfo Ramiro, o Xavantinho, parecer o troço mais óbvio da Terra, o causo poderia ter sido bem outro. Se para os manos de Uberlândia a música caipira era destino, para o santista criado em Taubaté, era opção.

Teixeira fora da turma de Chico e Caetano. Compusera para Gal e Roberto Carlos. Hoje poderia ser reconhecido também nos maiores centros urbanos como o grande nome que de fato é, mas intuiu que a música da roça seria um meio mais adequado de expressão à sua voz, amistosa como poucas. Então, renovou esse gênero desprezado com canções das mais lindas do Brasil: "Romaria", "Amora", "Antes que aconteça", "O violeiro toca" e "Tocando em frente", as duas últimas com Almir Sater.

Os irmãos Ramiro trabalharam na roça, ralaram na estrada e cortaram um dobrado até, depois da mudança para São Paulo, se estabelecerem como os gentis guardiões da música caipira. Embora cultivassem uma timidez anedótica, a televisão desempenhou papel importante no reconhecimento de seu talento. Em 1980, levaram "Que terreiro é esse?" à fase final do Festival MPB Shell, promovido pela Rede Globo. Tornaram-se figuras fáceis em *Som Brasil*, de Rolando Boldrin, e em *Viola, minha viola*, de Inezita Barroso. No sábado passado, na TV Cultura, Inezita homenageou Pena Branca coletando aparições dele no programa, de fevereiro de 1981 (com o irmão, em "Velha morada") a novembro de 2009.

Pena Branca & Xavantinho não apenas compuseram belo material ou relembraram clássicos da roça. Também tomaram posse de "Canto do povo de um lugar", de Caetano, e em especial de "Cio da terra", de Milton

MÚSICAS POPULARES

e Chico. O seu terçar de vozes preservou a aspereza agreste que a sacarose sertaneja afogou. Na gravação de Tatuí, produzida por Leo Stinghen e Mario de Aratanha, cofundador do Kuarup, os três astros tiveram acompanhamento espartano, que enfatizou as distâncias e os silêncios intrínsecos à música caipira. Violões, baixo, percussão, gaita e violino. Solitário ao arco, Zé Gomes substituiu, por exemplo, todo o deslumbrante arranjo orquestral da "Amora" original, de 1979, tornando-a ainda mais desoladora.

Xavantinho pegou o caminho da roça há onze anos, aos 57. Pena Branca foi-se agora, aos 70. Renato Teixeira completa 65 no dia 20 de maio. Raramente é visto aqui. O Rio de Janeiro, tão urbano, tão mundano, tão cosmopolita, resiste à música caipira de modo tolo. Injustiça particular com quem dedicou à cidade uma de suas canções mais comoventes, "A primeira vez que fui ao Rio". Na qual comparou: "Pra gente que/ leva uma vida mais tranquila,/ de um jeito quase caipira,/ ir ao Rio de Janeiro/ é o mesmo que flutuar." Para sorte de quem gosta do roçado de Pena Branca, Xavantinho e Renato Teixeira, nós sempre teremos Tatuí. Sinto vir água nos olhos toda vez que passo lá.

(19/2/2010)

NAZARETH

No último Dia dos Namorados, a Orquestra Petrobras Sinfônica, sob a regência de Isaac Karabtchevsky, dedicou um programa da sua Série Portinari a Franz Liszt, o compositor húngaro do qual comemoramos o bicentenário de nascimento em 2011. Era uma coincidência particularmente feliz: Liszt foi um romântico — e um mulherengo.

Porém, o filé-mignon daquele vesperal era a presença de Arnaldo Cohen, tocando os dois concertos para piano do compositor. Cohen está entre os maiores intérpretes mundiais de Liszt e, mais uma vez, comprovou tal condição no Municipal. Ovacionado, retribuiu com peças curtas do carioca Ernesto Nazareth. Foi um momento mágico, tão mágico que desde então praticamente só escuto esse Nazareth "clássico".

Embora seja mais comumente saudado como o Pai do Tango brasileiro ou como o Santo Padroeiro do Choro, Nazareth também é um compositor que fica muito à vontade numa sala de concertos. Seus tangos, suas polcas e, sobretudo, suas valsas têm todos os predicados do que se convencionou chamar de "música clássica", talvez menos pela perenidade do que pelo respeito a certas formas (ou da subversão ostensiva delas).

Mais que isso, Nazareth é um tipo raríssimo e valioso de compositor: seu repertório "popular" é constituído exatamente pelas mesmas peças que constituem seu repertório "clássico". O que o torna mais isto ou mais aquilo é o contexto, seja o do local, seja o da instrumentação, seja ainda o do(s) intérprete(s). Ou seja, sua música soa natural tanto no Theatro Municipal quanto numa roda de choro em Laranjeiras.

Não é surpresa, portanto, que sua obra já tenha rendido discos marcantes a pianistas de trajetórias tão distintas quanto Arthur Moreira Lima e Antonio Adolfo. O primeiro foi o principal responsável pelo renascimento do interesse pelo Nazareth "clássico", graças a um álbum duplo solo, lançado pelo selo Marcus Pereira em 1977.

O segundo lançou *Os pianeiros — Antônio Adolfo abraça Ernesto Nazareth* pouco depois, em 1981, pelo selo Kuarup, acompanhado por, entre outros chorões, Dino no violão de sete cordas e Jaques Morelenbaum no cello. (Adolfo viria a gravar também outra artista anfíbia entre o "popular" e o "clássico": Chiquinha Gonzaga.)

Para quem ou já tiver ou se dispuser a encontrar esses discos, vale a pena comparar, por exemplo, as versões da linda valsa "Confidências" — menos conhecida que os dois maiores sucessos de Nazareth, a polca "Apanhei-te cavaquinho" e o tango "Odeon", mas de nível igual ou superior — oferecidas por Moreira Lima e por Adolfo. Ambas bonitas de doer, com aquela melancolia que aproxima o carioca de Chopin.

Aliás, aspectos importantes da biografia de Nazareth parecem formar um pot-pourri acariocado das biografias de compositores românticos ou românticos tardios europeus. Nascido em 1863, no Morro do Nheco, atual Morro do Pinto, entre a Cidade Nova e o Santo Cristo, Nazareth padeceu com a surdez (como Beethoven), sofreu com a perda de uma filha (como Mahler) e morreu louco (como Schumann) em 1934, depois de fugir da Colônia Juliano Moreira, em Jacarepaguá, e se afogar na represa próxima.

Já reconhecido como Nazareth mesmo, ele chegou a ganhar a vida ou tocando na sala de espera do cinema Odeon ou tocando as partituras alheias à venda nas casas Carlos Gomes, na Rua Gonçalves Dias, e Stephan, na Galeria Cruzeiro. Num tempo em que era incomum a reprodução eletromecânica de discos pré-gravados, esta era quase a única maneira de o freguês saber como soava a música que estava levando para casa. A outra maneira de saber era bem mais arriscada: se ele ousasse tocar a partitura que cogitava comprar ao piano das lojas, sujeitava-se às duras críticas de Nazareth.

Segundo seu biógrafo Luiz Antônio de Almeida, existem 211 obras da autoria confirmada de Nazareth, a maioria tangos (88), valsas (41) e polcas (28), mais sambas, marchas, foxtrotes etc. O compositor chegou até elas graças a aulas com a própria mãe, Carolina Augusta, com um amigo da família, Eduardo Rodolpho de Andrade Madeira, e com um professor negro nascido em Nova Orleans, Charles Lucien Lambert. O biógrafo, contudo, frisa que Nazareth foi praticamente autodidata. Essa circunstância, parece-me, ajuda a explicar parte da originalidade da sua obra: alma brasileira em corpo europeu. Como Heitor Villa-Lobos, que a ele dedicou o *Choros nº 1*, para violão.

O maestro carioca não foi o único grande nome do campo da música clássica a se maravilhar com Nazareth: quando esteve no Rio de Janeiro em 1918, o pianista polonês Arthur Rubinstein — o maior intérprete da obra de seu conterrâneo Chopin — ficou embasbacado com os ritmos que o brasileiro extraía do instrumento. O francês Darius Milhaud, que viveu no Rio entre 1917 e 1919, considerou-o "genial".

Entre os brasileiros, o porto-alegrense Radamés Gnatalli, outro músico anfíbio, gostava de escutá-lo tocar na Casa Stephan. E é possível, ainda, escutar a influência de Chopin-via-Nazareth nas deliciosas *Valsas choro* e nas *Valsas de esquina*, do paulistano Francisco Mignone. Claro que Nazareth nem precisava de todo esse apreço no campo clássico. Centenas de conjuntos de choro sempre o cultuaram como o grande compositor que é. No entanto, essa dupla valorização dá melhor a dimensão do homem.

(22/7/2011)

DOENTE DO CORAÇÃO

Não consigo me curar da reedição remasterizada em CD do álbum *Tem que acontecer*, de Sergio Sampaio. Fui sugado por seu universo paralelo, no qual *dor* nunca foi apenas uma rima — mas também uma prima-irmã — de *humor*. Colado no cantor e compositor capixaba antes ainda da sua morte por pancreatite, aos 47 anos, em 1994, o rótulo "maldito" tende a obscurecer o modo como ele zombava da própria danação.

Escute-se, no disco de 1976, o blues "Que loucura", avô das letras do Harmonia Enlouquece, grupo formado no Centro Psiquiátrico Rio de Janeiro, na Saúde. "Fui internado ontem", canta Sampaio. "Na cabine 103/ Do Hospital do Engenho de Dentro/ Só comigo tinham dez/ Eu tô doente do peito/ Eu tô doente do coração/ A minha cama já virou leito/ Disseram que eu perdi a razão/ Eu tô maluco da ideia/ Guiando carro na contramão/ Saí do palco e fui pra plateia/ Saí da sala e fui para o porão."

Sampaio era esse letrista sarcástico e, também, um desconcertante melodista e um grande violonista. Nasceu em 1947, em Cachoeiro de Itapemirim. Era filho de maestro. Um tio fizera parte do Trio de Ouro, que acompanhava Herivelto Martins. Um primo compôs "Meu pequeno Cachoeiro", celebrizada pelo conterrâneo Roberto Carlos.

Como Roberto, seis anos mais velho, Sampaio veio tentar a sorte no Rio. Diferentemente dele, não se deu bem. (Mais tarde, o homenagearia/ sacanearia em "Meu pobre blues".) Contudo, em 1971, na hora de gravar o LP-manifesto *Sociedade da Grã-Ordem Kavernista apresenta Sessão das 10*, um produtor da antiga CBS, Raul Seixas, convocou Sampaio, Miriam Batucada e Edy Star. O disco saiu, mas Raul foi demitido.

No ano seguinte, Sampaio participou do 7º Festival Internacional da Canção com uma balada tristonha com refrão de marcha-rancho, "Eu quero é botar meu bloco na rua". Como em "Que loucura", a letra fazia ironias autobiográficas, apesar de não se esgotar nelas: "Há quem diga que eu dormi de touca/ Que eu perdi a boca, que eu fugi da briga/ Que eu caí do galho e que não vi saída..." O compacto vendeu 500 mil cópias.

Então, você pensa, um LP chamado *Eu quero é botar meu bloco na rua* e produzido por Raul deve ter arrebentado em março de 1973, certo? Errado. Nem o fato de a faixa-título ter sido cantada no carnaval nem a qualidade do samba "Cala a boca, Zebedeu" (composto por Raul Gonçalves Sampaio, o pai de Sergio) ou do blues "Não tenha medo, não!" salvaram o disco do fracasso comercial.

O bode foi tamanho que o LP *Tem que acontecer*, produzido por Roberto Moura, só apareceria após três anos. Dessa vez, a faixa-título era uma lição de fatalismo ("Se ninguém tem culpa/ Não se tem condenação/ Se o que ficou do grande amor é solidão/ Se um vai perder/ Outro vai ganhar/ É assim que eu vejo a vida/ E ninguém vai mudar") arrematada pela matadora autoironia de Sampaio ("Mas não posso fazer nada/ Eu sou um compositor/ Popular"). O lindo arranjo de João de Aquino tinha, além de uma pequena orquestra de cordas, o flautista Altamiro Carrilho, falecido este mês.

Pela idade, Sampaio não tinha como ficar alheio ao rock e ao blues (resgatado por Beatles e Stones), mas transava de tudo. Tinha a mão particularmente boa para sambas. Os seus já nasciam como se fossem regravações de clássicos dos anos 40 ou 50. *Tem que acontecer* abria com um, "Até outro dia", e fechava com outro, "Velho bandido", entre outros. A reedição da Warner/Discobertas traz três faixas-bônus, inclusive "História de boêmio", de subtítulo "Um abraço em Nelson Gonçalves".

Sampaio lançaria apenas mais um LP, o independente *Sinceramente*, em 1982, apoiado por amigos como Renato Piau, Sérgio Natureza e Luiz Melodia, com quem fez um dueto em "Doce melodia". A faixa seguinte, a 11ª e última, chamava-se "Faixa seis". Nela, mais uma vez, Sampaio embaralhava carreira, amor e humor negro: "Você hoje para mim/ (...) é a faixa seis/ do lado B/ do meu último LP./ Aquela que o programador de rádio nunca toca/ Aquela que o divulgador do disco evita (...)".

Referências? Embora não fosse nordestino, algo mourisco no canto de Sampaio o aproxima de Caetano, Fagner e Ednardo — e o torna atraente para fãs como Lenine e Zeca Baleiro. Este construiu-lhe em 2006 um CD póstumo, *Cruel*, a partir de demos, inclusive da assombrosa "Roda morta". Além, claro, de ter feito a sentida versão para "Tem que acontecer" no álbum-tributo "Balaio do Sampaio", de 1998.

Se necessárias referências roqueiras para localizar Sampaio, digo que ele me põe para pensar tanto no grupo psicodélico Love, dos anos 60, quanto no padroeiro de todo verso espremido na melodia, Bob Dylan. Aliás, apesar dos arranjos elaborados, seus dois primeiros (e melhores) discos estão mais para a sinceridade descarnada, quase suicida, de "Lóki?", de Arnaldo Baptista, um maldito que sobreviveu a si próprio.

(31/8/2012)

OS MINEIROS

Os marketings poderosos das décadas de 60 e de 80, e a nefanda *discothèque*, podem levar o ouvinte casual a acreditar que a década de 70 foi um deserto de músicos e ideias. Nada mais falso. Primeiro, é preciso escorraçar a presunção geracional de que a cada virada zeram-se os trabalhos e reinventa-se a roda. Não faz sentido, por exemplo, exaltar os 80 sem entender que eles só foram possíveis graças ao movimento punk, parido em meados dos 70. Depois, é necessário ouvir, simplesmente ouvir.

No Brasil, há um grupo de músicos em particular muito menos "visível" que os tropicalistas sessentistas ou os roqueiros oitentistas: os mineiros. Sua produção foi e, em alguns casos, ainda é fabulosa. Essa injustiça grita aos ouvidos num CD lançado no finalzinho do ano passado: *Nuvem cigana — The Clube da Esquina Years*, antologia de letras de Ronaldo Bastos, compilada por Leonel Pereda na voz de intérpretes como Milton Nascimento, Beto Guedes, Lô Borges e Flávio Venturini, entre outros.

Nem todos no disco são mineiros, claro. É o caso da carioca Nana Caymmi, que arrepia na cruel "Dona Olímpia", parceria de Ronaldo e Toninho Horta: "Vai e não esquece de chorar/ Vê se não esquece de mentir/ Dizer até amanhã/ E não regressar mais (...)." O próprio Ronaldo é de Niterói. E Milton, a voz maior da turma, quiçá a voz maior do Brasil, nasceu no Rio e bem pequeno foi morar em Três Pontas.

Entretanto, foi em Belo Horizonte que se reuniu o que ficou conhecido como o *Clube da Esquina*: uma comunidade de intérpretes, músicos, arranjadores, letristas e, sobretudo, amigos. Na década de 70, eles ofereceram algo bastante distinto do que fora ofertado pelos bossa-novistas e pelos tropicalistas. O que levou Ronaldo, certa vez, a definir a sua turma como uma "terceira via" para a música brasileira.

MÚSICAS POPULARES

Para sentir o nível, por favor leia a ficha técnica de "Nuvem cigana", a canção de Ronaldo e Lô Borges, originalmente lançada no álbum *Clube da Esquina*, de 1972: Milton canta e toca piano; Lô e Beto Guedes tocam guitarra; Toninho Horta e Luiz Alves, baixo, sem e com arco; Rubinho, bateria; e a orquestra arranjada por Wagner Tiso é conduzida por Paulo Moura. Só isso já dá a dimensão do apreço que os mineiros (ou talvez seja melhor chamá-los de "mineiros"?) tinham por destreza técnica, riqueza harmônica e Beatles — o que marcaria uma enorme diferença conceitual em relação aos roqueiros brasileiros da década seguinte, excitados pela crueza dos punks ingleses.

Milton, aliás, é um bom exemplo de como as décadas avançam umas pelas outras: ele estourou cantando "Travessia", parceria com Fernando Brant, segundo lugar no Festival Internacional da Canção de 1967 ("Margarida", de Guttemberg Guarabyra, do futuro trio com Sá e Zé Rodrix, foi a ganhadora). Milton, claro, continuou lançando discos até o final daquela década, mas o Clube da Esquina se afirmou como uma usina poderosa de criação apenas a partir do lançamento do álbum homônimo, duplo.

Diz o clichê que mineiro trabalha em silêncio. Paradoxalmente, isso é verdade no caso desses músicos, quase todos muito tímidos, com fotofobia a holofotes. Numa entrevista a Ana Maria Bahiana, publicada aqui no *Globo* em 1975 e incluída num livro dela, *Nada será como antes — MPB nos anos 70*, Milton diz algo que marca a posição de sua turma frente à fama: "E eu comecei a sentir isso, muitas perguntas sobre a que meu trabalho se propunha, aonde levava, muitas solicitações para que indicasse caminhos, muitas comparações com as coisas dos outros. (...) E eu dizia sempre, e ainda digo, se for realmente assim, eu tiro o time de campo, vou não sei para onde, mas vou. Por que, o que é que eu tenho? Eu tenho a minha música. E é só, é só a minha música."

Essa última frase é um monumento à modéstia despida de qualquer falsidade. Porque "só" a música de Milton inclui "Amigo, amiga", "Cais", "Fé cega, faca amolada" e "Um gosto de sol" (que no CD *Nuvem cigana* vem com um mineiro mais jovem, MoMo), parcerias suas com Ronaldo. Inclui também quase todas as canções de outra antologia do mesmo selo Dubas — de Ronal-dubas-tos — com a qual o recente lançamento faz distante *pendant*: *Outubro*, de letras de Fernando Brant, lançada em 2002.

Isso significa, "só", ser coautor e intérprete de, entre outras, "Ponta de areia", "Canção da América" e "San Vicente", uma das joias do cancioneiro brasileiro.

Na entrevista a Ana Maria Bahiana, Milton dizia ainda que as coisas que faz são "só (...) um momento meu posto em música". Como é próprio da arte generosa, porém, os momentos dele — e os de seus amigos de esquina Tavito, Marilton e Márcio Borges, Tavinho Moura, Nelson Angelo e o resto da turma do 14-Bis, além dos que já citei — se relacionam com os meus de um jeito que me comove profundamente.

(4/1/2013)

PORTELA, PORTELA

Piada repetida. Carnaval? Sou membro da velha guarda do Grêmio Recreativo Escola de Samba Acadêmicos de Frankfurt, a popular Escola de Frankfurt, que desde o desfile de 1936 apresenta o mesmo enredo, criado pelo carnavalesco Walter Benjamin: "A obra de arte na era de sua reprodutibilidade técnica."

Talvez até seja uma boa piada, sobretudo se se resistir à tentação de nomear Theodor Adorno para o cargo de supervisor de alegorias e adereços, algo no que acabo de fracassar, mas também é uma meia-verdade. Não que eu goste de carnaval, não gosto. Só que curto o bom samba e tenho uma escola favorita. A do título aí.

É quase certo que o culpado seja Paulinho da Viola. "Foi um rio que passou em minha vida" é o primeiro samba de que me lembro. Na ocasião, em 1970, eu não tinha a menor ideia de que se tratava de um gesto de reconciliação com o povo de sua escola de coração, magoado pela exaltação a uma rival, cometida um pouco antes, em parceria com Hermínio Bello de Carvalho: "Sei lá, Mangueira." Criança ainda, simplesmente fui arrastado pela bela letra e pela fina melodia de Paulinho para a Portela.

Por isso, no tempo em que vencia o sono para assistir aos desfiles, de fato torci pela Portela. (Ficou-me a falsa impressão de que a sua águia-símbolo só entrava na avenida com o dia raiando.) Não pensei em virar a casaquinha azul e branca estalando de nova nem quando o refrão de

Zuzuca para o samba-enredo "Festa para um rei negro", do Salgueiro, contagiou a cidade no ano seguinte. "Olelê, olalá/ Pega no ganzê..."

A minha admiração pelo portelense Paulinho da Viola só fez crescer com o passar do tempo, diferentemente do meu gosto pelo tipo de samba que se tornou quase hegemônico já na era do Sambódromo, inaugurado em 1984. Tudo contou a seu favor. A elegância pessoal, a riqueza minimalista de seu repertório, a capacidade de se manter fiel à tradição do samba e do choro e, ao mesmo tempo, de renová-los sutilmente... Ou, como escreveu Tárik de Souza em sua coletânea *Tem mais samba*, no artigo sobre Paulinho: "Ele virou a mesa mas não derrubou as prateleiras." Coisa de bamba.

Há, contudo, outro culpado por esta minha simpatia, quase amor, pela Portela. Ou melhor, culpada. Clara Nunes. Pré-adolescente, eu era apaixonado por Clara Nunes. Com isso quero dizer que gostava das músicas que ela cantava, muitas compostas pelo pessoal da escola, gostava de como ela as cantava e ainda a achava uma bela mulher. Clara se foi muito cedo, aos 39 anos, mas sempre que é muito justamente lembrada (como nos trinta anos de morte, completados em 2013), a sua Portela vem junto.

Existe um terceiro nome que explica parte do meu interesse pela azul e branca. Antônio Candeia Filho. Se Paulinho e Clara correm o risco de desmentir o que Nelson Rodrigues disse sobre unanimidade, Candeia é um personagem polêmico. Policial violento, certo dia tomou cinco tiros, um dos quais atingiu a medula, deixando-o paraplégico. Seus sambas ficaram mais reflexivos, melancólicos, e chegaram ao nível das composições dos mangueirenses Nelson Cavaquinho e Cartola, que, aliás, gravou uma lindíssima versão para "Preciso me encontrar". Candeia saiu da Portela em 1975, para fundar a Quilombo, de saudosa memória. Morreu três anos depois, aos 43.

Quando assisti ao portelense Zeca Pagodinho pela primeira vez, em 1986, num showmício do PDT no velho campo do América, minha queda pela escola já estava consolidada, mas foi bem reforçada. Durante muito tempo já se falava em Zeca como o "maior cantor vivo de samba", coisa no mínimo indelicada com o príncipe Roberto Silva, que só morreu em 2012, aos 92 anos. Hoje, porém, não escuto concorrentes.

Por falar em Zeca, há uma espécie de seita que proclama que a escola é o equivalente ao Botafogo — time pelo qual ele e eu torcemos — no mundo do samba. O provável ponto de partida dessa analogia são os longos períodos sem títulos. O Botafogo já passou 21 anos sem conquistar nem o Campeonato Carioca. Se não ganhar o desfile de 2014, a Portela completará trinta anos sem vitórias. Muito tempo, sim, e daí? Ainda assim, a escola continuará sendo a maior ganhadora de títulos, 21.

Seja como for, o amor que se sente por uma escola de samba — ou por um time de futebol — não pode ser ditado pelos campeonatos conquistados, senão não é amor, é interesse. Amigos que frequentam a quadra da Portela relatam que a cada ano cria-se a expectativa de um grande desfile, frustrada a cada ano na hora do vamos ver. Nem por isso os portelenses decidem se bandear para a Beija-Flor.

Gostei do samba da Portela para este ano, composto por Toninho Nascimento e Luiz Carlos Máximo, "Um Rio de mar a mar: do Valongo à Glória de São Sebastião". Tem um quê de antigamente, tem melodia, sutileza. Portanto, gostei também do perfil de Nascimento — que, aliás, é vascaíno, como Paulinho da Viola — publicado neste jornal, há duas semanas. "Eu chamo de 'pagode-enredo' o que essa turma nova está fazendo", declarou o compositor ao repórter Emanuel Alencar.

Boa sorte, Portela.

(28/2/2014)

TOM DRUMMOND

Há algo de raro neste samba. Não há um único solista nem exatamente um coro... Nele, um barítono, um baixo, uma meio-soprano e uma soprano trançam suas vozes como numa espécie de... Madrigal? E as histórias que elas contam... "Venho repetindo a mesma dose/ Eu fumo, uso, bebo e cheiro o meu fim", canta um. "Eu fugi de casa tão pequeno/ E bem menor foi o que deixei de comoção", canta outro. "Nasci com o carinho da família/ O meu padrasto deu carinho até demais", canta uma. "Eu sigo na contagem regressiva/ Já convencida, em breve deixo de contar", canta outra.

O playboy viciado, o jovem criminoso, a vítima de abuso sexual que se torna prostituta e a doente terminal assombram "Samba em desalento", primorosas letra e música de Tom Drummond. O clipe no qual o autor barítono toca violão, sobre a percussão de Marcos Suzano, com as participações do baixo Richell Martins, da meio-soprano Carol Mesquita e da soprano Bia Drummond (irmã de Tom, cantora com luz própria e três CDs lançados) estava no YouTube já havia quatro anos. Porém, o álbum digital do qual "Samba em desalento" faz parte, chamado *Andarilho*, estará disponível na próxima sexta-feira, dia 6. O álbum físico será lançado no meio de novembro. Todo o trabalho pode ser degustado em *streaming* pelo site <www.tomdrummond.com.br>.

Essas indicações, desse jeito mastigadinho, são sintoma do meu entusiasmo por *Andarilho*. Explico. Uma das primeiras reportagens que fiz na vida, para o *Jornal do Brasil*, em 1986, era sobre a profissão de crítico de rock. Eu ainda era foca e mesmo assim estranhei um dos entrevistados se vangloriar de estar escutando bandas inglesas que mais ninguém conhecia ou conheceria no Brasil. Nada contra bandas inglesas ou coreanas, imagina... Mas como já disse, eu era um foca, um ingênuo, e perguntei-me: "Ué, a graça do trabalho do jornalista não está em compartilhar descobertas com os leitores?" A resposta afirmativa desde então norteia minha ideia de crítica cultural.

O primeiro álbum deste cantor e compositor cearense de 27 anos, que toca violoncelo na Orquestra Sinfônica da Universidade Federal da Paraíba e escreveu todos os arranjos para cordas e sopros do CD muito bem produzido por Nilo Romero, respondeu a uma busca que eu nem tinha muito claro que fazia. Queria achar emoção, afinação, letras inteligentes, belas melodias, execuções precisas, arranjos elaborados. Queria achar um novo elo entre a música clássica, que hoje tanto escuto, e a música popular brasileira. Achei no trabalho de Drummond. Nas safras recentes, encontrei uma noção de música-maior-que-a-vida também em Marcelo Jeneci e Rodrigo Campos.

Drummond fala de coisas duras — vide os personagens de "Samba em desalento" — de uma maneira suave. Este dom está lá na faixa de abertura, "Contagem": "Quando a morte me fizer ninguém/ As canções que eu fiz vão me contar." E na faixa seguinte, "Sarah", que tem a participação de Paulinho Moska: "Nesse mundo nada sara/ Tudo morre e tudo para." E assim por diante, até a música final de *Andarilho*, "Meu lugar": "Se a chuva aqui é tão displicente/ E o verde aqui só teima em brotar/ Perguntam o que eu vejo nessa terra rachada/ Que o meu peito nomeou de meu lugar."

Neste ponto, é preciso resistir à tentação do jornalista — um cara que ganha a vida com palavras e por isso as valoriza tanto — de concentrar sua atenção nas letras. *Andarilho* não seria a beleza que é se letra e música não se equilibrassem em esmero. É como se o Drummond zelasse pela poesia, e o Tom, pelas melodias e pelos tempos compostos, executados por virtuoses como Sacha Amback (piano e acordeão), Aloysio Fagerlande (fagote) e Jaques Morelenbaum (violoncelo). Há um pouco de samba e choro, um pouco de frevo e outros ritmos nordestinos, um quê de Clube da Esquina e a liga da música clássica. Há o refinamento de fazer as dolorosas "Abre mão" (lindamente interpretada só por Bia) e "Não vá embora" dialogarem também nos temas musicais.

Num prefácio para a novela *Bartleby, o escrivão*, do americano Herman Melville, o argentino Jorge Luis Borges escreveu: "Referi-me às afinidades de Melville com outros escritores (*Conrad, Kafka e Dickens*). Mas não o subordino aos outros. Apenas recorro a uma das leis de toda e qualquer descrição ou definição: relacionar o desconhecido com o conhecido." Então, vamos lá. Tom Drummond faz-me pensar no jovem Chico Buarque. Faz-me pensar nos primeiros discos do Boca Livre. Faz-me pensar no trovador inglês Nick Drake, que se suicidou aos 26 anos, em 1974. Três exemplos bem distintos de complexidade de formas e profundidade de sentimentos em música popular. Pois também não há, em Tom Drummond, qualquer tentativa de fazer média com o ouvinte, de subestimá-lo, de tratá-lo como um imbecil. E, no entanto, as suas letras e as suas melodias grudam como qualquer canção pop barata. Só que melhor.

(30/10/2015)

OFICLEIDE

Assim como os viventes, também as tecnologias são submetidas a uma seleção implacável. Entre os instrumentos musicais, parte evolui e parte desaparece, substituída por cepas mais fáceis de afinar, mais estáveis e práticas. Eventualmente, porém, a sorte e a dedicação de um pesquisador trazem de volta à vida um engenho que parecia calado para sempre. É o que acaba de acontecer com o oficleide, graças a Everson Moraes.

Oficleide? O nome desse barítono extraviado da família dos metais remete, em grego, a uma "serpente de chaves" por conta de forma e características. Na genealogia dos instrumentos, esteve entre o serpentão da Renascença e o saxofone. Chegou a ser o quarto instrumento mais popular nas pioneiras rodas de choro, na virada do século XIX para o XX. Em levantamento realizado a partir do livro *O choro: reminiscência dos antigos chorões* (1936), do carteiro e violonista-cavaquinista Alexandre Gonçalves Pinto, o crítico José Ramos Tinhorão chegou ao seguinte escore: de 285 músicos, oitenta eram violonistas, 69 flautistas, 16 exclusivamente cavaquinistas e 15 oficleidistas.

No entanto, o oficleide desapareceu do Brasil depois da morte daquele que foi o seu maior ás, Irineu de Almeida (1863-1914), também conhecido como Irineu Batina, por conta da sobrecasaca que costumava usar. Sobrecasaca? Um Rio menos tórrido, decerto. Irineu foi quem descobriu e incentivou Pixinguinha ao frequentar a chamada Pensão Vianna, pertencente ao funcionário público e flautista Alfredo da Rocha Vianna, pai do gênio. Segundo o pesquisador, cavaquinista e arranjador Henrique Cazes, a casa na Rua Vista Alegre, no Catumbi, se abria em quatro salas e oito quartos. Irineu morreu na própria Pensão Vianna, de tuberculose, aos 51 anos. Passou-se quase um século e...

Em 2013, o trombonista e bombardino fluminense Everson Moraes, hoje com 29 anos, encontrou um oficleide em mi bemol numa fazenda de café em Atibaia, interior de São Paulo. Intrigado, Everson comprou a fera e aprendeu a domá-la. Logo importou dois outros exemplares centenários da França, terra onde o instrumento foi inventado, por Jean Hilaire Asté, em 1817. Primeiramente usado na música de concerto, como na ópera *Olimpia*, de Spontini, o oficleide chegou ao Brasil três décadas depois, nas bandas de música. Daí, viria a cair no gosto dos primeiros chorões para sustentar a "baixaria" nas execuções. Posteriormente, o violão de sete cordas assumiria essa função.

Para dar visibilidade, ou melhor, audibilidade à redescoberta, Everson pesquisou as composições de Irineu de Almeida e, tocando um centenário oficleide em dó, gravou 14 delas juntamente com o irmão Aquiles (corneta, uma parente do trompete), Leonardo Miranda (flauta), Lucas Oliveira (cavaquinho), Iuri Bittar (violão) e Marcus Thadeu (pandeiro), além de eventuais convidados, como o violonista e arranjador Paulo Aragão.

Produzido por outro craque do violão, Maurício Carrilho, o espetacular CD não leva o nome de Everson ou de um grupo, só o título *Irineu de Almeida e o oficleide, 100 anos depois* (Biscoito Fino). Bastante humildade num lançamento da importância, por exemplo, de *Sempre Anacleto* (Kuarup, 1999), no qual o Art Metal Quinteto e a Banda de Câmara Anacleto de Medeiros interpretavam peças do maestro. Com o qual, aliás, Irineu tocou, na célebre primeira formação da Banda de Corpo de Bombeiros.

São riquíssimos os contrapontos entre flauta, corneta e oficleide em *Irineu de Almeida*. A introdução da linda polca "O Lico sorrindo", introdução na qual os três estão sós, serve como uma privilegiada amostra. No disco como um todo, o renascido instrumento soa ora como um trombone com surdina, ora como uma tuba com mais jogo de cintura, conferindo às músicas um peculiar molejo. Contudo, há uma única faixa em que ele é o solista: a polca "Qualquer cousa", gravada por Irineu em 1910. "Tive a oportunidade de ouvir algumas gravações na casa do pesquisador Humberto Franceschi e muitas fichas começaram a cair", escreve Carrilho em um dos textos do excelente encarte. "Ouvindo Pixinguinha na flauta com Irineu no oficleide compreendi o som, belo e estranho, que na maturidade Pixinguinha extraía do sax tenor."

A propósito, *Irineu de Almeida e o oficleide, 100 anos depois* abre com o tango "São João debaixo d'água", cuja gravação original, feita em 1911 pelo grupo Choro Carioca, do oficleidista, é considerada a estreia fonográfica de Pixinguinha, então com 14 anos. Também constam do CD, entre outras delícias, o tango brasileiro "Aí, Morcego!", música mais popular de Irineu, e as valsas "Irene" e "Despedida". Nesta, inédita, Everson,

Aquiles e Leonardo são reforçados por Beatriz Stutz (clarinete) e Thiago Osório (tuba). O resultado não é menos que mágico. Por sinal, o álbum inteiro tem um poder mágico, encantatório, que parece tornar possível pegar um VLT na Rio Branco e saltar na estação 1910. Sorte nossa que Everson encontrou aquele oficleide.

(3/6/2016)

PRONTO, FALEI

Encontrei Raimundo Fagner finais de semana atrás, casualmente, no botequim de um conterrâneo dele. Naquela noite, eu já tinha tomado umas e outras no coquetel de abertura de uma exposição e, com a timidez destravada pelo álcool, dei-lhe uma tietada. Considero Fagner um dos grandes da nossa música e lhe disse isso.

Claro. Pois não. Um pouco de contexto. Duas semanas antes do encontro com Fagner, outro cantor e compositor cearense, Belchior, havia falecido. Aconteceu, então, uma coisa bacana e triste. Bacana porque ele foi reconhecido como o grande artista que era. Triste porque, para muitas das pessoas que agora o elogiavam no botequim da vida, ele pouco mais era, até morrer, do que o esquisitão que dera um perdido no mundo.

Estive com Belchior apenas uma vez, em 2003, participando do *Bem, amigos*, no Sportv, no qual ele era a atração musical. Palmeiras e Botafogo haviam disputado a Série B e acabado de retornar à Série A. O técnico que nos tirara do brejo, Levir Culpi, também esteve no programa, bem como Vágner Love, artilheiro do Palmeiras.

Encerrado o programa, fomos todos convidados para uma festa na casa de um amigo de Galvão Bueno. Alta madrugada, lembro-me de Belchior interpretando, surpreendentemente, canções italianas ao piano. Não me lembro, porém, de ter-lhe dito o quanto o apreciava, apesar de, naquela ocasião, eu também ter tomado umas e outras.

Não queria perder a chance com Fagner. Disse-lhe que acho "Canteiros" uma das mais belas canções brasileiras de todos os tempos. Não, calma, calma. Não ignoro que duas de suas estrofes (as que começam por "Quando penso em você..." e "Correm os meus dedos longos...") foram ligeiramente adaptadas, sem o devido crédito, de um poema escrito por Cecília Meirelles em 1939, "Marcha". Fagner sustenta que a autoria da poeta estava registrada num encarte, cortado pela gravadora Polygram de *Manera fru fru, manera ou O último pau de arara*, o seu primeiro LP, lançado em 1973.

O processo por plágio impediu o relançamento do álbum, inclusive em formatos digitais. É pena. Contudo, essa pendenga judicial com os herdeiros da poeta não arranha a música. Porque as duas estrofes de Fagner ("Pode ser até manhã..." e "Eu só queria ter do mato...") ou as citações a canções de Belchior ("Na hora do almoço", de 1971) e Tom Jobim ("Águas de março", de 1972) são tão funcionais na canção quanto as duas escritas por Cecília. Sem falar na melodia e na interpretação do cearense, igualmente belas. Sempre que escuto, choro feito um bezerro desmamado. Pronto, falei.

Aliás, há uma versão de *Canteiros* ainda mais emocionante que a de *Manera fru fru, manera*. Está em *Raimundo Fagner ao vivo*, de 2000, álbum que circulou em duas edições: uma dupla, outra em dois CDs separados (com faixas repetidas, atenção). Gravado no Centro Cultural Dragão do Mar, em Fortaleza, o álbum acrescentava o sentimento do povo do Ceará ao sentimento do próprio Fagner. Aos primeiros acordes de muitas canções, inclusive "Canteiros", a plateia entrava cantando junto. De arrepiar.

Por coincidência, eu estava ouvindo muito *Raimundo Fagner ao vivo* quando encontrei Raimundo Fagner ao vivo. "Canteiros" é uma coisa, certo, mas o álbum me lembrava que Fagner é muitas outras. Na melancolia, no repertório, nos arranjos. É "Mucuripe", parceria com Belchior: "Vou levar as minhas mágoas/ Pras águas fundas do mar..." É "Asa Partida", parceria com Abel Silva: "Essa saudade/ O cigarro, a luz acesa..." É "Fanatismo", sobre poema da portuguesa Florbela Espanca: "Minha alma de sonhar-te anda perdida/ Meus olhos andam cegos de te ver..." É o intérprete de "Sinal fechado", de Paulinho da Viola; de "Súplica cearense", de Gordurinha e Nelinho; e da versão de Ferreira Gullar para "Burbujas de amor", do dominicano Juan Luis Guerra.

Há um componente mourisco na voz de Fagner que me comove. Não se trata da herança genética desse filho de libanês com cearense, mas de uma opção interpretativa: ele chegou a estudar canto flamenco para aperfeiçoar a sua arte. Acho-a subestimada. Em parte por razões extramusicais: Fagner não é um maria vai com as outras, tem um temperamento forte, difícil mesmo, e pouco senso de marketing pessoal. Em parte por razões musicais: desde o advento da perfeição *cool* da bossa nova, qualquer intensificação emocional costuma ser estigmatizada como "romântica", ou até "brega", na música popular brasileira. E Fagner é exatamente isso: intensidade emocional.

Moral da história? Na próxima vez em que você já tiver tomado umas e outras, na próxima vez em que já estiver mais soltinho e encontrar com o Fagner ou com um outro bamba não suficientemente badalado da música popular brasileira — Zé Ramalho, Renato Teixeira, Beto Guedes são nomes que me vêm à cabeça — não perca a chance de dizer o quanto gosta dele. Artista precisa comer, mas também vive disso.

(14/7/2017)

BILL EVANS. AMÉM

Domingo, 25 de junho de 1961, Village Vanguard, Nova York. Em cartaz, o Bill Evans Trio: o próprio ao piano, Scott LaFaro no baixo e Paul Motian na bateria. Alguma daquelas coisas excepcionais (que ocorrem com intrigante frequência entre os grandes *jazzmen*) aconteceu ali entre os três, alguma coisa inexprimível em palavras, alguma coisa que só pode ser expressa por... música.

Felizmente, a noite foi registrada em dois discos produzidos por Orrin Keepnews: *Sunday at the Village Vanguard* e *Waltz for Debby*. Este agora sai em CD no Brasil, pela BMG/Riverside. Merece todas as loas do país (e talvez ainda seja necessário importar algumas). No *The Penguin guide to jazz on CD, LP & cassete*, dos críticos Richard Cook, inglês, e Brian Morton, escocês, ambos os discos gravados naquele domingo no Village Vanguard ganham, além dos quatro astericos máximos de cotação (equivalentes a "very fine", muito bom, ótimo), uma coroa que consagra aqueles poucos pelos quais os dois autores sentem uma afeição ou uma admiração especial, "uma escolha puramente pessoal".

Àquela altura de 1961, o trio estava tocando e gravando junto há cerca de dois anos; estava na ponta dos cascos. Mas não por muito tempo: LaFaro morreria dez dias depois, num acidente de carro, aos 25 anos. O CD *Waltz for Debby* traz dez faixas e sete músicas ("Waltz for Debbie", "Detour ahead" e "My romance" têm dois *takes* registrados cada) nas quais, em que pese o sensível virtuosismo de LaFaro e Motian, quem impressiona mesmo é Bill Evans. "Impressionista", aliás, era um dos dois adjetivos mais comumente associados ao pianista de Nova Jersey; "romântico" era o outro.

Ao contrário de alguns de seus colegas, como, por exemplo, Oscar Peterson, Evans nunca foi de jogar notas fora. Foi uma espécie de Balzac dos bares enfumaçados, à cata da nota justa, aquela que explica a anterior e antecipa a seguinte, numa lógica tão inexorável quanto surpreendente. Nada, entretanto, da aspereza genial de Thelonious Monk ou da chatice *free*-percussiva de Cecil Tayor; o toque de Evans é suave, melodioso, noturno. É, também, de uma melancolia atroz. Pegue-se "My foolish heart" ou qualquer um dos dois *takes* de "Detour ahead" — celebrizada por outra sócia de carteirinha dos Melancólicos Famosos, Billie Holiday — e se ouvirá o que se quer, inutilmente, escrever.

Em outros discos, o fenômeno pode ser sentido em aparentes banalidades como o tema de amor do filme *Spartacus* ou o tema principal de *M*A*S*H*. Evans os eleva além do horizonte dos seus autores, os eleva à sua própria altura. Na contracapa do álbum póstumo que registra a sua versão da música de Johnny Mandel para o filme de Robert Altman, *You must believe in spring*, Bill Zavatsky assina uma "Elegia (para Bill Evans 1929-1980)". Ela crava, no penúltimo verso, depois de comparar o respeito pelas suas performances à audição da chuva, a melhor aproximação em palavras ao seu jazz: "Nós bebemos, sentindo nossas vidas amargas mais docemente."

Amém.

(8/4/1995)

PAUL DESMOND

Qual o saxofonista preferido da maioria das pessoas? Charlie Parker. Qual o saxofonista preferido de Charlie Parker? Paul Desmond. Curiosamente, e isso talvez explique tal admiração, muito mais os separava do que os unia. Parker era preto, exuberante, rápido. Desmond era branco, tímido, lento. Em comum, eles tinham o instrumento de trabalho — o saxofone alto, mais doce e lírico que o tenor — e a genialidade, quase nada mais.

Desmond é aquele tipo de personagem que se torna mais interessante quanto mais você se aproxima dele. Sei, o mundo lá fora está pegando fogo, há uma Copa do Mundo em andamento, Ronaldo está em jejum, há uma campanha eleitoral em andamento, Lula empatou nas pesquisas, há uma manhã de sábado em andamento e este cara está aqui a falar de saxofonistas mortos. Pois saiba que a música de Desmond é, por contraste, a trilha sonora perfeita para um mundo que pega fogo lá fora. Não que lhe falte ardor, calor, paixão, não mesmo, não que ele não possa, a grosso modo, ser rotulado como cultor do cool jazz, nada disso. É que há, na música desse sujeito, uma lógica tão cristalina, uma harmonia tão celestial, um humanismo tão radical que mesmo esses três clichês parecem profundos.

Paul Desmond nasceu Paul Emil Breitenfeld, a 25 de novembro de 1924, em São Francisco, Califórnia. (Ah, sim, também é possível, a grosso modo, rotulá-lo como cultor do west coast jazz). O sobrenome artístico Desmond foi escolhido num catálogo telefônico. Seu pai tocava órgão e o desencorajou vigorosamente a aprender violino, fato que ele agradeceu pelo resto da vida. Desmond começou tocando clarinete, dado que lança algumas luzes sobre seu modo de tocar, claro e melodioso. Mas na época da Segunda Guerra Mundial, tocando numa banda militar, ele já soprava o instrumento que o consagraria, o sax alto. Bem, "que o consagraria" é ou modo de escrever ou arroubo de fã: é que Paul Desmond não tem — quando tem — verbetes largos nas enciclopédias de jazz nem é um nome que o ouvinte casual ligue à pessoa. Não que seja um "músico de músicos", eufemismo sempre evocado quando o sujeito é pouco conhecido e bastante chato. Desmond cativa qualquer um. Mas, por personalidade, sempre se contentou em ser um *sideman*.

Durante dezesseis anos, de 1951 a 1967, Desmond foi coadjuvante do pianista Dave Brubeck em seu quarteto que incluía ainda Eugene Wright (baixo) e Joe Morello (bateria). O primeiro encontro com Brubeck, ainda no tempo da guerra, não havia sido nada promissor: Desmond já era um melodista miraculoso e Brubeck, um aplicado estudioso da vanguarda da música clássica. Não havia diálogo possível. Sobre o encontro, Desmond disse, em famosa (porque rara) entrevista a Nat Hentoff, da revista *Down Beat*, em 1952: "Não sabendo absolutamente nada sobre politonalidade naquela ocasião, eu achei que ele estava completa, alucinadamente louco."

Sete anos depois, contudo, quando Desmond se juntou ao quarteto de Brubeck, fez-se a mágica, e a leveza do saxofonista praticamente se amalgamou à densidade do pianista. Apesar disso, muita gente alimentava declarada ojeriza pelo "mão pesada" Brubeck e proclamava que a verdadeira chave para o sucesso do quarteto era Paul Desmond. O *low profile* Desmond nunca alimentou essa cizânia. Junto com Brubeck, gravou dezenas de LPs, à base contratual de três ou quatro por ano. Desmond ainda deu ao quarteto o primeiro compacto de jazz a vender mais de um milhão de cópias na História, *Take five*, de 1959. Essa virou a música-tema do conjunto. Trata-se, realmente, de um dos temas mais belos e gloriosos do gênero, inserido no projeto de Brubeck de experimentar tempos (no caso, o 5/4) pouco ortodoxos. Além do pianista, Desmond desenvolveu trabalhos muito interessantes com o trompetista Chet Baker, o saxofonista Gerry Mulligan (cujo barítono, rouco, contrasta maravilhosamente com o seu alto, límpido), o guitarrista Jim Hall e, ao final da vida, com um trio de canadenses.

Cada disco de Desmond, tanto como front quanto como *sideman*, traz pencas de obras-primas, ao gosto de cada *desmomaníaco*. Que tal "My funny valentine", transformada numa arrepiante balada elisabetana em *Desmond blue*, o álbum "com cordas" do saxofonista? Ou "Jesus Christ superstar", isso mesmo, o tema do musical, empolgantemente suingado no disco gravado no Natal de 1971 com o Modern Jazz Quartet? Não importa.

Ouvir Desmond é sempre uma experiência religiosa. Fora seus discos, há pouco mais a saber sobre ele. Descrito certa vez como "o homem mais solitário do planeta", quando não estava tocando o saxofonista gostava era de ficar em casa, vendo TV até "ficar mais idiota que ela". Bebia muitíssimo, fumava mais ainda, três maços por dia, e morreu disso, isto é, de câncer no pulmão, a 30 de maio de 1977, aos 52 anos, em Nova York. Não deixou herdeiros, e mesmo um casamento na juventude é uma referência brumosa. Foi cremado e, conforme seu desejo, teve suas cinzas espalhadas na Califórnia.

Achava que tocava como um *dry martini*, era muito inteligente, fazia trocadilhos com versos de T.S. Eliot em entrevistas, pretendia escrever um livro sobre o Dave Brubeck Quartet e, mesmo em seu leito de morte, fazia piadas cultas.

Ao ver seu amigo Charles Mingus, capa preta e chapéu de aba larga, na beira de sua cama, saudou-o como se fosse a Morte de *O sétimo selo*, o filme de Bergman: "OK, pode arrumar o tabuleiro de xadrez."

Sua música continua sendo um desafio à morte.

(13/6/1998)

JIMI & GIL

James Marshall Hendrix foi declarado morto no St. Mary Abbot's Hospital, entre os bairros de Kensington e Chelsea, Londres, às 11h25m de 18 de setembro de 1970. Dera entrada naquela manhã, removido de seu quarto no Samarkand Residential Hotel, em Lansdowne Crescent, Notting Hill Gate. Apesar da lenda posterior, o atestado de óbito não batia martelo sobre a *causa mortis*, mas alistava inalação de vômito e intoxicação por barbitúricos para (não) concluir: "Evidências circunstanciais insuficientes, veredicto em aberto." Sabia-se, porém, que estava deprimido com sua turnê europeia.

Hendrix estava a pouco mais de um mês de completar 28 anos. Antes ainda, dali a uma semana, tão logo voltasse aos Estados Unidos, ele tinha ficado de começar a trabalhar com Gil Evans. Nunca voltou. Ao menos não fisicamente, porque o disco saiu assim mesmo, quatro anos depois: *The Gil Evans Orchestra plays the music of Jimi Hendrix*. Ao analisá-lo, com tolas reservas sectárias, os autores ingleses do *Penguin guide to jazz*, Richard Cook e Brian Morton, escreveram: "É um pouco difícil dizer, enquanto se escuta essas faixas poderosas, se a qualidade da música testemunha o gênio de Hendrix como compositor ou o de Evans como arranjador ou alguma estranha comunicação póstuma entre os dois."

Eu cravo um triplo. *The Gil Evans Orchestra plays the music of Jimi Hendrix* testemunha os gênios do maestro e do guitarrista, bem como a comunhão sobrenatural entre eles. Depois de um bom tempo sumido das prateleiras, o álbum ganha uma nova e linda edição, dentro da série *First Editions* do selo Bluebird, ligado à BMG/RCA. O dólar não anda nada confiável, mas, juro, na falta de relançamento nacional, vale encomendar o CD importado ou procurá-lo nas boas lojas do ramo no Brasil. Já era um troço espetacular quando saiu em LP. As sucessivas reedições digitais tornaram-no ainda mais que isso.

Essa mais recente, por exemplo, acrescenta um novo texto, de Stephanie Stein Crease, autora de uma recém-lançada biografia do maestro, *Gil Evans: out of the cool*, às notas originais de Ian Dove, velho colaborador da revista *Rolling Stone*. O principal mesmo, porém, é a música: estão lá "Angel" (em duas versões, uma delas inédita), "Crosstown traffic", o *medley* "Castles made of sand/Foxy lady", "Up from the skies" (duas versões), "1983 — A merman I should turn to be", "Voodoo Chile", "Gypsy eyes" (duas versões, uma inédita), "Little wing" e uma "Castles made of sand" em separado (inédita). Doze faixas celestiais, total de 79 minutos de rara inventividade musical, reprocessados numa qualidade sonora que revive na sua sala tanto Hendrix quanto Evans. Este morto em 1989, aos 77 anos, não muito tempo depois de se apresentar memoravelmente no Free Jazz Festival.

A fusão entre jazz e rock foi engendrada no final dos anos 60 por uma dupla necessidade: a inquietação existencial de um terceiro gênio, Miles Davis, uma espécie de Che Guevara trompetista, sempre atrás de uma boa revolução; e a inquietação mercadológica de músicos que viam o rock conquistar plateias jovens que até então só tinham ouvidos para o jazz. Nessa linha, Davis pôs na praça os seminais *In a silent way* e *Bitches brew* em 1969. Muito antes, tinha trabalhado com Evans, um dos poucos brancos a quem dava confiança, em clássicos como *Birth of the cool* (1950) e *Miles ahead* (1957). Os dois eram ligados a ponto de Evans ter batizado um filho Miles. Hendrix, por sua vez, estava cada vez menos satisfeito com a camisa de força pop-roqueira.

Sempre por perto, Davis botava lenha na fogueira mental do guitarrista. Assim, funcionou como padrinho do encontro entre ele e Evans. Este, por seu turno, também tinha um ouvido extraordinariamente aberto, que se refletia na música que orquestrava ou compunha. Por fim, na impossibilidade de contar com Hendrix no estúdio, o maestro escalou três guitarristas: Keith Loving, John Abercrombie e Ryo Kawasaki. A nenhum coube, porém, o impossível papel de Hendrix. Sua fúria era emulada pela tuba distorcida de Howard Johnson. Ele atuava nos uníssonos de sopros característicos de Evans com, entre outros, os trompetistas "Hannibal" Marvin Peterson (dublê de vocalista) e Lew Soloff, e o saxofonista David Sanborn. A destacar, ainda, os baixistas Michael Moore e Don Pate.

Essa galera pegou os temas mais *bluesies* de Hendrix e os tocou com um ardor impressionante, mas que, ao mesmo tempo, ressaltava a candura intrínseca ao guitarrista, às vezes soterrada por microfonias e pirotecnias em seus próprios discos. O suntuoso arranjo que o multi-instrumentista Tim Malone fez para "Angel", em particular, é uma obra-prima de sensibilidade. *The Gil Evans Orchestra plays the music of Jimi Hendrix*, aliás, é inteirinho antológico em sua perfeita fusão entre rock, jazz, funk e soul.

Evans não precisava de Hendrix para ser reconhecido como gênio. Bastava, por exemplo, o seu arranjo esparso e espacial para "Where flamingos fly", do LP *Out of the cool* (1961). Hendrix também não precisava de Evans para ser reconhecido como gênio. Bastava, por exemplo, a sua versão para o hino nacional americano tocada no Festival de Woodstock, em 1969, entre silvos e explosões que remetiam à Guerra do Vietnã. A estranha comunicação póstuma entre os dois, entretanto, potencializou sua genialidade.

(28/6/2002)

VOZ DO ALÉM

A revista inglesa *Mojo* tem, como tantas outras, uma seção na qual músicos falam dos discos que fizeram suas cabeças. As escolhas não raro se tornam mais saborosas por serem surpreendentes: Tricky elegendo *The kick inside*, de Kate Bush, ou John Cale elogiando *Hot shots II*, da Beta Band. Independentemente dos personagens, porém, eu gosto muito do nome da página: "Last night a record changed my life" (Na noite passada um disco mudou minha vida). Curto essa ponte entre o efêmero (a noite passada) e o eterno (mudou minha vida) que constitui, afinal de contas, o espaço da música, sobretudo a pop.

Às vezes, um leitor também tem o dom de mudar a vida do colunista. Indicando um disco, um livro, um filme, ou simplesmente tecendo algum comentário que, por associação de ideias, talvez resulte na fruição de uma obra de arte. Daí para o impulso de agradecer em texto, compartilhando a (re)descoberta com outros leitores, é um passo. Estava eu soterrado pela casa da mãe Joana chamada Brasil, pelas arbitragens hediondas na Série B e por pilhas de frios discos novos quando chegou-me uma mensagem do leitor Rodrigo Fonseca. Ela desencadeou (mais) um processo de restauração de fé na transcendência da arte.

Em síntese, o e-mail contava um episódio ocorrido no ano passado. Rodrigo fora entrevistar um de seus ídolos, Buddy Guy, com uma equipe da MTV. Prevenido, levara uma gaita e acabara fazendo uma *jam* com o *bluesman*. Tão boa que foi convidado a dar uma canja no show que seria realizado à noite no ATL Hall. E lá, naquele palco besta, pôs uma de suas gaitas — a outra caiu no chão, de tão nervoso que ele estava — para tabelar com a guitarra de Buddy Guy. Tal causo era narrado com tanto entusiasmo que...

Fui olhar a estante de blues. Descobrir que ainda possuo mais LPs do que CDs do gênero apenas indicou-me há quanto tempo não ia visitá-la. Talvez por isso mesmo, ali redescobri um disco, na verdade dois ou três, que mudou a minha vida. De novo, doze anos depois de tê-la mudado pela primeira vez. As obras completas de Robert Johnson. Imagino que, quando pensa em blues, a maior parte das pessoas pensa em B.B. King, Muddy Waters ou Buddy Guy. Eu penso em Robert Johnson. Moleque, descobri o *bluesman* pela versão dos Rolling Stones para a sua "Love in vain", aquela do "quando o trem deixou a estação, ele tinha duas luzes atrás/ bem, a luz azul era o meu blues e a luz vermelha, minha mente".

Os dois CDs ou três LPs de *The complete recordings* foram lançados no exterior em 1990 e, no Brasil, no ano seguinte. Reúnem as únicas 29 músicas — por vezes bisadas, o que eleva o total de faixas para 41 — que Robert Johnson compôs e gravou em 27 anos de vida. Sua curta existência assombrou a história do blues e se projetou sobre a do rock: o libreto que acompanha *The complete recordings* inclui sua história contada pelo pesquisador Stephen C. LaVere, a transcrição de suas letras e depoimentos reverentes de Keith Richards e Eric Clapton. Além da força bruta de sua música, o mistério que sempre envolveu Johnson ajudou a cristalizar a imagem do gênero musical negro do Sul dos Estados Unidos.

Se o universo poético do blues pudesse ser sintetizado numa única frase, seria algo como: "Oh, Senhor, estou triste e só desde que ela me deixou, amaldiçoe aquela vadia." Nela estariam presentes os temas básicos do gênero: fé, desamor, abandono, maldição e sexo. Eles recheiam milhares de canções, todas meio parecidas e ainda assim distintas, musicalmente subvertendo a escala diatônica dos brancos pela bemolização do Si e do Mi na tonalidade Dó maior, com a irrupção das arrepiantes *blue notes*. Como o nosso samba, é canto de ex-escravos, de gente que sofreu na pele, de tristeza ancestral.

A vida de Robert Johnson não foi diferente.Hoje, pode-se dizer com razoável certeza que ele nasceu em Hazlehurst, Mississippi, a 8 de maio de 1911. Era filho de Julia Ann Majors e Charles Dodds, Jr. Só descobriu isso na adolescência, pois carregava o sobrenome do homem com quem sua mãe vivia, Noah Johnson. Em fevereiro de 1929, aos 17 anos, casou-se com Virginia Travis, de 16. Em abril de 1930, Virginia e aquele que seria o primogênito de Johnson morreram durante o parto. A tragédia familiar jogou-o de vez no blues. Realizou apenas cinco sessões de gravações, três em novembro de 1936 e duas em junho de 1937, no Texas. Morreu de pneumonia, a 16 de agosto de 1938, em Greenwood, Mississippi, três dias depois de ter sido envenenado por um marido ciumento.

Johnson viveu rápido, morreu jovem e produziu muito, em termos qualitativos. Isso e as constantes referências infernais — em canções como "Hellhound on my trail" e "Me and the devil blues" — criaram a lenda de um pacto com o Diabo. Parece mesmo que só o sobrenatural explica seus blues. Pense em outro gênio formatador de um gênero musical, o *jazzman* Louis Armstrong. "Satchmo" viveu o suficiente (morreu aos 69 anos) para ter passado, presente e futuro. Johnson não. Passado nebuloso e futuro abortado, sua voz pungente e seu violão crispado ficaram encapsulados num eterno presente. Duas fotos e nada mais. É desse inferno que, em algumas noites, Robert Johnson retorna para nos alertar sobre a fragilidade da vida, a vanidade do amor e a proximidade da morte.

(1º/8/2003)

DIONISO NO APOLLO

Há que se ter cuidado com certas palavras quando se escreve sobre arte. Nada de tal disco é imperdível, tal filme é obrigatório, nada disso. Porque, infelizmente, imperdível e obrigatória só a morte. Nada impede, no entanto, que até lá a gente procure se ilustrar e divertir da melhor maneira possível. No final de março, foi lançado nos Estados Unidos um CD que faz isso de forma arrebatadora. Seria muito bacana se a Universal o lançasse aqui também. Trata-se da versão remasterizada e expandida de *James Brown live at The Apollo*.

Remasterizado com uma qualidade inacreditável para um som levado na distante noite de 24 de outubro de 1962, uma fria quarta-feira em Nova York, no afamado teatro de 1.500 lugares na Rua 125, Harlem. Expandido em quatro faixas, ou dez minutos, além das oito faixas já conhecidas, duas delas *medleys*, colagens de trechos de alguns dos sucessos que o Rei do Soul, o Mr. Dynamite, o Homem que Trabalha Mais Duro no Showbusiness, chame-o como quiser, já colecionava naquele momento, aos 29 anos.

Mesmo encorpando a primeira edição em CD de *James Brown live at The Apollo*, de 1990, a nova mal ultrapassa quarenta minutos. Não há gorduras ali. Apenas música enxuta, apresentada num desempenho musculoso. Aliás, isso pode parecer estranho para a geração que se acostumou a baixar músicas isoladas da internet, mas o disco só funciona plenamente no todo, ouvido de cabo a rabo, como um grande *medley*, a despeito de suas partes, como "Try me", "Lost someone", "Night train". Na época do lançamento original, em janeiro de 1963, as rádios encaixavam as faixas na programação normal e, de noite, tocavam o LP inteiro, veiculando anúncios na virada do lado A para o lado B.

A estratégia deu certo. *Live at The Apollo* tornou-se o álbum mais bem-sucedido de toda a carreira de James Brown: um milhão de cópias vendidas, 66 semanas na parada pop da revista *Billboard*, com um pico no segundo lugar, no verão setentrional de 1963. É importante frisar o "parada pop". Até aquele momento, o cantor era o tal apenas na parada de rhythm'n'blues, nome genérico para música negra. Com o LP, registrado contra a vontade de sua gravadora, ele também tornou-se um sucesso entre os ouvintes brancos, juntando-se, por exemplo, a Ray Charles — como lembra o ex-assessor de imprensa e empresário de Brown, Alan Leeds, no encarte da nova edição de *Live at The Apollo*.

O público branco se afastaria novamente no final daquela década, quando Brown lançou o hino "Say it loud: I'm black and I'm proud". Diga alto: sou negro e tenho orgulho (disso). Porém, a luta pelos direitos civis não implicava a defesa dos conflitos raciais. O astro em si era uma ação afirmativa. Um documentário que o GNT está exibindo, *A história de James Brown*, mostra bem isso quando, no dia seguinte ao do assassinato de Martin Luther King, 5 de abril de 1968, Brown decide manter um show no Boston Garden para homenagear o reverendo em paz, enquanto boa parte dos Estados Unidos arde em protestos violentos. As imagens de TV em preto e branco são impressionantes. Só um gênio seria capaz de controlar na moral aquela plateia inflamada.

Brown sempre foi um batalhador. Nasceu em Macon, Georgia, em 3 de maio de 1933. Portanto, ele acaba de completar 71 anos. Parabéns. Quando era pequeno, sua mãe sumiu no mundo. Como o pai tinha de trabalhar longe, o garoto passou boa parte da infância sozinho, em casa e nas ruas. Para sobreviver, construiu um ego folclórico, morou num bordel, varreu o chão de igrejas e praticou pequenos delitos. Acabou na prisão. Saiu de lá mais determinado que nunca a ser alguém numa sociedade segregada. Virou James Brown, o Rei do Soul. Além disso, inventou o funk e inspirou os rappers, que ainda hoje o sampleiam à exaustão. É como se, fazendo um paralelo com a música pop branca, James Brown fosse Frank Sinatra, Elvis Presley e os quatro Beatles, todos reunidos numa pessoa só.

Live at The Apollo é um monumento a essa personalidade difícil, um artista de enorme sensibilidade capaz de volta e meia ir parar numa delegacia por bater numa de suas mulheres... No palco do teatro, a voz rasgada de Brown brilha à frente de coristas, dançarinas e uma pequena orquestra de sopros dirigida pelo trompetista Lewis Hamlin. Lá atrás, Les Buie (guitarra), Lucas "Fats" Gonder (órgão), Hubert Perry (baixo), Clayton Fillyau e "provavelmente" George Sims (baterias) seguram o ritmo de modo a praticamente emendar uma canção na outra, para múltiplos orgasmos das fãs, cujos gritos antecipam a beatlemania. Futuro autor de "Sex machine", Brown nunca deixa ninguém esquecer que música = religião + sexo.

O disco gravado em 1962 foi tão marcante na sua carreira que voltou ao Harlem duas vezes com propósitos fonográficos e energizantes. Primeiro, em 1967, para registrar *Live at The Apollo volume II*, merecedor de uma versão remasterizada, na série Deluxe, da Polydor/Universal, três anos atrás. Um excelente álbum duplo, mas ao qual falta a coerência sobrenatural do volume I. Depois, passadas quase três décadas, para fazer o chocho *Live at The Apollo 1995*. Seja como for, o teatro batizado Apolo consagrou foi um Dioniso. A vida seria bem mais chata sem James Brown na área.

(7/5/2004)

LAMA, ÁGUA E AREIAS

Amanhã à noite, quando os primeiros acordes de "Jumpin' Jack Flash" eletrizarem as areias de Copacabana, centenas de milhares de pobres garotos cariocas de todas as idades sonharão, como milhões de outros pobres garotos do mundo inteiro vêm fazendo desde 1962, serem Mick Jagger ou Keith Richards. Talvez valha a pena lembrar que os Glimmer Twins um dia sonharam, como tantos (não tão) pobres garotos ingleses, ser outra pessoa. No caso específico deles, Muddy Waters.

A banda de Jagger & Richards, aliás, perdoem-me, amigos beatlemaníacos, a maior banda de rock da História foi batizada a partir de uma música de Waters. Até 1963, ela se apresentava como The Rollin' Stones, sem o gê, com o apóstrofo, respeitando a grafia original da música gravada pelo *bluesman* americano em 1950. Só passou a se assinar The Rolling Stones por insistência do empresário Andrew Loog Oldham, tão jovem quanto os músicos, mas já ex-relações públicas dos Beatles, que também amavam Muddy Waters.

O ídolo dos ídolos nasceu McKingley Morganfield, a 4 de abril de 1915, em Rolling Fork, Mississippi. Sua mãe, solteira, adolescente, morreu quando ele tinha três anos. Ele foi morar com a avó materna, que apelidou-o Muddy (Enlameado) por causa de seu gosto em chafurdar descalço no charco perto do barraco deles. Waters (Águas) foi acrescentado depois, transformando o nome artístico num tributo ao rio que batizou seu estado natal.

Enquanto trabalhava numa fazenda, ele ouviu Son House tocar violão deslizando um gargalo de garrafa quebrado sobre as cordas de aço, fazendo-as chorar, na técnica conhecida como *slide guitar*. Pirou. Logo o aprendiz Waters estava sendo gravado pelos folcloristas Alan Lomax e John Work III, da Biblioteca do Congresso. O ano era 1941 e os dois percorriam o Sul dos Estados Unidos atrás, principalmente, de Robert Johnson. Entretanto, o autor de "Love in vain" vivera e morrera (três anos antes) envolto em mistério e mito.

Como tantos pobres garotos negros do Mississippi fizeram, sonhando com melhores condições de vida, Muddy Waters tomou o rumo de Chicago, em 1943. Lá, encontrou um emprego como motorista de caminhão e um desafio como músico: como se fazer ouvir acima do burburinho dos clubes do gueto South Side? Ele, então, ligou um amplificador em sua guitarra. Este blues de Chicago, elétrico, mais agressivo que o blues acústico do Delta do Mississippi, seria um dos idiomas formadores do rock inglês dos anos 60 e 70.

Nos finais de semana, Waters acorria ao mercado da Maxwell Street, para participar de *jam sessions*, enquanto gravava os primeiros trabalhos para o selo Aristocrat (futuro Chess) em 1947. Curiosidade: quase vinte anos depois, em 1964, o seu antigo rival do selo Unite, Robert Nighthawk, chegaria a gravar um disco em plena Maxwell. Dá para escutar a buzina dos carros que passam. Sem pioneiros como os dois *bluesmen*, shows para grandes multidões ao ar livre, como o de amanhã, em Copa, seriam impensáveis.

A própria música dos Stones seria impensável. Não teríamos tido "You got the silver" ou "I got the blues". No início da carreira, tudo o que Jagger queria era cantar como Waters. E tudo o que queria Richards, o principal guitarrista, o sujeito que sonhou (literalmente, a se acreditar na sua versão) os acordes de "Satisfaction", era tocar como Waters. E como Bo Diddley e Chuck Berry, primeiros astros do rock'n'roll, tributários, eles mesmos, de Waters. O primeiro álbum dos Stones, de 1964, incluía uma empolgada versão para "I just want to make love to you", gravada por Waters, quem mais?, dez anos antes.

A música era de autoria do baixista Willie Dixon, outra lenda, então membro da banda que acompanhava Waters, junto com o segundo guitarrista Jimmy Rogers, o gaitista Little Walter, o pianista Otis Spann e o baterista Fred Below. Aos amantes do blues, esses nomes soam como o meio-campo e o ataque do Botafogo em 1967-68: Carlos Roberto (obrigado, campeão!) e Gérson; Rogério, Jairzinho, Roberto e Paulo César. Só craques.

Spann ainda estava na banda de Waters quando este fez sua primeira incursão à Inglaterra, em 1958. A apresentação foi no St. Pancras Town Hall, zona norte de Londres. O choque que sua guitarra Fender Telecaster branca, "violenta, explosiva", deu na plateia de fãs de jazz gerou um aplauso "quente e forte", nas palavras do jornal *Melody Maker*. Quando ele voltou à cidade, cinco anos depois, tocando blues do Mississippi em seu violão, houve uma certa frustração. A garotada local, afinal, já estava fazendo barulho nos pubs, prestes a devolvê-lo aos Estados Unidos, na forma de Rolling Stones, Beatles, Yardbirds.

Quando Waters morreu, em 1983, aos 68 anos, Jagger, Richards, Paul McCartney, Eric Clapton, Jimmy Page, todos ficaram meio órfãos. Até hoje, porém, a cada acorde dos Rolling Stones ou dos americanos White Stripes, as águas lamacentas voltam a se agitar.

(17/2/2006)

TODO AQUELE JAZZ

TV On The Radio? Daft Punk? Yeah Yeah Yeahs? Beastie Boys? Patti Smith? Não, obrigado. Nada contra essas outras marinas. E, sim, muito a favor do palco Club do TIM Festival. Investi nele porque há anos sua programação não me soou tão consistente: André Mehmari, Roy Hargrove, Charlie Haden, Stefano Bollani, Ahmad Jamal, Herbie Hancock — sem falar na orquestra de Maria Schneider, atração da primeira noite, à qual não fui.

Engraçado como, hoje, tais nomes são quase penetras na festa que ajudaram a criar, ainda sob o nome Free Jazz Festival. Muito da culpa, porém, é de parte do seu próprio público, patota que transformou jazz em sinônimo de esnobismo, assim como o povo que gosta de cheirar rolha transformou uma das alegrias mais antigas da civilização, tomar vinho, em experiência esotérica. Triste ironia que o jazzófilo (e o roqueiro) médio tenha se tornado tão conservador. A música, afinal, foi a desbravadora das liberdades civis do século XX.

É conhecida a história do sujeito que perguntou ao cantor e trompetista Louis Armstrong o que era jazz e recebeu como resposta a genial "se você tem de perguntar, você jamais irá saber". Bingo. No entanto, as seis atrações das segunda e terceira noites no TIM Club ofereceram respostas menos zen (no sentido estrito) para a mesma pergunta. Seja qual for a sua resposta favorita, ela não exclui quaisquer outras, não apenas as outras cinco.

Jazz é lirismo. Foi o que respondeu André Mehmari no primeiro show da noite de sábado. O trio do pianista niterói-ribeirão-pretense de 29 anos passeou pelo repertório do CD *Lachrimae*, o que significa dizer que amalgamou lindamente jazz, música clássica e MPB em composições próprias ou alheias, caso da suíte dedicada ao Clube da Esquina. Como ouvi na mesa ao lado, lembra Keith Jarrett, sim, mas também remete às ambiências de Lyle Mays, tecladista que trabalhou um bocado com Pat Metheny.

Jazz é energia. Foi o que respondeu a atração seguinte, o quinteto do trompetista americano Roy Hargrove, de 37 anos. Adepto do hard bop, que privilegia a simplicidade melódica e o peso rítmico, ele quase se torna uma banda de funk, no sentido original do gênero musical. Os excelentes músicos negros subiram ao palco como a dizer "olha, gente, tudo bem, alguns brancos fazem um grande jazz, normalmente mais meditativo, sabe, mas no berço o jazz é música nossa, vibrante, festeira". Por isso, sentaram a mamona.

Jazz é elegância. Foi o que respondeu a estrela de sexta-feira, o Quartet West, capitaneado pelo baixista americano Charlie Haden, de 69 anos, e no qual também avulta o saxofonista Ernie Watts. Em 1959, Haden gravou com Ornette Coleman o LP *The shape of jazz to come*, título que só não era pretensioso porque era exato: dava o primeiro passo em direção ao free jazz, isto é, jazz livre de amarras harmônicas. Na Marina da Glória, o baixista tocou bem-comportada versão para uma das músicas daquele disco, "Lonely woman", e arrebatou uma plateia já disposta a merecidamente reverenciá-lo.

(Na onda do festival, saiu aqui, pela Universal, o CD *Not in our name*, de 2004, de outro projeto de Haden, a Liberation Music Orchestra. São emocionantes os arranjos da pianista Carla Bley, sobretudo para "Adágio para cordas", do compositor clássico Samuel Barber. Os sopros substituem as cordas, evocando as bandas de metais fúnebres de Nova Orleans.)

Jazz é humor. Foi o que respondeu o primeiro artista a se apresentar no sábado, o pianista milanês Stefano Bollani, de 33 anos. Ele ganhou de vez a plateia ao anunciar em português que acabara de tocar duas composições de um "compositor contemporâneo italiano, Stefano Bollani, muito contemporâneo". Fascinante como seu quinteto parece "encontrar" a música só depois de começar a tocar. Foi o único caso de bis exigido de pé (em vão) pelos espectadores. Ainda bem que venderam seus CDs na mesa de som.

Jazz é silêncio. Foi o que respondeu o trio do pianista americano Ahmad Jamal, de 76 anos. Na década de 50, o uso dramático que Jamal já fazia dos intervalos entre as notas e/ou os acordes cativou ninguém mais ninguém menos que Miles Davis. O silêncio de Jamal pode ser relativo, conforme ele continua ao piano, intuindo brechas, ou absoluto, quando chega a se levantar para ouvir baixo e bateria. A disposição do trio no palco, muito próximo, sinalizava que teríamos o intercâmbio mais fluente das duas noites. E assim foi.

Jazz é risco. Foi o que respondeu o quarteto elétrico do tecladista americano Herbie Hancock, de 66 anos, atração principal da noite, a primeira de todo o festival a ter ingressos esgotados. Nunca é possível predizer o que Hancock, praticamente iniciado pelo irrequieto Miles, irá fazer. No TIM, ele optou pelas explorações do quarentão mas ainda controverso jazz-rock. Como resultado, e como queríamos demonstrar ao falar do público isolacionista, meia casa debandou antes do final do show de quase duas horas, antes até de ele brindar os já então *happy few* com sua assinatura, "Cantaloupe Island". Hancock foi fiel a si mesmo. Afinal, dez anos atrás, gravou até Nirvana num CD chamado *The new standard*.

(3/11/2006)

A MENSAGEM DO ESPÍRITO SANTO

A revista americana *JazzTimes* dedica a capa de sua edição de novembro a Ornette Coleman, que acaba de lançar o CD *Sound grammar*. A manchete é exclamativa: "Ornette!" Lá dentro, Gary Giddins também dedica a sua coluna ao saxofonista de 76 anos, sob um título ainda mais exclamativo: "Ornette!!!!" O crítico considera Coleman "a figura mais controversa e divisória da música americana desde Elvis". Nada mais, nada menos.

Referindo-se a *Free jazz*, o programático LP de 1960, Giddins afirma não se saber ao certo, dado o caráter revolucionário da música que Coleman vinha desenvolvendo desde dois anos antes, se o "free" do título era um adjetivo ou um imperativo: "Jazz livre" ou "Liberte o jazz!" Seja como for, o saxofonista desamarrou o jazz de quaisquer convenções melódicas, harmônicas ou rítmicas. Seu puro improviso era uma declaração de princípios.

Quase quarenta anos atrás, Coleman tocou no funeral de outro monstro do jazz, John Coltrane. Tocaram com ele naquele 21 de julho de 1967 os irmãos Albert e Donald Ayler, saxofonista e trompetista. Antes de 1971, Don estaria internado num hospício e Albert seria retirado sem vida das águas do East River, em Nova York. Tinha 34 anos. Sua morte continua sendo um mistério impenetrável. Acidente, assassinato ou suicídio?

Albert Ayler foi um dos caras que levou a música de Coleman e de Coltrane aos extremos da beleza e do caos. Por isso, destaco a coletânea dele dentre as outras nove entre boas e excelentes lançadas aqui pela Universal em comemoração atrasada pelos 45 anos da gravadora Impulse!, fundada em 1960. Por R$ 25 cada, não há melhor música na praça: além de Ayler e de Coltrane, há CDs de Alice Coltrane (de luz própria e esposa de John), Sonny Rollins, Charles Mingus, Keith Jarrett, McCoy Tyner, Pharoah Sanders, Archie Shepp e Gato Barbieri.

Na Impulse!, sob a égide, primeiro, do fundador Creed Taylor e, logo depois, de Bob Thiele, aninhou-se a vanguarda do jazz nos libertários anos 60. Ayler era a vanguarda da vanguarda. Alguém uma vez já disse que ele estava tão à frente que, no tempo circular da música, havia retornado ao início do século XX. Pulara do free jazz ao dixieland, sem passar pelo bop. Um curto-circuito ambulante. O crítico Scott Yanow escreveu que, em 1966, seu grupo "soava como uma banda de metais de Nova Orleans fugida de 1910".

(Os fãs de rock independente escutam algo assim no Neutral Milk Hotel.)

Por um acaso feliz, o período de Ayler na Impulse! facilita as coisas para o ouvinte contemporâneo, desde, claro, que se trate de um ouvinte na generosa amplidão do termo, não de um sectário surdo a diferenças e novidades. Ele corresponde à fase "comercial" de Ayler. Ao menos se comparada às gravações anteriores em selos menores... Destas, está mais próxima a faixa de abertura do seu CD na série *The Impulse story*, "Holy Ghost", registrada no Village Gate, a 28 de março de 1965. Cacofonia criativa, digamos.

"Holy Ghost" significa "Espírito Santo". Certa vez, Ayler referiu-se a Coltrane como o Pai, a Pharoah Sanders como o Filho e a si próprio como o Espírito Santo. A comparação pode ser petulante, mas não é gratuita: quem quer que tenha escutado "A love supreme" (de Coltrane) ou "The Creator has a master plan" (de Sanders) sabe que a espiritualidade era e é peça tão essencial nos seus saxes quanto qualquer chave. O alto-tenorista Ayler não era um virtuose: tocava pela expansão da consciência, não do ego.

Faz sentido, portanto, que na fase da Impulse! ele tenha feito de hinos religiosos e marchas os temas preferenciais no interior dos quais sua banda improvisava livremente.

Contrapostas ao flerte com o ruído, suas melodias singelas e familiares eram reconfortantes na lembrança de que Deus tinha de ser a referência de tudo. O sermão que Ayler faz em "Message from Albert", a metade final da faixa 6 do presente CD, diz: "Nós devemos restaurar a harmonia universal. (...) Nós devemos nos unir já ou nada restará. Reze ao Senhor, arrependa-se, reze de novo e arrependa-se. Por favor, faça isso por você mesmo."

As peças desta época na coletânea recém-lançada atendem por nomes como "Truth is marching in", "Love cry", "Bells" e "Angels", esta um trio de chorar, com Ayler mais pianista e baixista incertos. No melhor álbum do saxofonista, *Live in Greenwich Village — The complete Impulse recordings*, compilado só em 1998, há uma "Our prayer" de intensidade emocional equivalente, composta pelo seu irmão, Donald. Há, de quebra, uma sentida música-tributo ao Pai, "For John Coltrane". No conjunto, as 14 faixas naqueles dois CDs passam a sensação de extemporaneidade, como uma verdadeira experiência religiosa.

Em *The Impulse story*, há exemplares da música que Ayler passou a cortejar nos dois últimos anos de vida: jazz misturado ao soul e ao rock, para desgosto final dos puristas. A saltitante "Free at last", por exemplo, tem vocais de Ayler e de sua namorada, Mary Maria Parks, e parece ter-se extraviado da trilha sonora de "Hair". E "Untitled duet" é o angustiante diálogo entre a sua gaita de foles (!) e a guitarra elétrica de Henry Vestine.

Vivo fosse, Albert Ayler teria completado 70 anos em julho. Sabe Deus o que estaria fazendo. Seu irmão ainda vaga pela Terra, gravando bissextamente. Anthony Braxton, outro inovador, um dia falou num período "pós-Ayler". Até hoje não saímos dele.

(24/11/2006)

EVANS E EÇA, NOUTRO RIO

Saiu em CD no exterior um importante documento de outros tempos aqui na cidade. *Piano four hands — Live in Rio 1979* registra os pianistas Bill Evans e Luiz Eça tocando juntos em dois *sets* no velho Chiko's Bar da Lagoa, na noite de 29 de setembro daquele ano. Hoje, finados o Mistura Fina e o TIM Festival, é rara a atração de jazz internacional que passa pelo Rio de Janeiro, mais ainda a que encontra um cantinho para dar canja.

Pouco depois da época em que Evans e Eça se apresentaram no Chiko's, quando o festival ainda se chamava Free Jazz, era obrigatório sair do Hotel Nacional terminados os shows da noite e perseguir os visitantes em bares com música ao vivo pela madrugada. Jazzistas são mesmo assim: quando começam a tocar só param por exaustão. Alguns nem isso: muitos se viciaram em drogas pesadas para poder tocar mais sem sentir dor.

Era possível, então, assistir aos grandes do jazz ou na vastidão do teatro do hotel ou num clubinho mais aconchegante, como o também finado Jazzmania. Nomear as estrelas decerto deixaria de fora os favoritos de alguém, razão pela qual citarei apenas o show que mais apreciei no Free Jazz, o da orquestra de Gil Evans (nenhum parentesco com Bill), em 1987. Dizer que foi uma aula magna de técnica, arranjo, energia e bom gosto seria pálido.

O jazz não é o único gênero que não encontra mais palcos no Rio, claro. Olhar a programação de shows de São Paulo — e, às vezes, até as de cidades menos populosas — tem matado os cariocas de inveja. Aqui, sobretudo na Lapa, há um pouco mais de samba e choro. O resto... O jazz quase sumiu do mapa, a não ser pela perna mais curta de um Bourbon Street Fest, que rolou esta semana. Organizado por uma casa paulistana.

Atualmente, um dos poucos bastiões de boa música instrumental no Rio está na Sala Baden Powell, em Copacabana, onde fixou residência a banda Tutti, formada por Ana Azevedo (piano), Lipe Portinho (baixo), Daniel Garcia (saxofone) e Kleberson Caetano (bateria). Semana após semana, eles têm recebido convidados para homenagear Miles, Chet, Coltrane... Às vezes, com a interpretação de um álbum-chave inteiro. Amanhã, por acaso, o tributo não é a um jazzista, mas à diva Barbra Streisand, pelos seus 50 anos de carreira. E o convidado é o cantor Glauco Lourenço, uma voz rara que em breve deve lançar novo CD para suceder ao ótimo *Abalo sísmico*, de 2007.

De volta ao Chiko's Bar em 1979... O disco com o encontro Bill Evans-Luiz Eça saiu por um desses selos europeus que ninguém sabe de onde veio ou para onde vai, o Jazz Lips Music. Apesar da obscuridade, tamanha que até levanta suspeitas sobre a condição legal dos seus lançamentos, tais selos têm prestado um baita favor aos aficionados, tornando disponíveis shows que, de outra forma, estariam perdidos nalgum arquivo.

Já havia edições piratonas desse show no Chiko's Bar, e a qualidade do som de "Piano four hands" não se eleva muito acima da delas. No entanto, o lançamento da Jazz Lips se beneficia das informações contidas no texto do encarte, assinado por um certo Arnold Mild, e na ficha técnica. Esta inclui, além dos dois craques do piano, o seu colega Cidinho (em duas faixas), a cantora Leny Andrade (cantando "Wave", de Tom Jobim, com o gabarito habitual) e o baixista do trio de Evans na ocasião, Marc Johnson (em seis faixas).

Evans, Johnson e o baterista Joe La Barbera vinham da Argentina, onde duas noites antes haviam registrado, no Teatro General San Martín, o disco *Live in Buenos Aires 1979*, relançado em CD por outro selo europeu obscuro, o West Wind. O repertório portenho tinha, entre outras, "I loves you Porgy", a comovente versão para o tema do seriado *M*A*S*H* e "Minha", a melodia de Francis Hime que teve letra de Ruy Guerra.

Há, aliás, uma história curiosa envolvendo a torturada versão de "Minha" tocada por Evans nos seus últimos anos de vida. Certa noite, o próprio Francis estava assistindo a um show do pianista em Los Angeles quando este sacou "Minha" das teclas. O compositor ouviu maravilhado e comovido, mas não teve coragem de se apresentar a Evans. Acho que esse causo diz muito sobre a discrição nata de Francis, um dos nossos gênios gentis.

Quando esteve no Rio em 1979, para uma apresentação na Sala Cecília Meireles, Bill Evans vinha na fase final do longo processo de autodestruição por álcool e drogas, acelerado pelo suicídio de seu irmão Harry. Evans seria bem-sucedido menos de um ano depois, a 15 de setembro de 1980, aos 51 anos. No atestado de óbito, úlcera hemorrágica e pneumonia. Na cabeça dos amigos mais chegados, desinteresse pela vida.

Porém, o repertório do barulhento Chiko's Bar não foi nada fúnebre, e olhe que Evans sabia ser fúnebre, foi apenas docemente melancólico. Abria com "Noelle's theme", de Legrand, passava por "Corcovado", de Jobim, e fechava com "Stella by starlight", de Washington & Young. Os dois pianistas eram amigos, já tinham tocado a quatro mãos, e Evans até gravara "The dolphin", de Eça, música ausente dos *sets*. O americano sabia a quem apreciar aqui. Ao crítico e pesquisador Tárik de Souza, ele certa vez falou de outra das suas admirações brasileiras, o grande Dick Farney, meio desprezado em casa como cafona. *Piano four hands* testemunha, portanto, que esta cidade já foi mais cosmopolita.

(28/8/2010)

SEXO EXPLÍCITO

O Centro Psiquiátrico Rio de Janeiro, na Saúde, tem uma ligação antiga e forte com os sons. Em 1999, a partir da oficina Convivendo com a Música, pacientes do hospital fundaram o Harmonia Enlouquece, que já tem dois CDs e está a caminho do terceiro. O grupo também foi *habitué* do projeto Loucos por Música, que reunia grandes nomes no Canecão para shows em benefício das pessoas com distúrbios mentais.

A emergência do centro psiquiátrico fica em frente ao auditório onde o Harmonia Enlouquece ensaia. Na verdade, ela nada mais é do que uma recepção, na qual os pacientes e seus familiares podem aguardar o atendimento. Lá, uma TV exibe DVDs capazes de contribuir nessa acolhida, distraindo-os e tranquilizando-os. O diretor da instituição, doutor Alexandre Lins Keusen, a princípio selecionou o curta *Anima mundi*, documentário de Godfrey Reggio com música de Philip Glass, um show de Vinicius de Moraes e um concerto solo de Keith Jarrett no Japão.

Tudo correu muito bem durante meses. Porém, numa segunda-feira, Keusen foi surpreendido por um abaixo-assinado que exigia a suspensão de um dos filmes, considerado pornográfico. A recepcionista dos fins de semana convencera meia dúzia de pessoas de que o tal filme flagrava um homem mantendo relações com um piano. O homem, claro, era Keith Jarrett. "Vejo hoje que ela percebeu a dimensão do encontro dos dois", conta-me Keusen. "Só que sua mente lhe fez olhar como um ato impuro, sujo."

Na noite de sábado, então, o Municipal recebeu um show de sexo explícito.

Jarrett tocou durante quase duas horas — dois tempos regulamentares de quarenta minutos cada, mais uma prorrogação de vinte minutos de bis — exatamente do jeito que escandalizou a antiga recepcionista da Saúde. Curvou-se sobre o piano, emitiu gemidos e grunhidos, ficou de pé, sapateou. Difícil mesmo imaginar um relacionamento mais intenso entre um homem e o seu instrumento. Aqui, a própria ambiguidade da expressão "um homem e o seu instrumento" já é um tributo ao genial americano de 65 anos.

Jarrett escolhe o piano com o qual vai se apresentar de um jeito peculiar. Não se acomoda e toca longamente. Toca uma nota em cada um, deixa-a reverberar, dá outra rodada pelos pianos, experimenta outra nota...

E se decide por um instrumento. No Rio, três foram descartados. É como se o homem namorasse algumas mulheres, escolhendo, afinal, aquela que mais se abra e se revele ao seu toque. Olha o duplo sentido aí, gente.

Embora relatos do século XIX possam nos sugerir que o violinista Paganini ou o pianista Liszt tenham alcançado êxtases erótico-musicais, imagens em movimento conseguem nos comprovar que, antes de Jarrett, dois outros instrumentistas chegaram lá. Um foi o pianista Glenn Gould, com quem Jarrett compartilha o gosto por Bach e pelas interjeições; e outro foi Jimi Hendrix, que fazia a guitarra gemer sem sentir dor e, morto, inspirou milhares de meninos cabeludos a simularem o orgasmo. Hendrix, não. Como Gould e Jarrett, ele matava a cobra e mostrava o pau. Sexo explícito.

Eu era virgem de Jarrett ao vivo até a noite de sábado. Não sei onde estava com a cabeça em 1987, quando ele fez dois concertos solo no próprio Municipal, ou em 1989, quando se apresentou com o baixista Gary Peacock e o baterista Jack DeJohnette no Teatro do Hotel Nacional. Não fui vê-lo nas duas vezes anteriores em que ele esteve no Rio. Eu devia estar louco. Ou muito mal de grana. Talvez os dois. Porque o primeiro Jarrett, assim como a primeira vez, a gente não esquece. Nem se tivesse sido ruim.

O concerto de sábado foi brilhante. Eu temia que a plateia se comportasse como na apresentação de Brad Mehldau, em outubro de 2010, durante a qual meia dúzia de celulares tocaram alto e expulsaram o pianista do palco. O temor aumentava porque, em São Paulo, na quarta-feira passada, Jarrett saíra de cena quando parte do público insistira em tirar fotos com flash mesmo depois de advertida a não fazê-lo. No Rio, nem um fotógrafo compulsivo conseguiu estragar a noite, mas é impressionante como as pessoas tossem e pigarreiam no Municipal. Acho que tuberculoso paga meia.

Enquanto tocava, Jarrett cantarolava tanto que fiquei imaginando: a) se, como nós, ele estaria particularmente feliz com as próprias criações; e b) se os engenheiros de som da ECM apagam parte de sua voz quando se decide lançar um concerto em CD (a apresentação no Municipal foi gravada). Além disso, quase todos os improvisos foram melodiosos, fossem introspectivos ou suingados. Só dois investiram na dissonância, o primeiro e um que soou como tentativa de castigar uma mulher que tossira mais alto. A plateia aplaudiu ambos com o mesmo entusiasmo reservado a um tema cantábile.

Há décadas a gente se assombra que Jarrett tire toda aquela música do nada. Entretanto, dado o modo como as melodias improvisadas logo se fixam na nossa cabeça, talvez a verdadeira façanha seja perceber que sua beleza sempre esteve aí, no mundo, mas que era necessário uma antena poderosa para captá-la. Keith Jarrett. Nessa hora, impossível não pensar que o ser humano, o mesmo ser humano capaz de entrar numa escola de Realengo e matar doze crianças, também é capaz de produzir uma arte assim. Sem ela, a vida nessa rocha superaquecida pelo Sol ganha algum sentido, ainda que fugaz, fugaz como um solo improvisado ao piano.

(15/4/2011)

ABDULLAH

Tive a oportunidade de conhecer a África do Sul em abril de 2004. Foi uma viagem surpreendente sob muitos aspectos, a começar pelo guia escalado para me acompanhar, um argentino com doutorado em Micropaleontologia, radicado na Cidade do Cabo desde 1976, quando um golpe militar derrubou a presidente María Estela Perón. Tanto degustei vinhos em fazendas chiques quanto visitei a favela de Langa, onde conheci Dizu Plaatjies, mestre percussionista, fundador do grupo Amampondo.

O país comemorava os dez anos da eleição de Nelson Mandela à presidência, depois de 46 anos de apartheid, e torcia para ser escolhido sede da Copa do Mundo de 2010, o que ocorreria um mês depois. O orgulho da enorme maioria negra da população dava uma ideia da humilhação que enfrentara durante o regime de segregação racial. Lá entendi melhor a luta de um gigante como o recém-falecido Abdias Nascimento contra o racismo à brasileira, "sutil" perto do da África do Sul ou dos Estados Unidos, mas ainda assim racismo — e racismo difícil de combater, porque não sai a campo aberto.

O motivo da visita, contudo, era a realização da quinta edição de um festival de jazz na Cidade do Cabo, o North Sea, "filial" de um evento holandês, daí o nome. Sendo o jazz essencialmente uma música negra, e tendo a África do Sul boa tradição no gênero, era natural que o festival também refletisse o clima de alegria, embora Mandela já estivesse em casa. Quem governava o país desde 1999 era Thabo Mbeki, que rechaçava a camisinha contra a Aids. Seu vice era o atual presidente, Jacob Zuma, outrora processado por corrupção e de quem, disseram-me, sou um sósia empalidecido.

Duas presenças no North Sea Jazz Festival estavam à altura da celebração cívica. A primeira era Miriam Makeba. Ela vivia fora da África do Sul desde 1960, quando, após uma excursão ao exterior, o governo racista lhe cancelara o passaporte, impedindo a sua volta para o enterro da mãe. Crime: participar de um documentário antiapartheid. Ela só retornou à sua pátria trinta anos depois, persuadida pelo próprio Mandela e garantida por um passaporte francês. Desde então, suas aparições sul-africanas eram ocasiões de veneração em vida (ela morreria na Itália, em 2008), quase histeria coletiva.

Portanto, o show na Cidade do Cabo foi tocante, com direito à sua versão para "Mas que nada", de Jorge Benjor. Porém, o momento mais emocionante para mim ocorreu antes até de Miriam entrar no palco. A plateia majoritariamente negra se recusara a abandonar o auditório Rosies depois do show anterior, impedindo a cantora de passar o som, e começara a cantar à capela "Shosholoza", o hino informal da África do Sul. Na verdade, este foi um dos momentos mais emocionantes da minha vida.

O segundo artista de estatura extramusical a participar daquela edição do North Sea Jazz Festival foi o pianista Abdullah Ibrahim. De quebra, ele era um nativo da própria Cidade do Cabo, da qual partira em 1962, para fazer carreira, primeiro na Europa, depois nos Estados Unidos, sob a bênção "apenas" de Duke Ellington. Na época, se chamava Adolph Johannes Brand. Nome artístico, Dollar Brand. Sua música era de vanguarda, influenciada sobretudo por Thelonious Monk e suas dissonâncias.

Ele se converteu ao Islã no final dos anos 60. Apesar de seus discos já serem bons o bastante para um lançamento pelo selo alemão ECM ("African piano", de 1969), o gênio de Ibrahim ainda não se manifestara, não plenamente. Isso aconteceu mais ou menos na época em que tentou se reassentar na África do Sul, em meados dos anos 70. Como tantos lances de genialidade, o dele foi singelo: deixar-se contaminar pelas melodias folclóricas de seu país e de seu continente, em peças líricas, cantaroláveis. O próprio Ibrahim gosta de se acompanhar com a voz, um pouco como Keith Jarrett.

Aliás, bem como Bill Evans, Jarrett é um pianista com que Ibrahim guarda outras semelhanças. Ele reteve as ambições sinfônicas de Ellington e os silêncios desconcertantes de Monk, mas captou como ninguém a melancolia subjacente à música africana. Assisti de pé ao seu trio, de tanta gente que ultrapassava a lotação de 1.500 lugares daquele auditório Rosies. Deveria ter assistido de joelhos. Quando Ibrahim tocava suas composições a impressão que eu tinha (e tenho, ao ouvir seus discos) é que elas sempre tinham estado ali, desde a origem do homem. Para usar o nome de um de seus mais belos temas, é como se Ibrahim colhesse água num poço ancestral.

Relembro tudo isso no momento em que começo a escutar o novo CD do mestre sul-africano, *Sotho blue*, lançado no ano passado com a sua banda Ekaya. A primeira formação desse septeto havia gravado dois clássicos do repertório de Ibrahim, *Ekaya* (1983) e *Water from a ancient well* (1983), brilhantes, coloridos, vivos. A presente formação é mais sóbria, pesada, dotada de uma concentração religiosa.

Assim, um clássico de Ibrahim, como "The wedding", reaparece quase como um réquiem à moda de Nova Orleans, levado só pelo trombone e pelos saxofones alto, tenor e barítono, enquanto "Nisa" faz pensar numa "Roda viva" arranjada por Moacir Santos. Aos 76 anos, Ibrahim gravou um ótimo álbum, álbum que tem um certo clima de fim de festa, quando a luz dos postes cessa de se refletir no asfalto molhado, o céu começa a clarear a leste, e a gente volta para casa, sozinho, assobiando uma canção.

(3/6/2011)

A TERCEIRA QUEDA DO RAIO

Keith Jarrett fez um de seus concertos inteiramente improvisados no Municipal em 8 de abril de 2011. No começo de novembro do ano passado era lançado um CD duplo com o registro daquela noite, *Rio*. E, menos de doze meses depois, na quarta-feira retrasada, cá estava Jarrett de novo tocando sozinho no centenário teatro, desta vez num programa *mezzo* improvisado *mezzo* de *standards*. Depois ainda há quem diga que um raio não cai duas vezes no mesmo lugar. Este caiu três vezes.

Não se pode subestimar o que isso significa. Até hoje, poucas cidades em todo o mundo tiveram o privilégio de ouvir Jarrett tirar sons do silêncio e, depois, poder conferir em disco como é mesmo que tinha sido aquilo. Nenhuma com tanta presteza quanto o Rio de Janeiro. O pianista americano, então com 65 anos, entusiasmou-se com o que não ouviu por aqui — apesar da promoção de meia-entrada para tuberculosos e das cadeiras que rangem como tábuas na sonoplastia de *O navio fantasma* — e pediu ao seu produtor que *Rio* fosse lançado com urgência. De quebra, o retorno.

Não presenciei o mesmo raio caindo outras três vezes aqui, nos anos 80. Não assisti a nenhum dos dois concertos solo que Jarrett fez no Municipal em 1987. Nem à apresentação do trio com o baixista Gary Peacock e o baterista Jack DeJohnette no antigo Teatro do Hotel Nacional, em 1989. Entre as duas noites recentes, porém, eu gostei mais da do ano passado, um pouco mais ousada na alternância entre consonância e dissonância, entre "impressionismo" e "cubismo". (Este ano, no primeiro tema, houve uma batucada "dadaísta" na estrutura interna do piano.) É bem possível que o impacto de testemunhar uma performance mediúnica daquelas pela primeira vez influencie essa minha percepção. Porque o show da semana passada também não foi menos que ótimo.

Certo, foi ótimo menos pela primeira metade, a das improvisações, do que pela segunda metade, com *standards*. Inteiramente à vontade, a ponto de pedir sugestões à plateia, Jarrett mostrou por que um tema como "Over the rainbow", de Harold Arlen, se tornou um clássico do jazz, pela beleza melódica e, se se tiver em mente a letra de Yip Harburg, pelo estranho sincretismo entre melancolia e esperança. Além disso, tocar "Samba de uma nota só", de Tom Jobim e Newton Mendonça, um ano e meio depois de me afirmar, numa entrevista por telefone, publicada no *Globo*, que não se lembrava de um dia ter interpretado uma música brasileira, foi um gesto de simpatia.

Creio que parte do efeito causado por uma apresentação solo de Jarrett se deva ao clima criado por sua demanda por silêncio absoluto, bastante similar à do nosso João Gilberto. Eu, que sofro de rinite alérgica, vou ao Municipal portando uma espada samurai para, em caso de crise, cometer harakiri por desonra. A tensão faz o público — ou, ao menos, a maior parte dele — aguçar os sentidos e se habilitar a captar as nuances que a palheta de Jarrett nos oferece. Porque o silêncio que ele exige não serve apenas à sua própria concentração, mas também à nossa. Nós precisamos nos entregar tanto quanto ele, nem mais, nem menos. Nesse sentido, os seus concertos solo criam uma suspensão do tempo e do espaço, uma façanha neste conectado século XXI.

Não ouvi nenhum celular tocando durante o concerto da quarta-feira retrasada, embora às vezes eu tenha achado que ouvi, de puro nervosismo. No entanto, vi celulares se acendendo de quando em quando, aqui e ali, iluminando os rostos de seus portadores, ávidos pelo pipocar da mensagem que "teria" de ser respondida em plena apresentação de Keith Jarrett. Pensei que diabos de sociedade doente é essa que não consegue largar seus remédios *hi-tech* nem na hora de fruir de um momento tão raro. Sofrem as pessoas por se acharem importantes demais ou por se acharem importantes de menos para se manterem desconectadas, ainda que só por uma hora e meia de uma quarta à noite?

O que Jarrett nos propõe — e nem todos conseguimos atender, viciados que estamos em redes sociais e que tais — é uma evasão para algum lugar além do arco-íris, lá onde o pote de ouro é o esquecimento de nós mesmos, é a dissolução de nossos egos num fluxo arrebatador de notas musicais, é uma experiência simultaneamente sensual e extracorpórea, é uma antecipação gozosa da morte, do sumiço no nirvana. Toda música deveria almejar algo parecido, mas até Jarrett hoje talvez faça "concessões" a nosso cotidiano fragmentado e dispersivo: os improvisos não são mais longos e ininterruptos como os dos anos 70. Pode ser reflexo do avançar da idade (ele tem 67 anos) ou o temor de uma reaparição da Síndrome da Fadiga Crônica que quase o afastou da música uns quinze anos atrás. Seja o que for, apenas torna suas aparições mais valiosas.

(2/11/2012)

DA EFEMERIDADE

Uma das vantagens de ter mergulhado na música pelo trampolim do rock progressivo nos anos 1970 foi que, quase simultaneamente, comecei a ouvir o jazz e os clássicos. Nos últimos tempos, Bach & Cia. vêm preponderado sobre qualquer outra turma. Contudo, a coincidência da leitura de *Todo aquele jazz*, de Geoff Dyer, e da ida a uma noite com o trio de Brad Mehldau e o quinteto de Joe Lovano e Dave Douglas no BMW Jazz Festival me sugere que talvez eu deva reservar mais tempo para o gênero.

A diferença mais óbvia entre a música clássica e o jazz diz respeito ao papel da partitura. Na primeira, ela é essencial. A partir dela, o músico interpreta o compositor. É bom, aliás, enfatizar esse "interpreta" aí. Uma mesma partitura pode gerar leituras fascinantemente diversas. O exemplo mais conhecido é o de Glenn Gould gravando as *Variações Goldberg*, de Bach. Da primeira vez, em 1955, levou 38 minutos para se expressar; da segunda, em 1981, precisou de 51 minutos para dizer-nos o que sentia.

No jazz, a partitura, quando existe, não tem um papel central. O que importa é a improvisação em cima dela ou, ao menos, de um tema predefinido. Por isso se diz que não conta tanto o que o músico toca — quando esteve no Municipal em 2010, para um concerto de piano solo, Mehldau interpretou de "Trocando em miúdos", de Francis Hime e Chico Buarque, a "Teardrop", do grupo de trip hop Massive Attack, e agora abriu com "Hey Joe", popularizada por Jimi Hendrix — mas sim como o músico toca.

Não existe, naturalmente, uma hierarquia entre música clássica e jazz. São apenas duas maneiras distintas de se atingir o Nirvana (aliás, a banda de Kurt Cobain já forneceu temas para o improviso jazzístico). Há músicos anfíbios, como Keith Jarrett. E um dos momentos mais curiosos de *Nelson Freire*, o documentário de João Moreira Salles, é quando o pianista inveja, maravilhado, a capacidade de Erroll Garner tocar sem partitura. Garner, claro, também teria muito o que invejar em Freire.

Mais interessante do que ressaltar a relação com a partitura, porém, talvez seja tirar disso conclusões, digamos, mais filosóficas. Ao se basear em um "texto escrito", a música clássica aponta para a eternidade de suas fontes; ao relativizá-lo, ou até ignorá-lo, o jazz aponta para a efemeridade de nossas vidas. Mesmo um compositor de vida tão breve quanto Franz Schubert (morto aos 31 anos) nos fala do perene. Mesmo um *jazzman* de vida tão longa quanto Dave Brubeck (falecido um dia antes de completar 91 anos, em dezembro passado) nos fala do fugaz. É da alma de suas artes.

Não existe — não pode existir — um show de jazz idêntico a outro, diferentemente do que se ouve hoje na esmagadora maioria do pop rock, por exemplo, no qual até os solos ao vivo são iguaizinhos aos registrados em disco. Os *jazzmen* em cima do palco podem ser os mesmos, mas as escolhas que fazem não são, e a correlação entre as escolhas cria algo diferente, quando não inteiramente novo. O acorde do qual Mehldau se esquiva para ouvir o solo do baixista Larry Grenadier. O leve roçar da escovinha do baterista Matt Wilson na caixa durante o solo da empolgada baixista Linda Oh, na apresentação do quinteto Sound Prints, de Lovano e Douglas. Detalhes que alteram o todo. Aquilo não esteve ali na noite anterior, aquilo não estará ali na noite seguinte.

O estupor do novato diante da prateleira de CDs de jazz é um reflexo comercial dessa efemeridade. A profusão de discos — com tantas releituras, tanto intercâmbio de músicos, tantas diferentes intervenções entre os mesmos músicos — é uma tentativa gloriosamente frustrada de correr atrás do tempo, de fixar o que os caras acabaram de fazer no palco ou no estúdio. Como o momento foi único, pensa-se, ele precisa ser registrado. Entretanto, sob certo aspecto, "disco de jazz" é oximoro, contradição em termos. Nisso reside a sua beleza e a sua tragédia, ou melhor, a beleza da sua tragédia. Apesar do ingresso nas altas rodas, o jazz nunca deixou de ser música de ex-escravos.

Ao compor sua peça mais famosa, *4:33*, John Cage propôs que o piano solo ficasse quieto durante esse tempo por ter sacado que um silêncio jamais se repete. As pessoas não tossem no mesmo ponto da "música", o vento sacode as folhas das árvores lá fora, o coração se descompassa. Nesse sentido, e só nele, é mais obra de jazz do que de música clássica. Acima de qualquer outro gênero, o jazz só existe de fato enquanto é tocado (não reproduzido). Para viver, ele precisa dos aplausos após os solos, do arrastar das cadeiras, do som do gelo tilintando nas paredes do copo de uísque.

Precisa até da fumaça do cigarro e do perfume barato da mulher que não estão, ambos, mais lá.

(14/6/2013)

COMUNICADO À PRAÇA

Posso sair do armário. O lançamento do CD *Cheek to cheek*, de Tony Bennett e Lady Gaga, permite-me confessar que há tempos monitoro com interesse as atividades de Stefani Joanne Angelina Germanotta. Agora, ela e Anthony Dominick Benedetto me apresentam um belo trabalho de jazz vocal, com tudo a que têm direito: o quarteto do cantor, orquestra de cordas, seção de metais e, aqui e ali, Joe Lovano no sax tenor.

Não é uma dupla tão improvável assim, a do elegante cantor de 88 anos e da performática diva pop de 28 anos. Em 1994, Bennett gravou um *MTV unplugged* cujos convidados eram Elvis Costello e k.d. lang. Com ela, dividiu o CD *A wonderful world*, em 2002. Tal como Sinatra, Bennett tomou gosto pelo formato dos duetos e gravou três álbuns com, entre outros, Sting, Bono, Amy Winehouse e Queen Latifah.

Duets II, de 2011, era aberto por "The lady is a tramp", com Lady Gaga. Foi nessa época que os dois começaram a pensar num álbum que apresentasse o público dela ao repertório de clássicos da canção americana (e, claro, a recomendasse ao público de Bennett). Aquela gravação da música de Rodgers & Hart é repetida, meio como bônus, em *Cheek to cheek*, recém-lançado pela Universal Music, inclusive no Brasil.

Das 18 faixas, 12 são duetos e há três momentos solo para cada um. O disco todo é uma delícia, mas escuto pontos altos em "Nature boy" e "Let's face the music and dance". Bennett decerto não tem mais a voz e o vigor que tinha, por exemplo, no consagrador *At Carnegie Hall*, 43 faixas gravadas de enfiada na noite de 9 de junho de 1962. Porém, se quase nove décadas de vida servem para algo é para decorar o caminho das pedras. Bennett continua arrebentando em "Anything goes" e "Firefly".

Gaga decerto não tem a voz das maiores cantoras da história do jazz, como Ella Fitzgerald ou Billie Holiday. Entretanto, sem os efeitos eletrônicos comuns em seus próprios CDs, não faz feio diante de outras cantoras do passado. Penso em Blossom Dearie enquanto escuto uma Gaga infantil na supracitada "Anything goes". Além disso, a cantora mostra afinidade com o repertório de standards em "Lush life", "Ev'ry time we say goodbye" e "Bewitched, bothered and bewildered", as três que encara sozinha.

Comecei a prestar atenção em Lady Gaga quando assisti na televisão ao *The Monster Ball Tour*, show de divulgação do EP *The fame monster*, de 2009, espécie de complemento ao primeiro álbum, *The fame*, do ano anterior. Comecei a ver de má vontade, achando que comprovaria a minha impressão inicial: a de que Gaga era apenas e tão somente uma imitadora de outra diva ítalo-americana, Madonna Louise Ciccone.

Eu estava enganado. Sim, jamais teria existido Lady Gaga se antes não tivesse existido Madonna (que tem o dobro de sua idade). Contudo, Gaga me apresentava algo além de seus figurinos estrambóticos no teste do palco. Ela cantava, de verdade, além de tocar piano (desde os quatro anos, descobri depois). Madonna nunca cantou bem assim, a não ser na excelente fase *Ray of light*, na qual parecia ter achado o lugar certo para sua pequena voz. Gaga tem mais a oferecer. "Dope", de *Artpop*, seu terceiro CD, lançado ano passado, é uma balada arrasadora sobre drogas. Faz-me pensar em "Hurt", do Nine Inch Nails, na voz de Johnny Cash. Aliás, o produtor é o mesmo, Rick Rubin.

A partir da minha epifania pop diante de *The Monster Ball Tour*, conforme escutava as músicas, assistia aos clipes e acompanhava as polêmicas *prêt-à-porter* de Lady Gaga, fui atinando outra coisa, sobre a qual, é claro, posso estar completamente errado. Mas o papel do crítico cultural é procurar chifre em cabeça de cavalo. Às vezes, calha de o bicho ser mesmo um unicórnio. Às vezes, é só um pangaré fantasiado. Acredito que Gaga está no primeiro caso. O CD com Tony Bennett me confirma isso.

Bem, a outra coisa que tenho pensado sobre ela nos últimos anos é a seguinte: parece-me que Lady Gaga mais parodia do que rivaliza com as "gostosonas" da música pop, como a própria Madonna, Beyoncé, Rihanna ou Katy Perry. Porque ela não tem nem o rosto nem o corpo bonitos, falta de atributos que seus figurinos exíguos — que estão mais para "disfarces" — apenas ressaltam. No caso de *Cheek to cheek*, Gaga faz a "gostosona" esparramada sobre uma mesa de bar, no encarte, e posa de

Cher, na capa. Tenho a impressão de que Lady Gaga ri do mundo no qual supostamente se insere.

Do mesmo modo, ao dar o braço a Bennett num álbum dedicado a standards de jazz, e uma objeção que se pode fazer é a absoluta ausência de surpresas no repertório, Gaga fala sério e apresenta uma outra faceta de sua saudável pretensão. Não me parece provável que tão cedo largue as perucas esquisitas e as turnês grandiosas — nas quais, diga-se, apresenta suas canções pop acima da média, irrelevante média — para sentar ao piano de uma uisqueria e deleitar senhores de meia-idade. Não teria por que fazê-lo. Porém, é bom agora ter a certeza de que ela poderia fazê-lo. Se quisesse.

(17/10/2014)

"CLAIR DE LUNE"

A sinestesia é uma condição neurológica na qual o estímulo a um dos sentidos involuntariamente ativa outro. A pessoa sente um cheiro e o associa a uma cor, por exemplo. Sinestesia também pode significar uma figura de linguagem que relaciona diferentes sentidos. Como tal, foi central na poesia simbolista, produzida sobretudo na França, por gigantes como Charles Baudelaire, Arthur Rimbaud e Paul Verlaine.

Um poema de Verlaine inspirou Claude Debussy a compor "Clair de Lune", a sua peça para piano solo mais popular, uma das quatro partes da *Suite bergamasque* (1890-1905). Os seus cinco minutos já foram arranjados para violão, violoncelo, órgão, quinteto de sopros, voz e orquestra, o diabo. Eu acreditava que nenhuma versão jamais chegaria perto da beleza diáfana do original. Até ouvir Kamasi Washington.

O saxofonista californiano de 34 anos me havia sido muito bem recomendado por Carlos Albuquerque, que o entrevistara para este jornal em julho, por conta do álbum triplo *The epic*. Recomendações do Calbuque são sempre quentes. Ouvi faixas do disco de Washington na internet, gostei, mas elas não me calaram fundo. Acontece. Nas últimas semanas, porém, aumentei a dosagem diária de jazz e voltei a *The epic*.

O álbum de 17 faixas se espraia por 173 minutos. Não é coisa que se digira de uma hora para outra, claro, mas o que Washington fez com "Clair de Lune" me escapara inteiramente. Não sei como. Agora, o resto de *The epic* cresce — e muito — à luz de seus onze minutos. Presenteei-me com o álbum (importado) do selo Brainfeeder em CD para sentir toda a potência do arranjo para banda de jazz, seção de cordas e coro, que inclui Thalma de Freitas, ex-Orquestra Imperial, radicada nos Estados Unidos desde 2012.

A "Clair de Lune" de Washington me arrebatou porque, de modo sinestésico, as imagens que suscita parecem explicitar coisas que eu vislumbrava no piano de Debussy. Decerto o poema de Verlaine já estabelecia um cenário noturno. "No calmo luar, triste e belo,/ Que faz os pássaros sonharem nas árvores/ E as fontes soluçarem em êxtase,/ Os grandes jatos d'água se insinuam entre os mármores", diz a última das três estrofes. Debussy traduziu estas imagens em pianíssimos e mudanças de tom.

Há quem veja na música um luar momentaneamente encoberto por nuvens que passam. "Clair de Lune" sempre me fez imaginar — imaginar é pensar por imagens — em algo um pouco mais específico. A Lua e as nuvens podem estar lá em cima, ok, mas enxergo coisas aqui em baixo. Pessoas se dispersando depois de um enterro, alguém saindo do bar e voltando para casa sozinho, tropas se retirando depois de uma batalha cruenta. Gradações de derrota. Ao transformar "Clair de Lune" quase numa daquelas músicas tocadas nos cortejos fúnebres de Nova Orleans, Washington aparentemente enxerga algo parecido. Seu arranjo tem o mesmo clima de fim de noite. Ou de vida.

Começa com o piano de Cameron Graves seguindo Debussy. O baixo acústico de Miles Mosley faz a passagem para a entrada conjunta do trombone de Ryan Porter e do sax tenor do próprio Washington, que solam nessa ordem e alternam o tema principal com intervenções do pianista e do baixista. Por toda a música, o órgão de Brandon Coleman e a bateria de Tony Austin fazem um trabalho extraordinário. Cordas e coro (apenas "óóóóó" ou "ááááá") acentuam passagens emocionais.

Como tanto imagens quanto referências são inteiramente subjetivas, a "Clair de Lune" de Washington me remete a outra peça "lunar": "The great gig in the sky", do álbum *The dark side of the Moon* (1973), do Pink Floyd. Fica a expectativa de que a cantora Clare Torry surja a qualquer momento rasgando com seu antológico *scat*. Não surge, mas fica no fundo da cabeça, esperando uma deixa. Há muitas outras referências suscitadas pelas demais faixas do esmagador *The epic*, em especial para quem, como eu, cultue Gil Evans, John Coltrane, Albert Ayler e Marvin Gaye.

Este primeiro trabalho de Washington teve uma recepção curiosa nos Estados Unidos. Na 80ª eleição do "álbum do ano" para os leitores da revista de jazz *DownBeat*, cujo resultado saiu na edição de dezembro, *The epic* pegou a quinta colocação, com 320 votos. O vencedor foi outro triplo, de apresentações ao vivo do pianista Chick Corea com o baixista Christian McBride e o baterista Brian Blade (480 votos). O vice ficou com o disco de Tony Bennett e Lady Gaga, que comentei em outubro de 2014 (437).

Contudo, como não ganhou resenha da *DownBeat*, o álbum ficou de fora da lista de "melhores de 2015" publicada na edição de janeiro, já disponível. Washington mereceu um perfil em julho e olhe lá. Fico sopesando as razões. Sim, ele pode não ser um renovador do jazz, o messias que surgiu nos clubes de Los Angeles para salvar almas do tédio. Não, ele não pode ser ignorado como um cara que insufla ânimo a um gênero que, como tantos outros, parece acomodado ao papel de música de fundo. Não é possível ouvir — realmente ouvir — *The epic* fazendo qualquer outra coisa.

(4/12/2015)

A TEMPESTADE

Maria acaba de se tornar governanta dos Von Trapp, em Salzburgo, anos 1930. Estoura uma tempestade de trovões, alegoria para os nazistas lá fora. Assustadas, as crianças se abrigam no quarto dela. Maria lhes oferece uma canção: "Raindrops on roses and whiskers on kittens/ Bright copper kettles and warm woolen mittens/ Brown paper packages tied up with strings/ These are a few of my favorite things..." Gotas de chuva, rosas, gatinhos, chaleiras de cobre, uma série de imagens reconfortantes, coisas que aquecem e apaziguam os corações. "My favorite things" ganhou mundo com o filme *A noviça rebelde* (1965), de Robert Wise, no qual Julie Andrews dava graça a Maria.

Selma é uma operária quase cega que aguarda cumprimento de sentença por ter matado um policial no estado de Washington, nos anos 1960. Ela tentara reaver dinheiro furtado, dinheiro que poderia evitar que o filho pequeno desenvolvesse a mesma doença oftalmológica, mas o sistema judicial dos Estados Unidos é implacável com uma pobre imigrante tchecoslovaca. Selma encontrava consolo em musicais e começa a cantar "My favorite things" na cela. Primeiro soluça e depois se anima até dar saltos em cima da cama. O diretor de *Dançando no escuro* (2000), Lars von Trier, jamais foi acusado de sutileza, mas a cena é poderosa, inclusive pelo desempenho vocal e dramático da fofa Björk.

Com melodia de Richard Rodgers e letra de Oscar Hammerstein II, "My favorite things" foi composta para o musical *The sound of music*, que estreou na Broadway em 1959. É o que os americanos chamam de *list song*, canção cujos versos formam, no todo ou em parte, uma lista. A mais famosa talvez seja "You're the top", de Cole Porter. No Brasil, "Águas de março", de Tom Jobim, é outro belo exemplar. "My favorite things" pertence também a outro grupo, nunca batizado, mas que vou chamar aqui de canção ou música amuleto. É aquele negócio: "Quando o cão morde/ Quando a abelha pica/ Quando estou triste/ Eu simplesmente lembro de minhas coisas favoritas..."

Antes de Julie Andrews cantá-la nas telas, o jazzista americano John Coltrane já havia pegado a melodia de Rodgers, tocado no sax soprano e transformado em mantra instrumental. Gravou-a no álbum *My favorite things* (1961), num quarteto com o pianista McCoy Tyner, o contrabaixista Steve Davis e o baterista Elvin Jones. Depois, ela foi tocada e regravada ao vivo com frequência, embora não por muito tempo: o genialíssimo Coltrane morreu cedo, seis anos depois, aos 40 de idade, de câncer no fígado. Porém, "My favorite things" está presente em tantos de seus álbuns que muitos fãs se referem a ela com familiaridade, apenas pelas iniciais, MFT. Eles ainda discutem qual a melhor versão, mais um daqueles exercícios inúteis e deliciosos.

À parte a singularidade da gravação de estúdio (e seus treze minutos de duração), o consenso sobre a melhor "My favorite things" registrada por Coltrane tende a flutuar entre a do Festival de Jazz de Newport em 1963 (17 minutos) e a do mesmo festival dois anos depois (15 minutos). Mais aquela, com o leve Roy Haynes, do que esta, com o robusto Elvin Jones nas baquetas. Ambas têm Jimmy Garrison no baixo. Originalmente lançadas em dois LPs diferentes, as duas versões foram reunidas a três outras músicas num único CD remasterizado em 2007, *My favorite things: Coltrane at Newport*.

A exploração do saxofonista pela música às vezes durava muito mais tempo do que nas três versões antológicas mencionadas no parágrafo acima. Há inclusive uma de 57 minutos, gravada num auditório de Tóquio, em 1966. Os maldosos podem dizer que só japoneses — ou nipófilos, como eu — teriam paciência para uma "My favorite things" de quase uma hora. Talvez, mas vibro de antecipação já a partir da exploração inicial de Garrison. São quinze minutos de contrabaixo solo antes de Alice Coltrane entrar ao piano. Além do marido e dos dois, completam a formação o baterista Rashied Ali e o polêmico saxofonista Pharaoh Sanders. Não se trata, portanto, de uma versão para ouvidos fracos.

Claro, como tudo na vida, não importa o tamanho e sim o prazer proporcionado. "My favorite things" dava imenso prazer a Coltrane porque a aparente simplicidade da melodia servia à criação de infinitos climas. Dependia do seu estado de espírito, da interação entre os músicos, da receptividade da plateia. Numa palavra: jazz. "É minha música favorita dentre todas as que gravei", declarou ao crítico francês François Postif, em 1962. "Essa valsa é maravilhosa: quando você toca devagar, ela tem um elemento gospel (...), quando toca rápido, tem outras inegáveis qualidades." Por inegáveis qualidades, Coltrane talvez quisesse dizer também que, nas repetições da melodia, na troca entre os modos maior e menor, "My favorite things" fala de duas coisas. Não em sequência. Simultaneamente. Desesperança e esperança. Isto é, troços ruins vão continuar a acontecer, tipo Trump, mas sempre teremos nossas coisas favoritas.

(11/11/2016)

MARY NA GUITARRA

Arqueólogos descobriram, durante escavações na Grécia, ânforas adornadas por figuras de homens cujos pênis eretos se pareciam notavelmente com guitarras elétricas. Li essa maluquice em um texto dos anos 1960, que assim "explicava" a idolatria das menininhas por Beatles e Rolling Stones. O redator esqueceu-se de dizer se os falos tinham a forma de Fenders Stratocaster ou de Gibsons Les Paul.

Porém, num sentido figurado, a adoração de alguns instrumentistas pelo próprio desempenho na guitarra tem, com certeza, um caráter onanista. Quem quer que tenha visto/ouvido um Joe Satriani, um Steve Vai ou um Yngwie Malmsteen se apresentando — às vezes juntos, céus! — percebe que longos solos de guitarra podem se assemelhar a uma sessão de masturbação. Importa o tamanho, não o prazer que eles proporcionam.

Mesmo se descontarmos as ânforas fálicas e os heróis do rock, a guitarra como instrumento solista tende, historicamente, a congregar um Clube do Bolinha. Ou das Bolinhas. A categoria "mulheres guitarristas de jazz" na Wikipedia remete a páginas de apenas onze musicistas. Destas, a única que escutei foi a falecida Emily Remler. Já a categoria "homens guitarristas de jazz" remete a duzentas páginas e menciona o total de 412.

A escassez de mulheres guitarristas decuplicou-me a curiosidade ao descobrir, na edição de agosto da revista de jazz *DownBeat*, boa parte dedicada à 65ª votação anual dos melhores segundo a crítica, que uma delas havia conquistado quatro prêmios: guitarrista, jazzista revelação, grupo revelação de jazz e compositora revelação.

O nome da moça é Mary Halvorson. Nasceu em 1980, numa cidade da Grande Boston. Não estudou em Berklee, fábrica de salsichas local, e sim na quase bicentenária Wesleyan, em Middletown. Desenvolveu um estilo que, conquanto pessoal, se amolda aos projetos nos quais se envolve. Toca sozinha, em duos, com seu trio, num quarteto de John Zorn, com seu próprio quarteto (o Reverse), com seu quinteto, com o septeto, o octeto, numa banda punk-funk de Marc Ribot (a Young Philadelphians) e ainda canta num trio de pós-rock batizado singelamente People. Cansou da enumeração? Ela não.

Um de seus professores foi o saxofonista de vanguarda Anthony Braxton, hoje com 72 anos. Como integrante do quarteto dele, Halvorson esteve em São Paulo, para dois concertos no Sesc Pompeia, em 2014. As noites foram registradas num álbum duplo, da série Jazz na Fábrica, do próprio Selo Sesc. Uma longa peça em cada CD, com títulos tipicamente braxtonianos, "Composition nº 366d" e "Composition nº 367b".

Shows adentro, como era de esperar em se tratando de free jazz, do meio do aparente caos emergia uma luz harmoniosa, Halvorson respondendo por alguns dos momentos mais líricos. Esta, aliás, uma das características que vim a admirar nela. Se o saxofonista Kamasi Washington, o "jazz last thing", cativou os fãs com o vigor e a exuberância de seus arranjos para composições próprias e standards, Halvorson é toda sutileza e intimismo, até quando envereda pelos cantos mais cabeçudos da vanguarda.

O disco que gerou o atual auê se chama *Away with you* e foi lançado nos Estados Unidos, no ano passado, pelo selo independente Firehouse 12. Nele, Halvorson está no octeto — do qual fazem parte a saxofonista Ingrid Laubrock e a *pedal steel* guitarrista Susan Alcorn — e toca oito composições próprias, tituladas e numeradas à moda de Braxton. Entende-se o entusiasmo do colégio eleitoral da *DownBeat* pela guitarrista e pelo grupo. Halvorson obtém uma liga bem-proporcionada entre a tradição do jazz e a sua imaginação, tanto numa faixa que aspira ao rock dos anos 1950 ("Away with you") quanto numa balada sombria, levada no trompete de Jonathan Finlayson ("Fog bank").

Tenho escutado bastante, também, um trabalho anterior, *Saturn sings*, de 2010, do Mary Halvorson Quintet. É menos palatável que o disco do octeto, principalmente na estranheza harmônica privilegiada pela guitarrista. Li até gente dizendo que ela desafinava. Li entrevistas na qual ela citava Jimi Hendrix como grande influência. No entanto, o primeiro nome que me veio à cabeça foi o de Robert Fripp, do grupo de rock progressivo King Crimson, na sua fase meio new wave, primeira metade dos anos 1980. Contudo, fosse qual fosse a inspiração de Mary Halvorson, *Saturn sings* já tinha a salutar pretensão de levar o jazz aonde nenhuma mulher — ou homem — jamais esteve.

(11/8/2017)

JACO, 30 ANOS DEPOIS

Na noite de 28 de setembro de 1991, três amigos jornalistas se reuniram em um apartamento no Largo do Machado. Silenciosamente, copos de uísque à mão, escutaram discos de Miles Davis. Em muitos deles, o trompete já parecia vir de outra dimensão, afastado do microfone para que as pessoas nos clubes de jazz prestassem atenção. Os aparelhos que mantinham Miles vivo haviam sido desligados horas antes, após dias de um coma provocado por derrame, pneumonia e falência pulmonar. Ele tinha 65 anos.

A morte de um artista sempre renova o interesse pela sua obra. No caso de músicos, discos experimentam picos de vendagem, batem recordes de *downloads* ou no *streaming*. Não me lembro se aquela noite, em torno de Miles, foi a minha primeira cerimônia fúnebre-musical. Desde então, porém, inúmeras vezes botei CDs de gente recém-falecida para tocar. Nos últimos meses, Chris Cornell, Luiz Melodia, Wilson das Neves. Modo de dar uma banana para a morte, de dizer "dane-se, eles continuam aqui".

Faço o mesmo em aniversário redondos. Em setembro de 1987, morreu outro gênio do jazz, Jaco Pastorius. No dia 11, o baixista tentou entrar numa boate na Flórida. Ele estava alterado, depois de ter sido expulso de um show de Santana, e teve a entrada negada. Jaco reagiu, quebrou uma porta de vidro e foi espancado pelo segurança faixa-preta de caratê. Com fraturas no rosto e no braço esquerdo, ele foi internado em Fort Lauderdale. Morreu dez dias depois, de hemorragia cerebral. Ele tinha 35 anos.

No texto para a edição remasterizada do primeiro álbum solo de Jaco, de 1976, seu amigo Pat Metheny escreveu que o baixista fora um dos raros casos a ultrapassar as fronteiras do jazz, tornando-se influente em outros estilos — e que o caso precedente era o de Miles Davis. Metheny não está errado, mas talvez a saudade o tenha deixado muito rigoroso. Seria razoável argumentar que ele próprio, além de Keith Jarrett e Wynton Marsalis, para citar três jazzistas vivos, também atingiram outros públicos.

Tenho escutado muito Jaco, conforme se aproxima o 30º aniversário de morte. Há que fazer, dadas as circunstâncias particularmente estúpidas em que ela aconteceu, um esforço para não deixar que apague a energia vital de sua música. Seria render-se ao clichê do músico autodestrutivo, seria deixar a vida breve prevalecer sobre a longa arte. Penso, então, no apelo lamentoso que Dido faz, numa ópera de Purcell, antes de se suicidar porque Eneias a deixou: "Lembre-se de mim, mas, ah, esqueça o meu destino!"

Uma vez que se escuta Jaco tocar é impossível esquecer. São espantosas a rapidez, a precisão e a criatividade com que ele passeava os dedos pelo baixo elétrico sem trastes. Não se trata da impressão de que há mais de um baixista tocando: trata-se da impressão de que há uma *big band* inteira tocando. Aliás, o seu melhor álbum solo, *Word of mouth*, de 1981, foi gravado com uma *big band* que incluía, entre outros, Herbie Hancock e Wayne Shorter. Na verdade, o gaitista Toots Thielemans é tão presente que o disco bem poderia ter sido creditado a um duo Jaco-Toots. O que os dois fazem com "Blackbird", de Lennon & McCartney, é simplesmente maravilhoso.

O fato de a faixa anterior ser um arranjo para "Fantasia cromática e fuga", de Bach, ressalta o apetite do baixista. Como não havia fronteiras para sua inspiração, é justo que, como aponta Metheny, não haja fronteiras para sua influência. A fagulha, no entanto, veio do soul. É dele o suingue sísmico de Jaco. A segunda faixa do primeiro LP, chamada "Come on, come over", por exemplo, tinha a sintomática participação dos *soulmen* Sam & Dave, do velho sucesso de duplo sentido "Hold on, I'm coming".

Jaco tocou no primeiro disco de Metheny, *Bright size life*, também de 1976. Jaco participou de trabalhos dos brasileiros Airto Moreira e Flora Purim. E embora nunca tenham se encontrado, ao menos que eu saiba, o seu estilo me lembra o do nosso craque Jamil Joanes, da Banda Black Rio e de infinitas gravações com grandes da MPB. Há, nos dois, uma trama inextrincável entre o ritmo, a harmonia e a melodia.

Jaco tocou com Joni Mitchell. Jaco fazia parte da superbanda de jazz-rock Weather Report quando ela explodiu com "Birdland", do álbum *Heavy weather*, de 1977. Aquilo que ali parece uma guitarra elétrica é o baixo elétrico de Jaco, agudo e veloz. Um nome ao qual o dele é relacionado frequentemente, inclusive pelo estilo de se vestir, é o de Jimi Hendrix. Dois extraterrestres. Dois loucos que pensavam seus instrumentos de maneira orquestral. Dois caras que desencarnaram cedo demais.

(1º/9/2017)

O CELACANTO SERELEPE

Viena, 7 de maio de 1824. Maracanãzinho, 29 de setembro de 1968. Woodstock, 18 de agosto de 1969. Estas são três coordenadas que eu programaria na minha máquina do tempo. Três dos momentos na história da música que eu gostaria de ter presenciado. Três momentos de reconhecimento, incompreensão e gênio. Completamente surdo, Beethoven a princípio não percebe a ovação que sua Nona Sinfonia recebe da plateia. Cynara e Cybele são vaiadas ao cantar "Sabiá", de Tom Jobim e Chico Buarque. Jimi Hendrix toca o hino nacional americano extraindo silvos e explosões de sua guitarra.

Há outras datas que me fascinam desde (quase) sempre, nem todas tão evidentemente importantes. Entre elas, estão as da temporada que o saxofonista Dexter Gordon fez no clube Village Vanguard, em Nova York, em dezembro de 1976. Comprei meu primeiro LP dele, na Copadisco, não muito depois disso, após ler uma resenha de Roberto Muggiati, na revista *SomTrês*. Dos três LPs elogiados, escolhi *Manhattan Symphonie* porque abria com "As time goes by", tema do filme *Casablanca*. Foi o meu segundo LP de jazz. O primeiro tinha sido *You must believe in spring*, do pianista Bill Evans, porque fechava com "Suicide is painless", tema de *M*A*S*H*. Para um adolescente, conhecer de antemão as melodias ajudava na fruição das versões.

Em 1976, Gordon estava se apresentando nos Estados Unidos pela primeira vez em catorze anos. Na ocasião, ele ainda vivia em Copenhague, depois de morar em Paris. Tinha gravado grandes LPs na Europa, a maior parte pelo selo dinamarquês SteepleChase. A ausência não diminuíra seu prestígio no país em que nascera. Pelo contrário. Velhos fãs e novos entusiastas disputaram no braço os ingressos para dois concertos no Storyville e, em seguida, no Village Vanguard, numa temporada de duas semanas. Afinal, ele era o cara que tinha influenciado o estilo inicial de John Coltrane e de Sonny Rollins. Só isso. Para aquela audiência nova-iorquina, ver Gordon ao vivo era mais ou menos como testemunhar a apresentação voluntária de um celacanto serelepe ao Seaworld.

Como eu queria ter estado lá... Na falta da máquina do tempo, há o álbum duplo *Homecoming – Live at the Village Vanguard*, gravado pela CBS em duas noites da segunda temporada no clube, 11 e 12 de dezembro de 1976. Passei anos atrás de um exemplar usado em CD, mas hoje o álbum está disponível em sites de streaming. No encarte que tornava o disco físico atraente, fiquei sabendo que estiveram presentes em algum momento daquela segunda semana no Village, entre outros, Art Blakey, Horace Silver, Cecil Taylor, John McLaughlin, Yusef Lateef e Charles Mingus, que tocara com Gordon no ensino médio. No palco, além do saxofonista, o trompetista Woody Shaw, o pianista Ronnie Mathews, o baixista Stafford James e o baterista Louis Hayes. Só feras.

O quinteto ressurge, no álbum, tocando dez músicas vibrantes, nenhuma com menos de onze minutos de duração. Tempo adequado para que Gordon, então aos 53 anos, exiba o seu domínio técnico e emocional do sax tenor. Exiba, não. Mostre. O homem era elegante demais para se exibir. O estilo era uma depuração das influências primordiais: o explosivo Charlie Parker, o *big bang* do *bebop*, ainda hoje o estilo que se confunde com o jazz inteiro, e o discursivo Lester Young, que não se separava dos discos de Frank Sinatra para sacar as letras das músicas que iria tocar. O júbilo de Gordon pelas boas-vindas é audível. As baladas são sempre românticas, nunca melancólicas. Como em "Fenja", escrita para sua mulher, ou em "Body and soul". No meio dos temas mais rápidos, o saxofonista enfia citações surpreendentes e engraçadas.

Se há um ótimo álbum registrando trechos de duas das noites de 1976 no Village Vanguard, por que acalentar o desejo inatingível de ter estado lá? Porque um registro de um show não é o show, obviamente, e porque Gordon era, além de um músico brilhante, um homem carismático. Negro de 1,98 metro de altura, tocava o sax tenor, mas falava num barítono suave, quente. O cinema percebeu tardiamente esse magnetismo todo e o escalou como protagonista de 'Round midnight, do francês Bertrand Tavernier, apenas em 1986, quatro anos antes de sua morte. Interpretando Dale Turner, sofrida mistura ficcional de Lester Young e Bud Powell, Gordon foi indicado ao Oscar de melhor ator. O *jazzman* perdeu injustamente para Paul Newman em *A cor do dinheiro*, cujo diretor, Martin Scorsese, fazia uma ponta em 'Round midnight.

A música-título do filme de Tavernier, standard do pianista Thelonious Monk, gênio no negócio, fazia parte do repertório tocado no Village Vanguard. Poucos temas representam tão bem aquele sentimento caro ao jazz: é tarde, mas a gente continua na rua, esperando que um calhambeque nos dê carona para outro tempo e outro lugar.

(15/6/2018)

O JAZZ MILITANTE

Vijay Iyer. O nome já tinha surgido numa daquelas indicações algorítmicas na internet. Tipo "se você gosta de Keith Jarrett, vai gostar de..." Ignorei. Não faço fé em associações automáticas assim. Porém, o pianista americano foi referendado de outra forma, mais crível, no final de julho. É quando começa a circular o exemplar de agosto da revista *DownBeat*, que traz os resultados da votação de melhores do ano segundo a crítica especializada. A revista existe desde 1934. A votação, desde 1952.

Na capa, estava ele: Vijay Iyer, ganhador nas categorias "artista de jazz" e, com o seu sexteto, "grupo de jazz" do ano anterior. Ok, nem a *DownBeat* acerta todas, é do ofício da imprensa. O CD triplo *The epic*, do hoje cultuado saxofonista Kamasi Washington, por exemplo, não ganhou nem resenha quando saiu. Mas, no ano passado, graças à edição de agosto, descobri a guitarrista Mary Halvorson, que levou quatro prêmios na votação. Não me decepcionei. Iyer finalmente mereceria uma chance.

O álbum pelo qual Iyer, de 46 anos, ganhou capa e dois prêmios se chama *Far from over* e foi lançado no exterior pelo conceituado selo alemão ECM — o mesmo de Jarrett, por sinal — no final de agosto de 2017. Lembrou-me Jarrett... Até um minuto primeira faixa adentro. É quando o trio formado por Iyer, pelo contrabaixista Stephan Crump e pelo baterista Tyshawn Sorey ganha o peso da seção de sopros do trompetista Graham Haynes, do altoísta Steve Lehman e do tenorista Mark Shim. O sexteto completo, então, torna "Poles" uma exploração quase livre. *Bye, bye*, Jarrett.

Dali em diante, há um bocado de coisas em *Far from over*, coisas unificadas pela visão firme de Iyer, professor de música em Harvard, e de seus talentosos *sidemen*. Há hardbop (na faixa-título e "Good on the ground"), levada funky ("Nope"), vinheta semieletrônica ("End of tunnel"), balada ("For Amiri Baraka"), climão ECM ("Wake"), tristeza clássica, meio Debussy ou Satie, tristeza que explode numa revolta jazzística ("Threnody"). O nome do CD deriva de algo que Iyer escreve no encarte: "Lutas locais e globais por igualdade, justiça e direitos humanos básicos estão longe de terminadas."

Não deve causar estranheza o engajamento social no jazz instrumental, apesar de ele ter se tornado uma arte que, ao redor do planeta e de copos de uísque, tende a atrair homens brancos de meia-idade e classe média (como eu). Basta recordar a história desse gênero musical dos negros americanos. Sua existência já é um pronunciamento político: o jazz disse "eu sou foda" — e de modo mais elegante — antes do rap. Filho de imigrantes indianos da etnia tamil, e com muitos alunos negros filhos de imigrantes africanos, Iyer não tinha como ser insensível a questões sociais nos Estados Unidos e no mundo.

Ele gosta de enxergar em sua música, sobretudo a de *Far from over*, uma forma de resistência, "uma insistência em dignidade e compaixão, uma recusa em ser silenciada". Existem tantas maneiras de romper o silêncio quanto vozes, mas a desse sexteto multirracial é das mais emocionantes que ouvi nos últimos tempos. E quanto tempo perdi sem ouvi-lo... Este já é o 22º álbum do pianista como líder.

(31/8/2018)

MÚSICA FÚNEBRE

Não me chamo nem Ismael, nem Estevão, nem Gabriel, nem coisa parecida. Quem leu os livros certos saberá a quem me refiro. Mas chega um momento em que o desejo sublimado de sair às ruas e socar as pessoas me lança num tal estado de espírito que, longe de embarcar em caça à baleia branca ou de escrever romances *noir*, me quedo, embasbacado, a ouvir música fúnebre.

Só ela eleva-me o espírito e abaixa-me a pressão. Talvez — e só racionalizo isso agora, a custa de três Guinness em lata — seja porque a morte nos ronda mesmo sem que ninguém ou que nada morra perto da gente, ao menos não inteiramente. Parece apenas um chavão sentimentaloide, ou celular-biológico, mas acho mesmo que um pedaço de nós morre a cada dia, morre diante da absurda impossibilidade da paz de espírito, do time do Botafogo, do segundo Governo FH, da oposição consequente, da segmentação dos mercados, morre e, simplesmente por morrer, exige uma pequena liturgia, ainda que apenas e tão somente uma liturgia musical. Morre a exigir Mozart e Chopin.

Não há aqui nenhum coelho na cartola. Quando escrevo lá em cima "música fúnebre" não tenho a oferecer muito mais além do óbvio ululante, não muito mais além do "Réquiem" (1791), de Mozart, ou da "Marcha fúnebre" (1837), de Chopin, embora a "Sinfonia da réquiem" (1941) ou o "Réquiem de guerra" (1961), ambas de Britten, também não façam feio nos meus mais horrorosos momentos. Mas, como evitar?, é a Mozart e Chopin que recorro mais amiúde.

Provavelmente você ouviu a missa dos mortos de Mozart pela primeira vez como eu: no magnífico filme *Amadeus*, de Milos Forman, de 1984. Eu tinha 20 anos e naquele velho e íntegro Roxy — o Maracanã dos nossos cinemas, depois fatiado em três ruas Bariri — senti o mesmo que o enciumado Salieri (F. Murray Abraham), posto, numa licença poética de rara eficiência dramática, a tomar o ditado do moribundo Mozart (Tom Hulce): aquilo, os trechos do "Réquiem", era a própria voz de Deus.

Pouca diferença fez quando, pouco depois, tomei conhecimento da polêmica em torno do grau de autenticidade da peça: Mozart foi ao encontro do Dono da Voz antes de completar a obra, sendo enterrado numa vala anônima, e ela afinal foi concluída por seu discípulo Franz Xaver Süssmayr. Nunca ninguém estabeleceu de forma indiscutível o quanto de Mozart ou o quanto de Süssmayr há no "Réquiem". Porém, a primeira das cinco versões da missa que adquiri nos últimos 15 anos, a de Chistopher Hogwood à frente da sua Academy of Ancient Music, do mesmo ano de 1984, comprada em forma de LP bem ali ao lado do Roxy, na Copadisco, pretendia, ao adotar a edição de Richard Maunder, expurgar Süssmayr e se ater ao "autêntico" Mozart. Foi essa versão que me arrebatou definitivamente e elevou-me o espírito na era pré-CD. Hoje, prefiro a de Karl Böhm à frente da Sinfônica e do Coro da Ópera Estatal de Viena, gravada em 1956, continente de um "Tuba mirum", pelo baixo Kurt Böhme, que realmente desce do céu.

Assisti uma única vez a uma apresentação do "Réquiem". Na igreja da Madeleine, Paris, em 29 de setembro de 1992, com um certo Richard Boudarham regendo uma Orchestre Symphonique Amadeus e um Ensemble Polyphonique de Versailles. Ignoro a qualidade dos intérpretes, suspeitando que não seja muita, mas aquela missa em ré menor, naquela igreja, me abriu um túnel do tempo — e me constrói uma ponte para o próximo parágrafo.

Foi lá na Madeleine que se celebrou a missa de corpo presente de Chopin, em 30 de outubro de 1849. A música? Sim, foi o "Réquiem", de Mozart, antecedida por um arranjo orquestral para a "Marcha fúnebre", do próprio falecido. Ao pensar nisso, ali mesmo, um mês antes de se completarem 143 anos, como que vi o corpo de compositor polaco diante do altar e refiz mentalmente o seu trajeto da igreja ao cemitério do Père-Lachaise, poucos quilômetros a nordeste, onde foi enterrado entre Bellini e Cherubini, em sepultura que eu já visitara anteriormente. É, sou do tipo que visita cemitérios nas férias.

Se a música fúnebre de Mozart é inflamada, extrovertida e grandiosa, a de Chopin é melancólica, introvertida e delicada. Funciona do mesmo jeito. À maneira das nossas avós: o que arde, cura; o que aperta, segura; e o que entristece, consola. Sua "Marcha fúnebre" foi concebida como peça independente. Depois, em torno dela, Chopin compôs a segunda (em si bemol menor) de suas três sonatas para piano, concluída em 1839. Nela, cercada por movimentos mais vivazes, a marcha se destaca com indizível beleza. A gente conhece desde sempre aquele solene tã-tã-tã-rã tã-tã-tã-tã-tã-tã-tã tã-tã-tã-rã que abre e fecha a "Marcha fúnebre" e com ela se confunde. Contudo, o que está no miolo da peça é, não há outra palavra, sublime.

A gente, aqui, na eterna felicidade deste país tropical bonito por natureza, não tem o costume de associar tristeza a beleza. "Tempo bonito" é sinônimo de "dia de sol", a despeito do fato de que nuvens negras tapando a luz no céu azul batem um bolão estético. Sou daqueles poucos que, como diria o Jesus & Mary Chain, fico "happy when it rains", feliz quando chove. Sim, há maravilhosa música fúnebre, por assim dizer, não clássica. A vinheta "The end", dos Beatles, é um tremendo réquiem: "E no final/ O amor que você leva/ É igual ao amor que você faz." De Chico Buarque, "Pedaço de mim" também é uma missa inteira em três, quatro minutos.

Mas, acredite, quando você sente ganas de fazer uma besteira raivosa, chutar um pitbull na rua, assobiar para a namorada de um jiu-jiteca, amigo, nada, absolutamente nada, se compara a Mozart, ou Chopin, ou Britten.

(26/3/1999)

ARTE E GENEROSIDADE

Há um teste embutido no filme *Nelson Freire*. Ele ajuda o espectador a descobrir se consegue ou não, como dizem os psicoterapeutas, entrar em contato com seus próprios sentimentos. A sequência é a seguinte.

Para explicar sua paixão musical pela colega Guiomar Novaes, o pianista põe no aparelho de som um trecho dela tocando uma melodia de Christoph Willibald Gluck (1714-1787). Pouco a pouco, a gente repara que os seus olhos se enchem de água. Ele, tímido, tenta disfarçar, em vão. Corta para o próprio Freire tocando a mesma peça, em São Petersburgo e no Rio. Dessa vez, quem congela de beleza é a plateia. Um senhor russo de longas barbas brancas fecha os olhos para ouvir melhor.

Eu diria que não compartilhar um tiquinho que seja das discretas lágrimas de Freire ou da comoção reverente dos espectadores é sintoma da necessidade de assistência. Este é, parece-me, o ponto alto emocional dessa estreia de hoje em salas cariocas e paulistanas, primeiro documentário de João Moreira Salles para o cinema, a partir de argumento do jornalista Flávio Pinheiro e sobre roteiro dos dois e de Felipe Lacerda, codiretor de *Ônibus 174*. É um ponto alto, lógico, já a partir da peça musical: a seção central da lenta "Dança dos espíritos abençoados", da ópera *Orfeu e Eurídice*, com estreias em 1762 (em Viena, na versão italiana) e em 1774 (em Paris, na versão francesa).

O solo de piano para o qual a melodia foi transcrita por Giovanni Sgambati (1841-1914) entristece-a um bocado, realçando-a. Na ópera, o trecho tocado pelos dois brasileiros fica a cargo de uma flauta. No seu libreto, escrito por Rainieri de Calzabigi, a tal dança é executada no Vale dos Bem-Aventurados, no Hades, onde, graças à beleza de sua música, capaz de comover até as Fúrias, Orfeu consegue ingressar para buscar Eurídice e trazê-la de volta ao mundo dos vivos, por especial deferência de Zeus, sensibilizado por Cupido. Há, contudo, duas condições. A primeira é que o herói não olhe para sua amada antes de sair do reino dos mortos, cruzando o Rio Estige, senão ela morrerá de vez e para todo o sempre. A segunda, mais cruel, é que ele não pode revelar-lhe a primeira.

Essa história de amor e generosidade, linda e triste como poucas, inspira a Humanidade quase desde que o mundo é mundo. Na segunda metade do século XX, rendeu, por exemplo, a peça *Orfeu da Conceição*, de Vinicius de Moraes (1956, marco inicial de sua parceria com Tom Jobim), onde a ação foi transposta do Hades da mitologia grega para os morros do Rio de Janeiro. A peça, por sua vez, serviu de base aos filmes de Marcel Camus (1959, Palma de Ouro em Cannes) e de Cacá Diegues (1998).

A ópera de Gluck já era, ela mesma, um ato, ou melhor, três atos de generosidade. Entre a primeira e a segunda versão de sua *Orfeu e Eurídice*, ele fez um célebre prefácio à primeira edição impressa (1769) para outra ópera, *Alceste*, no qual externou ideias que decerto já estavam na sua cabeça cinco anos antes. "Quando empreendi a tarefa de compor a música para *Alceste*, decidi despojar inteiramente a música dos abusos com que a vaidade dos cantores, ou a excessiva complacência dos compositores, vem há tanto tempo desfigurando a ópera italiana, transformando o mais belo e esplendoroso dos espetáculos no mais ridículo e cansativo", escreveu. (Uso a tradução de Clóvis Marques para *Kobbé*, publicado no Brasil pela Jorge Zahar Editor.) Posta em prática, sua proposta de "ópera reformada" gerou celeuma similar à criada por Wagner, no século seguinte.

No prefácio, Gluck sintetizou ainda sua estética: "O sucesso da obra (...) tornou evidente que a simplicidade, a verdade e a naturalidade são os grandes princípios da beleza em todas as manifestações artísticas." O compositor germânico criticava, na complexidade, na mentira e no artificialismo das óperas de sua época, a autoindulgência masturbatória de tempos em tempos observável em qualquer forma de arte. Mais cedo ou mais tarde, isso acaba gerando uma reação — ou uma revolução — que a reconcilia com seus próprios sentimentos, normalmente na onda do "de volta ao básico".

Foi assim com o rock em meados dos anos 70, quando as principais bandas pesadas e progressivas estavam *se achando* e levaram uma rasteira dos punks. Ao sair das mansões e voltar para as ruas, o gênero seguiu adiante, vivo como nunca. Não mais uma escada para o paraíso, mas uma descida aos infernos (como Orfeu) para depois poder dizer "eu sou o homem, eu sofri, eu estive lá" (como Walt Whitman, se não me falha a memória). Hoje, mais uma vez, e não só na música, vivemos uma fase de dicotomia entre arte e sentimento.

Conversando sobre isso com um amigo, o Jaumir, ele se saiu com uma bela frase: "Não entendo a arte senão como generosidade." Nelson Freire também não. Noutra passagem do documentário, ele explica que o estrelato é um desvio no caminho, ao deslocar a ênfase da obra para o artista, da humildade para o egocentrismo. Bem, na verdade, ele não fala tudo isso: como bom mineiro, o pianista se sente mais à vontade com reticências do que com pontos finais. Seu sobrenatural Gluck, porém, nos relembra que arte é sentimento.

(2/5/2003)

BACH TINHA O NÚMERO DELE

Sempre digo: não sei se Deus existe; no entanto, se existe, não sei se é possível se comunicar com Ele; porém, se existe e se é possível se comunicar com Ele, tenho certeza absoluta de que Johann Sebastian Bach tinha o Seu número na agenda.

Conforme a gente vai conhecendo a inesgotável obra do compositor alemão ativo no século XVIII, estabelece com o todo ou com uma peça em particular uma relação íntima, fetichista, religiosa. Bach restaura a fé. Em Deus, no homem ou em ambos.

Em dois livros recentes encontro menções à função terapêutica do pio luterano, *Kantor* da igreja de São Tomás, em Leipzig: nas horas de aflição, os protagonistas recorrem a ele para ordenar, se não a própria vida, ao menos seus pensamentos sobre a vida.

Em *Memória de minhas putas tristes*, de Gabriel García Márquez, o jornalista que decide se presentear com uma virgem no seu 90º aniversário tenta espairecer escutando Bach enquanto aguarda o telefonema da cafetina.

"Às quatro tentei me apaziguar com as seis suítes para cello solo de Johann Sebastian Bach, na versão definitiva de dom Pablo Casals", lê-se na tradução de Eric Nepomuceno para a Record. "Acho que é o que de mais sábio existe em toda música, mas em vez de me apaziguar como de costume me deixaram num estado da pior prostração."

Em *Juventude*, de J.M. Coetzee, o candidato a poeta que troca o apartheid da África do Sul pela agitação da Londres dos anos 60 fica fascinado pela trilha dos filmes do Satyajit Ray porque julga encontrar na música indiana um paralelo a Bach.

"Até então, havia encontrado na música ocidental, em Bach principalmente, tudo aquilo de que precisava", lê-se na tradução de José Rubens Siqueira para a Companhia das Letras. "Agora, encontra algo que não está em Bach, embora haja sugestões disso: uma alegre submissão da razão, da mente racional, à dança dos dedos."

A inversão dessa definição também seria inteiramente apropriada à música de Bach: uma alegre submissão da dança dos dedos, da emoção, à mente racional. Porque, em todas as suas peças, ele logra algo ao mesmo tempo comovente e intrigante: os sentimentos estão tão ligados a uma ordem matemática que se tornam virtualmente indistintos dela.

Bom exemplo disso são meu fetiche, as *Variações Goldberg*, compostas por volta de 1741. Goldberg era um virtuose do teclado, cravista do conde Keyserlingk, que teria encomendado a peça para curar a sua insônia. Não se trata, porém, de música tediosa, para dormir, e sim de música luminosa, para dissipar as preocupações e apaziguar o espírito.

Contudo, diferentemente do que diz o personagem de Gabo acerca das suítes para cello solo, não me satisfaço com a ideia de uma "versão definitiva". Concordo com o mais famoso intérprete da peça, o pianista canadense Glenn Gould, que dizia, como se fosse um *jazzman*: "A única justificativa para se gravar uma obra é fazê-lo de modo diferente."

Gould é o autor de duas gravações marcantes das *Variações Goldberg*: numa, a de 1955, as 32 partes são tocadas em pouco mais de 38 minutos; na outra, a de 1981, as mesmas 32 partes são executadas em pouco mais de 51 minutos. Antes dele, por exemplo, a grande cravista Wanda Landowska gastava 46 minutos no mesmíssimo percurso.

Uma primeira versão de Gould é tão chocante que o austríaco Thomas Bernhard escreveu um pequeno e belo romance, *O náufrago*, tomando-a como ponto de partida: tocada em 1953, ela causa impressão tão forte em dois amigos e colegas austríacos, ambos alunos de Vladimir Horowitz, que um deles, aniquilado pelo gênio do canadense, se amargura a ponto de se enforcar, vinte e oito anos depois.

A segunda versão de Gould é hoje considerada — não sem a controvérsia comum a tudo o que se relaciona ao excêntrico falecido em 1982 — a canônica. O nosso Luiz Paulo Horta, em seu *Música clássica em CD*, da Jorge Zahar Editor, escreve sobre as duas visões gouldianas para as *Variações Goldberg*: "Sobretudo na versão 1981, estamos em plena especulação musical — e até filosófica. Um marco na discografia moderna."

Em 2002, ambas as versões foram reunidas pela Sony no álbum triplo *A state of wonder*, sendo um CD extra, com sobras de estúdio e a última entrevista de Gould, concedida mês e meio antes de sua morte, por derrame cerebral. Era para ser tudo, certo?

Errado. E não estou falando da conhecida íntegra ao vivo para a rádio austríaca, em 1959. Ano passado, a própria Sony pôs na praça uma versão inédita de Gould para as *Variações*, gravada para a rádio canadense em 1954, ou seja, cronologicamente entre a ficção de *O náufrago* e a revolução de 1955. Depois de anos ouvindo as versões de 1955 e de 1981, ela me soa fresca e, surpresa, mais próxima da segunda, a não ser na duração: 42 minutos.

Em 2002, havia surgido outra interpretação desafiadora para as *Variações Goldberg*, a segunda a cargo do cravista francês Pierre Hantaï, no selo Mirare. Uma versão por vezes áspera, mas nunca desinteressante. Sobre ela, Gaetan Naulleau escreveu na revista *Diapason*: "Se a concentração fraquejar, o músico pode a cada instante nos saltar à garganta." Hantaï toca por quase 79 minutos; sim, mais que o dobro do Gould de 1955.

Além de distintas estratégias interpretativas, as sístoles e diástoles das "Variações" podem nos sinalizar que a questão do tempo, não o musical, mas o físico ou metafísico, está na própria essência desta obra de Bach. Nesse sentido, ela não seria atemporal.

(5/8/2005)

MARTHA, *MY DEAR*

Martha Argerich tinha 17 anos e estava sozinha numa pensão em Florença. Sensibilizada por *O imoralista*, de Gide, e *Crime e castigo*, de Dostoiévski, a pianista argentina decidiu experimentar algo inédito na sua vida de menina-prodígio: cancelar um recital. "Não porque eu estivesse passando mal, eu queria ver como era", ri, meio envergonhada. Então, ela mandou um telegrama para os promotores, em Empoli. Dedo machucado, dizia.

Para concretizar a posteriori o seu álibi, Martha pegou uma lâmina de barbear e retalhou o indicador esquerdo. A precaução mostrou-se acertada. O telegrama nunca chegou a Empoli. Os promotores, como combinado, bateram à sua porta para transportá-la. Diante do dedo enfaixado, naturalmente, o espetáculo teve de ser cancelado. Aliás, não apenas aquele como também o recital seguinte, para consternação da própria recitalista.

O causo está contado no DVD *Martha Argerich — Conversa noturna* (2002), do francês Georges Gachot, recém-lançado aqui pela Biscoito Fino. O filme faz interessante *pendant* com *Nelson Freire* (2003), de João Moreira Salles. Afinal, Martha e Freire são amigos desde a adolescência. No documentário sobre ele, são vistos papeando e treinando. No dedicado a ela, tocando Ravel a quatro mãos, no Teatro Colón, em Buenos Aires.

Martha Argerich não está, cinematograficamente, à altura de *Nelson Freire*. O filme de Moreira Salles sublinha os silêncios, naqueles tensos momentos que cercam as apresentações. O de Gachot valoriza, já a partir de seu subtítulo, a oportunidade de fazer a pianista falar, verbo que ela conjuga ainda mais raramente que seu amigo brasileiro. Porém, se Freire quase nunca completa uma frase por introversão, o caso de Martha parece ser distinto, ser de resguardo como arma de sedução. Sedução que, sob a lente de Gachot, ela exerce como ninguém, seja ao falar das "conversas" que tem com compositores mortos, seja ao se mostrar cercada por jovens pupilos, como o pianista cubano Mauricio Vallina.

Em ambos os filmes, obviamente, a música é magnífica. Em *Nelson Freire*, há um senhor em São Petersburgo que escuta de olhos fechados um trecho da *Dança dos espíritos abençoados*, de Gluck. Em *Martha Argerich*, atrás da cabeça da pianista, há um senhor em Zurique que aprecia boquiaberto o *Capriccio* da "Partita nº 2 em dó menor BWV 826", de Bach. E há muito mais, inclusive o trio com o pianista Eduardo Hubert e o percussionista Ricardo Rossi (percussão) tocando "Libertango", de Piazzolla, em Pescara. Entende-se, naquele episódio de intensidade argentina, por que é comum Martha ser comparada a uma força da natureza.

(Aos 63 minutos do documentário recheado de imagens de arquivo, somam-se os 38 minutos de extras, que incluem, além do "Libertango" integral, outra composição do gênio portenho, "Tres minutos con la realidad", Lutoslawski, Scarlatti, Chopin e Bach.)

O lançamento internacional do DVD *Martha Argerich — Conversa noturna* põe a pianista sob os holofotes que detesta ao mesmo tempo em que sai uma nova caixa de CDs a baixo preço da Deustche Grammophon. *The collection 1 — The solo recordings* reúne os oito álbuns que Martha gravou sozinha para o selo. Cada um vem dentro de uma capa que reproduz a dos LPs originais, com os textos de contracapa legíveis com lupa, e em novas remasterizações digitais. Acompanha o lote um encarte com texto inédito, de Jed Distler.

A caixa se torna ainda mais atraente quando se sabe que Martha foi pouco a pouco diminuindo as apresentações e as gravações desacompanhada justamente por "sentir-se só". Aqui, o álbum mais recente, no qual toca com mestria as plácidas "Kinderszenen" e a atormentada "Kreisleriana", de Schumann, é de 1984. Tem preferido, portanto, conjuntos de câmara e concertos com orquestra, nos quais interage e divide atenções. Talvez o prefira porque, mero palpite, não exista situação musical mais reveladora do que o piano solo.

Quando gravou seu primeiro álbum sozinha, aos 20 anos, Martha levou junto Freire, então com 15. Em entrevista citada por Distler no encarte, ela afirmou que não queria tocar nada mais que três vezes. "Eu nunca escutaria", contou. "Eu disse a Nelson que se houvesse algo que quisessem e eu não conseguisse tocar, ele poderia tocar no meu lugar... Ninguém veria." Segundo ela, Freire lhe era superior nas duas rapsódias da *Opus* 79 de Brahms.

Tal impaciência se traduziu em impetuosidade naquele álbum lançado em 1961, em particular nas duas peças de Chopin (o "Scherzo nº 3 em dó sustenido menor, op. 79" e a "Barcarolle em Fá sustenido maior, op. 60"), tornadas muito mais sanguíneas que a média. No entanto, já no álbum seguinte, de 1967, totalmente dedicado ao compositor polonês, Martha dava ao *Largo* da "Sonata para piano nº 3 em si menor, op. 58" uma doçura ímpar.

É essa alternância bem feminina entre sutileza e ferocidade que caracteriza o toque de Martha Argerich. Aos 67 anos, depois de três casamentos, a pianista ainda é uma bela mulher, do tipo que faz cara de sonsa, fingindo não perceber o efeito que causa. E ela causa um tremendo efeito, sobretudo quando ou Chopin ou Schumann está aberto à sua frente.

(31/10/2008)

A ÓPERA DOS PELADOS

Um mês antes de Pedro Cardoso discursar contra o excesso e a gratuidade das cenas de nudez no cinema e na TV do Brasil, o *New York Times* imprimira o mesmo espanto. Noutro mundo às voltas com uma plateia minguante. Em setembro passado, Anthony Tommasini escreveu que, na proclamada busca por uma arte mais visceral, como o teatro ou o cinema, as óperas estavam crescentemente "ousadas, sensuais e explícitas".

O gancho era a reestreia na Metropolitan Opera da *Salomé* montada por Jürgen Flimm, quatro anos antes. Se desde a *première* de 1905 a obra de Richard Strauss mostrara-se escandalosa, com Flimm a personagem-título pareceu-lhe ter atingido os píncaros da libidinagem. Durante a "Dança dos sete véus", na qual Salomé busca seduzir o lúbrico padrasto Herodes, a fim de que ele lhe entregue de bandeja (literalmente) a cabeça do profeta João Batista, a soprano Karita Mattila fazia um striptease total, embora fugaz.

Tommasini mencionava ainda a montagem californiana de *A mosca*, de Howard Shore, como sinal do corrente apelo à nudez. Na ópera baseada no filme de David Cronenberg (!), o baixo-barítono Daniel Okulitch ficava peladão quando o cientista louco experimentava se teletransportar — para terminar metamorfoseado num díptero esquizóforo gigante. O crítico meditava, então, sobre prós (menos) e contras (mais) de a ópera se igualar ao teatro e ao cinema na exposição dos corpos que, afinal, são sua matéria-prima comum.

Ao pé do texto, Tommasini fazia uma discreta ressalva à busca desenfreada por cantores e cantoras bem-apessoados. Como Anna Netrebko, que ele, por sinal, não menciona, talvez porque assim tivesse de admitir que a diva arquetípica, Maria Callas, também era um tremendo pessoal. "Algo que os melômanos sempre valorizaram em sua amada forma de arte é que tantos excelentes cantores de ópera pareçam gente comum, como nós", escreveu. "Não há razão pela qual Rodolfo e Mimi (*personagens de La bohème, de Puccini*) devam parecer *supermodels*. Eles têm apenas de expressar que são lindos um para o outro. A música, se cantada com ternura e paixão, faz o resto."

Mês passado, na Ópera da Bastilha, em Paris, assisti a uma montagem de *Lady Macbeth de Mtsensk* que me recolocou diante dessas questões. A obra de Dmitri Shostakovich, compositor que aprecio muitíssimo, está mais para *Salomé* do que para *La bohème*. Baseada num conto de Leskov, ela conta a história de Katerina Ismailova, casada com o bobalhão Zinovy Borisovich Ismailov e oprimida (e desejada) pelo sogro, Bóris Timofeievich. Entediada por uma relação em todos os sentidos estéril, ela se entrega a um empregado espertalhão, Serguei. A desembestada paixão de Katerina por ele acaba levando-a a matar o sogro, o marido e, no *gran finale*, uma rival e a si própria.

Shostakovich (1906-1975) ilustra à perfeição o candente tema das relações do artista com o poder. As dele com o Estado soviético sempre foram ambíguas, e *Lady Macbeth* ocasionou um dos momentos de maior tensão. À estreia de 1934, em Leningrado, seguiram-se dois anos de sucesso. Até que Stalin compareceu a uma récita em Moscou e enxergou no palco o elogio ao assassinato de um tirano. Logo o jornal oficial *Pravda* publicava uma crítica devastadora, intitulada "Lama em vez de música". O texto acusava a ópera de ser "esquerdista e dissonante" no som e "modernista e confusa" na montagem.

Em 1937, Shostakovich recuperou as graças do regime ao subtitular sua Quinta Sinfonia "Reação construtiva de um artista soviético às merecidas críticas que recebeu". É surpreendente como isso passou por sincera autocrítica na época, mas ditaduras não são mesmo notáveis pelo senso de humor. Do meu ponto de vista, *Lady Macbeth* apresenta é outro problema. Toda a obra de Shostakovich caracteriza-se, entre outras coisas, por uma alternância emocionante entre o desesperado e o grotesco. Numa ópera, exagerada quase por definição, isso vira um distúrbio bipolar. Ele próprio chamou a sua de "tragédia-sátira".

Claro, a música de *Lady Macbeth* tem grandes momentos, como o começo da terceira cena do primeiro ato, quando a insone Katerina (na Bastilha, a soprano Eva-Maria Westbroek, ótima) lamenta sua vida solitária. A encenação que vi, a cargo de Martin Kušej também teve lá o seu valor, sobretudo no belo momento em que o corpo de Bóris Timofeievich (o tenor Vladimir Vaneev, impressionante) é carregado sob queda de neve cenográfica.

No entanto, não me pareceu fazer sentido transformar a delegacia onde o crime de Katerina é delatado num vestiário, os policiais todos de cuecas, ou povoar o caminho para a Sibéria com condenados seminus, inclusive porque algumas moças peitudas não abriam a boca. Outrora libertária, hoje a nudez encontra-se perfeitamente assimilada ao sistema.

Houve uma única cena de nudez que enriqueceu o drama. Quando a criada Aksinya era cercada por empregados que a queriam estuprar, suas roupas eram rasgadas até que a corajosa meio-soprano Carole Wilson ficasse só de calcinha no palco. O efeito do ataque foi de fato perturbador. Já que a ópera é a arte da suspensão da descrença por excelência, mais que os invejados teatro ou cinema, seus diretores não podem alegar ser a nudez dos cantores uma exigência do realismo. Porém, se usada na hora certa, ela ainda funciona.

(13/2/2009)

A SINFONIA DE HIROSHIMA

Se se pudesse viajar no tempo, uma das primeiras escalas para a qual eu ajustaria a máquina seria a noite de 7 de maio de 1824, em Viena. Para ser mais preciso, no teatro do Kärnthnertor. Lá se deu a estreia da Nona Sinfonia de Beethoven. Com o compositor completamente surdo havia já cerca de dez anos, a regência foi "dividida" com Michael Umlauf. Sobre o palco, Beethoven apenas tentou a marcar os *tempi*.

Os relatos divergem sobre a lotação da casa para o programa beethoveniano, que, na primeira parte, apresentou três movimentos da sua "Missa Solene". Segundo alguns, parte do público deixou o teatro no decorrer dos aproximadamente 75 minutos daquela que seria a última sinfonia do mestre. Porém, a maior parte dos relatos converge para a consagração que os fãs dedicaram a Beethoven quando soou o último acorde.

Ocorreu, então, a cena que por si só valeria a passagem na máquina do tempo. De frente para os músicos, o compositor não tinha como ver os chapéus atirados para o alto. Uma das cantoras solistas, Caroline Unger, teve a graça de pegá-lo pela manga do casaco e fazê-lo se virar. Então, Beethoven curvou-se, em agradecimento à plateia, que o aplaudiu com entusiasmo redobrado. Caramba, como eu gostaria de ter visto isso.

Um compositor que, não obstante amargurado pela completa surdez, era capaz de compor obras empáticas como a própria Nona incendiou a imaginação dos românticos que o sucederam. Em particular, a perfeita inserção da voz humana na sinfonia — com a "Ode à alegria", sobre versos de Schiller, se tornando verdadeiro hino internacional, para o que a Humanidade tem de melhor — arrebatou corações e mentes.

Beethoven, contudo, não foi o único compositor a terminar seus dias surdo. Por razões variadas, Smetana e Xenakis também sofreram com isso. Há dois meses descobri outro, o japonês Mamoru Samuragochi, conforme fuçava as prateleiras de compositores nacionais na Tower Records de Shibuya (sim, falida em Nova York e Londres, a famosa loja de discos resiste em Tóquio, provavelmente com novos donos, oferecendo para cada gênero musical um andar inteiro quase do tamanho de toda a Saraiva do RioSul).

Samuragochi nasceu em 1963, de pais que sobreviveram à bomba atômica de Hiroshima. Daí o nome da sua Primeira Sinfonia, com a qual me atraquei em Shibuya. Mais tarde, lendo o encarte do CD no qual a obra é apresentada pela Sinfônica de Tóquio, sob a regência de

Naoto Otomo, descobri que "Hiroshima" é e não é a sua primeira sinfonia. Sim, ele começou a trabalhar nela quando tinha apenas 17 anos. Só foi concluí-la, entretanto, em 2003. No meio do caminho, sobreveio a surdez completa. Num acesso de fúria, Samuragochi destruiu outras doze sinfonias que havia composto.

Ainda aos 17 anos, o japonês havia começado a padecer de enxaquecas e de um ensurdecimento progressivo. Tendo aprendido o básico do piano com sua mãe, a partir dos quatro anos de idade, na prática de peças de Bach e Beethoven, Samuragochi logo foi se dedicar a obras próprias. Sendo autodidata e não sentindo simpatia alguma pelas modernas técnicas de composição, ele fez uma opção crucial quando terminou o equivalente ao Ensino Médio: não se matriculou num curso superior de música.

Se não lhe assegurou uma originalidade radical, a recusa em ir para a universidade garantiu uma ligação surpreendente com compositores que talvez seus professores viessem a considerar ultrapassados, Bruckner e Mahler (com Beethoven e Brahms, os maiores sinfonistas da escola germânica). "Hiroshima" faz pensar nas obras deles não apenas pelas dimensões, ou seja, por requerer uma orquestra enorme e 81 minutos de execução. Remete também à música dos austríacos pelo sentimento trágico que perpassa suas três longas partes, de modo a refletir o horror da bomba atômica. Numa audição esquemática, a explosão vem ao final do idílico primeiro movimento; o segundo fala de dor, dor e mais dor; e o terceiro, de heroísmo e de superação.

No entanto, Samuragochi não é alheio a seu tempo. Quando tinha 25 anos quase se tornou cantor de rock. O encarte do CD fala, sem entrar em detalhes, na morte do irmão caçula num acidente como a razão da desistência. Além disso, compôs parte da música para um dos *director's cut* do videogame *Resident evil* (*DualShock ver.*) e a trilha inteira para outro jogo (*Onimusha*). Sua música não soa é muito "japonesa", diferentemente, por exemplo, da do falecido Toru Takemitsu, que, além de grandes obras independentes, escreveu para algo em torno de cem filmes, de Kurosawa, Oshima e Teshigahara, entre outros. Isso torna Samuragochi familiar a ouvidos ocidentais.

O romantismo mais que tardio da sinfonia "Hiroshima" é acompanhado pelas atribulações que cercam a vida de Samuragochi. Além da traumática experiência dos pais, da própria surdez e da morte precoce do irmão, o compositor sofre de depressão, ansiedade e tenossinovite, isto é, inflamação da bolsa sinovial que contorna e lubrifica os tendões, inclusive os dos dedos e artelhos. O quadro geral talvez contribua para a clássica situação — não exclusiva da música — de o autor ser mais interessante que a obra. Talvez. Porque, sem naturalmente ser uma Nona de Beethoven, a Primeira de Samuragochi nos dá outra demonstração comovente da força do ser humano.

(27/4/2012)

INCONSCIENTE COLETIVO

Alguém na plateia da Flip de 2009 perguntou a Alex Ross, crítico da revista *New Yorker*, por que ele mencionara o brasileiro Heitor Villa-Lobos em apenas duas páginas de seu livro *O resto é ruído*, empolgante história da música clássica do século XX. De modo elegante mas reticente, Ross respondeu que preferira dar destaque a outros "compositores nacionais", como o húngaro Béla Bartók e o tcheco Leos Janácek.

Em janeiro, na revista inglesa *Gramophone*, Philip Clark assim abriu a resenha do CD com as Sexta e Sétima sinfonias de Villa-Lobos pela Orquestra Sinfônica do Estado de São Paulo (Osesp), sob regência de Isaac Karabtchevisky: "Do que será que o mundo precisa, de outro ciclo das sinfonias de Villa-Lobos?" Clark reconheceu-lhe a superioridade sobre a versão alemã anterior, mas em relação à Sétima concluiu: "Poucos compositores tão brilhantes quanto Villa-Lobos são capazes de se ferrar tão feio."

No decorrer dos anos, tenho lido opiniões ambíguas sobre Villa-Lobos, emitidas por críticos do Primeiro Mundo. Ora ele é folcloricamente fascinante, mas tem uma tendência a "superorquestrar" (nisso, penso, talvez esteja na "péssima" companhia de Tchaikovsky ou Mahler). Ora é um compositor bastante criativo, mas não pode ser considerado um grande regente (nisso, seu companheiro seria Stravinsky).

CLÁSSICOS

Não acredito que a diferente percepção de Villa-Lobos lá e cá nasça nem de má vontade dos estrangeiros — que costumam enxergar-lhe méritos nas obras para violão solo, nas "Bachianas Brasileiras" e nos "Choros" — nem do ufanismo dos brasileiros. É como se houvesse em Villa-Lobos uma qualidade que somos inatamente capazes de reconhecer, na medida em que eles são incapazes de sentir. De igual forma, autores que entusiasmam americanos e ingleses, como Copland ou Delius, podem nos deixar frios.

Penso nisso enquanto escuto o segundo CD do ciclo de Karabtchevsky à frente da Osesp, também lançado no Brasil pela Movieplay, representante da gravadora Naxos. As sinfonias, agora, são a Terceira e a Quarta, encomendadas pelo governo como parte de um monumental tríptico para marcar a modesta participação brasileira na Primeira Guerra Mundial (não existem vestígios da Quinta sinfonia). No mês passado, regida pelo mesmo maestro, a Orquestra Petrobras Sinfônica tocou a Terceira, num programa que incluía o concerto para violino e a "Abertura 1812", ambos de Tchaikovsky.

Ando numa fase russa, mas saí do Municipal fascinado pela sinfonia à qual nunca tinha prestado atenção, apesar de tê-la na estante, em uma caixa de Villa-Lobos regida pelo próprio Villa-Lobos. Na porta, encontrei o nosso imortal Luiz Paulo Horta, igualmente tocado. Em casa, escutei a versão do compositor, mas continuava a faltar nela a vibração que acabara de testemunhar. Diferenças entre as versões (a corrente foi revisada), entre os intérpretes e entre as experiências do concerto e do disco talvez expliquem isso. Dias depois, porém, o CD da Naxos mostrou-se um ótimo meio-termo.

A Terceira sinfonia, batizada "A guerra", foi composta em 1919, mesmo ano em que a Quarta, chamada "A vitória". Aquela me é claramente superior a esta, embora seu último movimento quase se desdobre no primeiro da Quarta. Ouvem-se citações ao Hino Nacional Brasileiro e à "Marselhesa" (Tchaikovsky também cita o hino francês na "Abertura 1812", bem como um canto em honra ao tsar) no movimento intitulado "A batalha", adequadamente indicado na partitura como *allegro impetuoso*.

Contudo, eu me emocionei em especial foi com o terceiro movimento, intitulado "Sofrimento", *lento e marcial* na partitura — além de mais longo, quase quatorze minutos. Por mais que saibamos que Villa-Lobos tinha um ouvido hipersensível à música popular do país, é fascinante como aquilo é tão profunda e indefinivelmente brasileiro. Daria para reconhecer o compatriota num jogo de adivinhação musical.

Há no movimento lento de sua Terceira sinfonia um senso melódico e um sentimento trágico que nos são tão familiares quanto se o compositor tivesse acesso privilegiado ao nosso inconsciente coletivo. Afinal, mesmo o exagero, no qual Villa-Lobos volta e meia recai, nos é íntimo. Costuma-se dizer que ele se inspirou na música popular de seu tempo (1887-1959), mas acho que a coisa é um pouco mais sutil: ele se inspirou na música popular de seu tempo para criar uma outra música popular, uma versão mental dela, e esta é que moldaria a sua própria obra e que ecoaria pelas criações de maestros mais jovens, como Tom Jobim e Francis Hime.

(10/5/2013)

MISSAS

Missa não é apenas a celebração católica da eucaristia, na qual as palavras de um sacerdote simbolicamente transubstanciam pão e vinho em corpo e sangue de Cristo. Missa pode ser também a composição musical feita em cima de trechos da celebração. Esta é a verdadeira missa ecumênica: não é preciso compartilhar da fé, ou sequer tê-la, para apreciar a beleza dessas peças. As mais famosas nas salas de concerto são a "Missa em si menor", do luterano Bach, o "Réquiem", de Mozart, e a "Missa solemnis", de Beethoven, ambos católicos. As três são fusões exuberantes de vozes e instrumentos.

Em tempos de Papa Francisco, porém, talvez valha a pena lembrar missas mais austeras, *ma non troppo*, compostas séculos antes dos três gênios. A austeridade se deve à ausência de instrumentos, considerados frívolos demais para os cultos religiosos a que elas primordialmente serviam. O *ma non troppo* se deve à sofisticação das linhas vocais, que foram se afastando do cantochão — canto recitado, monofônico, em uníssono, de trechos da missa em latim — e se permitindo fazer piruetas polifônicas, em que duas ou mais linhas melódicas soam ao mesmo tempo, se entrelaçando. Rendilhados no ar.

Duas circunstâncias históricas permitiram essa "troca de marcha" da Idade Média para o Renascimento na música religiosa e, por extensão, em toda a música ocidental. A primeira diz respeito ao aperfeiçoamento dos sistemas de notação, capacitando-os a registrar mais aspectos — melódicos, harmônicos, rítmicos — de uma composição musical e assim disseminá-la. A segunda diz respeito à própria geopolítica da Europa. O continente estava fragmentado em centenas de pequenos estados, nos quais os soberanos demonstravam poder, entre outras formas, pela encomenda e realização de cerimônias religiosas extravagantes, que pediam música adequada.

A primeira missa polifônica que sobreviveu completa até nossos dias é a "Missa de Tournai". A variedade de estilos entre as partes indica que foi composta por vários autores, que permaneceram anônimos. Sua compilação foi feita no segundo quarto do século XIV, um pouco antes de outras três criações coletivas, as missas de Sorbonne, de Toulouse e de Barcelona, e da mais antiga sobrevivente feita por autor único, Guillaume de Machaut, que nasceu perto de Reims em torno do ano 1300 e morreu em 1377. Sua "Messe de Notre-Dame" é uma obra-prima de arquitetura, engenho e serenidade.

Escreviam-se passagens polifônicas — nas quatro missas coletivas, para três vozes, na de Machaut, para quatro — nas cinco partes que constituem o chamado Ordinário, o componente invariável da missa: Kyrie, Glória, Credo, Sanctus e Agnus Dei. O cantochão era mantido nas partes que formam o Próprio, que muda conforme a ocasião: Introito, Gradual, Aleluia, Sequência, Ofertório e Comunhão.

Os compositores foram escrevendo Ordinários cada vez mais, há, bem, perdão, extraordinários. Alessandro Striggio (c.1536/1537-1592) compôs uma missa para quarenta partes. A minha favorita é um século mais velha. É a de Antoine Brumel (c.1460-c.1520), batizada "Et ecce terrae motus", para doze vozes. Há fragmentos no YouTube.

Imagine o efeito que esse tipo de música — que a um ouvinte moderno pode lembrar Beach Boys ou Animal Collective — tinha sobre audiências iletradas e profundamente religiosas, que, claro, não dispunham de iPod nem de nada parecido. Agora, multiplique tal efeito pela acústica das igrejas. Na Basílica de São Marcos, em Veneza, os compositores "despedaçavam" o coro pelas galerias, criando um efeito estéreo que envolvia os fiéis num êxtase místico. Devia ser alucinógeno.

Contudo, a Igreja temia que o exibicionismo dos compositores distraísse os fiéis. Um pouco como o punk rock, séculos depois. Santo Agostinho (354-430) já havia expressado sentimentos contraditórios em relação ao que ouvia nos templos, um coro muito mais singelo: "Quando às vezes a música me sensibiliza mais do que os textos que se cantam, confesso com dor que pequei." A complexidade chegou a tal ponto que, em 1562-63, o Concílio de Trento se ocupou do papel da música na liturgia. No contexto da Contrarreforma, era crucial que a mensagem católica chegasse com clareza a populações que, de outra forma, "corriam o risco" de se tornar protestantes.

Ainda antes disso, o Papa Marcelo II, no cargo por apenas três semanas de 1555, pedira que os músicos preservassem a inteligibilidade dos textos da missa. Publicada doze anos depois, portanto depois também do Concílio de Trento, a "Missa Papae Marcelli" composta por Giovanni Pierlugi da Palestrina (c.1525-1594) conseguiu acender uma vela para a mensagem religiosa e outra vela para "o prazer do ouvido" com o requinte da polifonia. Criou-se, então, a lenda de que Palestrina teria salvado a música de ser banida dos ritos católicos. Há uma diferença gritante entre a "Missa Papae Marcelli" e o padre Marcelo Rossi, sim, mas esta é parte de sua história comum.

(26/7/2013)

A JANELA DE HANDEL

Pode-se ir dez vezes a uma grande cidade que ela ainda terá inúmeros ângulos a revelar. Desde 1992 faço visitas regulares a Londres. Sempre descubro novo encanto nas atrações das quais já me sinto íntimo — como os impressionistas na National Gallery — e nunca faltam lugares por conhecer. Este ano, por exemplo, foi a vez de ir pela primeira vez ao museu Casa de Handel, a duas quadras da movimentada Oxford Street.

A bem da verdade, o museu não estava lá nas minhas primeiras viagens. A casa, sim, claro, mas ela foi aberta ao público apenas em 2001. Fica no número 25 da Brook Street, quase na esquina da New Bond Street. Não se engane por esse "nova" aí: a rua está lá desde o começo do século XVIII. Hoje, entra-se no prédio pelos fundos, um larguinho de nome pomposo emparedado por restaurantes chiques, Lancashire Court.

Entre 1968 e 1969, Jimi Hendrix morou no prédio gêmeo ao lado, o de número 23, agora incorporado à Casa de Handel. Isso talvez torne o local a maior concentração de gênio musical por metro quadrado no mundo. O guitarrista americano conserva um cantinho na casa alheia. É pouco mais que uma vitrine, mas não chega a ser injusto: o compositor alemão morou ali durante muito mais tempo, de 1723 até a sua morte, em 1759.

Georg Friedrich (então) Händel nasceu em Halle, na Saxônia, em 1685. Boa safra para a música: também nasceriam naquele ano Johann Sebastian Bach e Domenico Scarlatti. Handel foi para Hamburgo, em 1703, e para Roma, em 1706. A experiência na Itália foi útil quando chegou pela primeira vez a Londres, em 1710. A ópera italiana era então o que o rock inglês seria nos anos 1960, uma loucura. O alemão era bom e esperto o bastante para produzir — em ambos os sentidos do termo, como compositor e como empresário — dezenas de óperas em italiano. A sua velocidade de criação era incrível. Ajudava o fato de reaproveitar músicas e tomar emprestado trechos de obras alheias.

Quando passou o frenesi pela ópera italiana, cinco anos depois de ele ter se mudado para Brook Street, Handel redirecionou seu enorme talento para a composição de oratórios, ou seja, de adaptações musicais de passagens da Bíblia. Isso implica dizer que ali foi composto o "Messias", sobre textos em inglês compilados por Charles Jennens. O oratório tornou-se imensamente popular sobretudo graças ao coro "Aleluia". Segundo a lenda, foi composto em 24 dias de 1741, antes de estrear em Dublin, Irlanda, no ano seguinte. É fascinante pensar nisso percorrendo-se a casa restaurada do modo mais fiel possível aos tempos de Handel, o que inclui uma coleção de obras de arte.

No segundo andar, fica o que se acredita ter sido o quarto do compositor. Ele jamais se casou e dele não se conhece nenhum envolvimento amoroso, seja com mulheres seja com homens. No cômodo, há uma cama similar àquela na qual dormiu sozinho. É curiosamente pequena se se tiver na cabeça que era um homem corpulento. Na época, porém, o costume era dormir meio sentado, com o tronco recostado em travesseiros, dizia-se que para melhorar a digestão. Handel morreu em casa, cego pela catarata, aos 74 anos, e foi sepultado na Abadia de Westminster. Gozou de grande prestígio em vida e, a despeito de altos e baixos, a posteridade o reconheceu.

Passei um certo tempo de costas para o aposento, olhando pela janela que se debruça sobre a Brook Street. Fiquei pensando no que alguém na mesma posição teria visto de 1723 — Handel foi o primeiro proprietário — aos dias de hoje. Passou um filminho na minha cabeça, tipo a aceleração do tempo em *Um lugar chamado Notting Hill*: chuva, neve, lama, sol, carruagens, senhoras de vestido rodado, cavalheiros de fraque e cartola, soldados recém-chegados de Waterloo ou de Dunquerque, enfermeiras, tietes de Hendrix usando batas floridas, mods, punks, rastas, sikhs, yuppies, Londres.

Na vida real, a trilha sonora desse filminho variou bastante, como é natural, mas ao fundo sempre se pôde ouvir "aleluia, aleluia, a-leê-lu-iaaá". A música de Handel é poderosa como esse coro, seja nos *concerti grossi*, na "Water music" composta para um passeio real pelo Rio Tâmisa ou na ópera *Rinaldo*. Alemão que pegou um bronze na Itália e se tornou o maior compositor na Inglaterra até o nascimento do nativo Elgar, um século depois, Handel ganhou muito dinheiro fornecendo fina arte a um público crescente. Sua música ignora uma oposição incontornável entre "música séria" e "música comercial". Ademais, continua sendo uma janela panorâmica para nós mesmos.

(16/8/2013)

MORRER DE AMOR

Isolda começa a cantar o "Liebestod" diante do corpo de Tristão. Há um telão vertical ao fundo, duplicando a imagem do cadáver. Começa a subir, sim, subir água dele, cada vez mais água. Conforme Isolda enxerga Tristão a sorrir, "suave e tranquilo", o corpo se eleva no telão azulado, levitando em meio à água que ainda sobe a cântaros. Quando Isolda alcança o arrepiante clímax da ária, Tristão emerge num outro lado, acrobaticamente, espécie de mergulho às avessas, como se precisasse de ar. Do lado de cá do monitor, com os fones de ouvido, quem também precisa de fôlego sou eu.

É janeiro, ainda estou de férias e visito uma exposição dedicada às montagens de Wagner e de Verdi — os dois gigantes que nasceram em 1813 — na Ópera de Paris. Aqui, na biblioteca-museu do Palácio Garnier, estão figurinos originais, croquis de cenários, programas, documentos, uma parede de vídeos com trechos das montagens. E há este monitor, isolado, quase insignificante, não exibisse ele o "Liebestod" da montagem de Peter Sellars com vídeos de Bill Viola, regência de Esa-Pekka Salonen, e a soprano dramática Waltraud Meier como Isolda, realizada na Ópera da Bastilha, em 2005.

Saio da exposição e procuro o DVD na loja do Garnier. Ao perceber o quão febrilmente vasculho as prateleiras com óperas de Wagner, a mocinha sai de detrás do balcão, pergunta o que procuro e me informa, *desolée*, que aquela montagem não foi lançada (o que, inconformado, confirmo mais tarde, na internet). "Liebestod" gira na minha cabeça pelos dias que restam das férias, no voo de volta, no batente, agora. Escuto outras coisas, xingo Wagner, mas "Liebestod" sempre retorna. Ao menos não são músicas como "Lepo Lepo" ou "Beijinho no ombro" que grudam nos meus ouvidos.

Tristan und Isolde foi a primeira ópera de Wagner que comprei em CD, há muitos anos, na versão com Wolfgang Windgassen e Birgit Nillson, regida por Karl Böhm e gravada ao vivo no Festival de Bayreuth, em 1966. De tempos em tempos, compro outra, como faço com as obras de que mais gosto, atrás da nuance despercebida. Nunca, porém, "Liebestod" calou-me tão fundo quanto diante daquele monitor. Talvez pela disponibilidade existencial típica das férias. Talvez porque a gente precise ter determinada idade para compreender certas coisas. Possivelmente pelo vídeo de Viola.

Constato que é a segunda vez em menos de um ano que Wagner monopoliza minha trilha sonora mental. Primeiro, foram as lindas "Wesendonck-Lieder", canções que ele escreveu a partir de poemas bastante banais de uma provável amante e que eu simplesmente desconhecia. Agora, é o "Liebestod" velho de guerra, reexaminado à luz da experiência parisiense. Gostar de Wagner é sempre desconfortável, inclusive porque a expressão "gostar de Wagner" não diferencia obra genial e homem odioso. De fato, ambos estão inextrincavelmente ligados. Gostar *dela* é gostar de algo *nele*. Medo.

Wagner ficava contrariado quando se referiam à ária final de *Tristan und Isolde* como "Liebestod", morte de amor. Ele preferia "Verklärung", transfiguração. Na sua concepção da velha lenda celta, popularizada pela poesia francesa do século XII, haveria uma união mística dos desafortunados amantes, depois que Isolda chega tarde demais para curar as feridas de Tristão. A melodia une os temas da morte por amor e do êxtase — já ouvidos alhures na ópera — enquanto Isolda pergunta se os que a cercam não veem Tristão brilhar. Se Wagner fosse um roqueiro progressivo alemão dos anos 1970, e *Tristan und Isolde*, um álbum conceitual em cinco ou seis LPs, este seria o seu *hit single*.

Toda beleza tem algo de perturbador. A perturbação de "Liebestod" não está tanto nos amantes morrendo de amor, ideia que foi banalizada pela literatura romântica, quanto no delírio histérico de Isolda, duvidando que os circunstantes sejam incapazes de, como ela, enxergar Tristão em toda sua glória. Por mais intimidade que se tenha com essa ópera estreada em 1865, isso sempre soa um pouco aflitivo. Na internet, há imagens de Waltraud Meier cantando o "Liebestod" em outras montagens que não a vista no monitor de Paris. É fascinante ver como ela comunica desespero e alegria simultaneamente, dissolvendo qualquer fronteira entre sanidade e insanidade.

(11/4/2014)

REDEMOINHO

Leio em algum lugar que Sacco e Vanzetti teriam cantado "E lucevan le stelle", de Puccini, a caminho da cadeira elétrica. Não consigo confirmar em fonte alguma, mas nesse caso a verdade talvez não importe tanto assim: se há um ditado — italiano, naturalmente — que se aplica ao universo lírico é *se non è vero, è ben trovato*. A ópera, bem como a propaganda eleitoral, se nutre da suspensão da descrença.

Não é uma grande sacada? Nicola Sacco e Bartolomeo Vanzetti, os anarquistas italianos injustamente condenados por um duplo homicídio cometido nos Estados Unidos, na década de 1920, cantando a ária que Mario Cavaradossi, o pintor torturado, entoa enquanto espera a execução por traição em Roma. Seu crime foi, além da simpatia pelo Napoleão pré-imperial, ter abrigado um preso político fugitivo, Angelotti.

Cavaradossi recorda sua amante, Floria Tosca, ciumenta cantora cujo sobrenome batiza a ópera, ainda sem saber que ela matou o chefe de polícia, barão Scarpia, numa tentativa desesperada — e, logo saberemos, vã — de evitar o fuzilamento. "E brilhavam as estrelas...", canta Cavaradossi, numa ária central ao repertório de tenor. "Ó doces beijos, ó lânguidas carícias/ Enquanto eu, fremente/ Livrava as belas formas dos véus."

Então, no clímax da música, o pintor cai na realidade. "Desapareceu para sempre o meu sonho de amor/ A hora fugiu/ E morro desesperado/ E nunca amei tanto a vida!" Na vida real, Sacco deu adeus à mãe. Vanzetti protestou inocência e perdoou os algozes. Antes, foi eletrocutado um homem que assumira os crimes, mas fora ignorado. Havia outras evidências a favor dos réus. Sacco e Vanzetti foram condenados de antemão pela histeria antianarquista e pelo preconceito contra os italianos, comuns na época.

Sim, faria sentido Sacco e Vanzetti terem cantado "E lucevan le stelle". Com libreto de Luigi Illica e Giuseppe Giacosa, baseado numa peça do francês Victorien Sardou, a ópera de Giacomo Puccini estreou em 1900. O crime do qual eram acusados ocorreu em 1920. Eles foram condenados no ano seguinte. As apelações e os protestos — inclusive no Brasil — adiaram as execuções até 23 de agosto de 1927.

Para os italianos, que a inventaram, a ópera sempre foi uma forma de música popular. Assistir à mesma história e escutar as mesmas composições durante as noites de uma temporada ajudava a fixá-las na memória do público. Isso antes do surgimento das gravações, momento crucial na separação entre o que se considera "clássico" e o que se considera "popular". Antes dos cilindros e dos discos, o clássico tinha, graças à publicação e à circulação das partituras, a hegemonia das reproduções caseiras.

Podemos não notar, mas muito do que hoje entendemos por pop deriva da ópera, não só o uso de expressões como "ópera rock" ou "diva". Shows de Madonna ou Lady Gaga — curiosamente, duas cantoras de ascendência italiana — estabelecem uma narrativa na qual, claro, elas são as heroínas. O uso e o abuso dos recursos visuais para potencializar o efeito das canções (inclusive nos clipes) não surgiu com "Like a virgin".

Puccini era um *hit maker*. Suas óperas estão repletas de melodias lindamente grudentas, elaboradas para despertar determinadas emoções no público. Sobre *Tosca*, ele declarou que sua intenção era estimular o sentimento de justiça, diferentemente da anterior *La bohème*, cujo propósito era arrancar lágrimas com o drama de Mimi, a bordadeira de flores tuberculosa. Primeira intérprete de "Turandot", a soprano Rosa Raisa contou que começava a chorar já no terceiro e penúltimo ato de *La bohème*.

"E lucevan le stelle" é uma música extraordinária, já a partir da introdução da sombria melodia pelo clarinete. Não há necessidade de se entender uma palavra de italiano — e, para falantes de português, é difícil não entender nada — para compreender o que sente o personagem. Dentre os tenores contemporâneos, tente o maltês Joseph Calleja, o alemão Jonas Kaufmann ou o francês Roberto Alagna no YouTube.

"E lucevan le stelle" pode ser, digamos, a "música de trabalho" da ópera, mas há muitas maravilhas mais no "álbum" todo. Há, por exemplo, "Vissi d'arte", ária na qual a personagem-título tenta comover Scarpia, que quer trocar a vida de Cavaradossi por um instante íntimo com ela. Naturalmente, o intérprete do sinistro chefe de polícia também tem suas oportunidades de brilhar. Gosto muito de uma em particular.

"Tre sbirri, una carrozza" fecha o primeiro ato. Scarpia canta sua tara por Tosca em plena igreja onde vai começar um "Te Deum". Celebra-se a notícia — que logo se revelará falsa — da derrota de Napoleão em Marengo, batalha ocorrida em 14 de junho de 1800. Misturam-se a voz do barítono, os sinos, as salvas de canhão que avisam da fuga de Angelotti, o coro do "Te Deum", tudo numa melodia poderosa e ameaçadora. Misturam-se também as dimensões pessoais e históricas, ficcionais e reais. Vivemos exatamente assim, nossas pequenas histórias tragadas pelo redemoinho da História.

(1º/8/2014)

AURA

O Monty Python foi excursionar pelos Estados Unidos no começo dos anos 1980. Em Nova York, a plateia urrou o tempo todo. A trupe saiu do palco frustrada porque daquele jeito ninguém conseguiria escutar nada de suas canções, nem da mais famosa, "Always look on the bright side of life", extraída da cena final de *A vida de Brian*, a dos crucificados assobiando, do comando suicida que iria resgatá-los se suicidando etc.

No camarim, porém, o produtor local exultava: "A plateia estava era excitada por simplesmente estar na presença de vocês!" O Monty Python foi ruminando essa ideia — "Nós somos astros pop!" — no caminho de volta ao hotel. Lá chegando, seus seis membros decidiram se comportar como roqueiros e quebrar seus quartos. Tudo ia bem até cogitarem jogar a TV de Michael Palin pela janela. Então, olharam uns para os outros e colocaram o aparelho no lugar, o mais silenciosamente possível.

Na década de 1930, o alemão Walter Benjamin escreveu sobre os desafios da obra de arte na então incipiente era de sua reprodutibilidade técnica, alertando que ela perderia sua "aura", sua singularidade metafísica, conforme cópias fossem distribuídas por cinemas, discos, paredes. Na década de 2010, essa Inês é morta, a obra de arte é a cópia (e vice-versa). No entanto, a presença física do artista continua irreproduzível. Ela preserva o ritual, ainda faz as plateias urrarem ou aplaudirem ou silenciarem em êxtase. Quem quer que tenha assistido a um show de Paulinho da Viola, por exemplo, sabe.

Três semanas atrás, tive outra experiência extrassensorial dessa natureza. Há tempos, torcia para que minhas férias coincidissem com a agenda de *Dame* Mitsuko Uchida, a pianista japonesa naturalizada inglesa. Aprecio imensamente os seus discos, mas nunca tinha conseguido estar no mesmo ambiente que ela. A oportunidade surgiu num ciclo promovido pelo Southbank Centre, um dos lugares mais legais de Londres. Nele, o finlandês Essa-Pekka Salonen vem regendo "Cidade Luz — Paris 1900-1950". Nele, a anglo-japonesa tocaria o "Concerto em Sol", de Ravel, em 12 de fevereiro.

A participação de *Dame* Mitsuko foi o recheio de um bombom que tinha, nas beiradas, as canções de *Correspondances*, de Dutilleux, e a ópera infantil *L'enfant et les sortilèges*, também de Ravel, ambas contando com a soprano canadense Barbara Hannigan e a Philharmonia Orchestra. Antes mesmo de se sentar na banqueta, a pianista de 66 anos me causou forte impressão: mais alta e agitada do que eu supunha, e embora nas capas dos CDs o rosto pareça congelado numa máscara tristonha, muito simpática.

Com uma chicotada da percussão começa o "Concerto em Sol", composto entre 1928 e 1931. Pouco antes, Ravel tinha ido aos Estados Unidos, se encontrado com Gershwin e estava fascinado pelo jazz, percebido como trilha perfeita para as metrópoles modernas. Essa influência está clara no primeiro e no último dos três movimentos — tocados com a adequada mistura de ímpeto e devaneio por *Dame* Mitsuko, Salonen e a Philharmonia — assim como no "Concerto para a Mão Esquerda", escrito para o irmão pianista do filósofo Ludwig Wittgenstein, Paul, que perdera um braço na Primeira Guerra Mundial.

O movimento lento e central do "Concerto em Sol", por sua vez, tem inspiração em Mozart, compositor no qual *Dame* Mitsuko é mestra. Portanto, era de se esperar que seu adágio fosse extraordinário, mas o que aconteceu superou qualquer expectativa. No terço inicial da partitura, três minutos em quase dez, o piano toca sozinho a melancólica melodia, até que um trinado a transmita à flauta, e o resto da orquestra venha junto. Pois enquanto *Dame* Mitsuko esteve só, os músicos da Philharmonia — quase todos, o que exclui a hipótese de combinação prévia — abaixaram as cabeças e fecharam os olhos.

Jamais havia visto nada igual. Foi respeitoso e emocionante. Se sempre estou propenso a derramar lágrimas com a beleza do adágio de Ravel, tive de me esforçar para não chorar de soluçar. O contraste com a vivacidade jazzística que retorna no terceiro movimento ajudou a selar aquele momento único. Ao final do concerto, *Dame* Mitsuko respondeu aos aplausos arrebatados e aos pedidos de bis, fazendo o sinal de "pequeno" com os dedos e tocando a segunda das "Seis pequenas peças para piano", de Schoenberg, uma peça lenta, de menos de um minuto. Para que mais? Muito japonês.

Dame Mitsuko até hoje não gravou qualquer obra de Ravel. Contudo, ainda que aquele "Concerto em Sol" tivesse sido registrado em alguma coisa além da memória dos presentes, essa outra coisa, fosse ela CD, DVD ou filminho de celular, não seria capaz de reproduzir o que experimentamos ali, juntos, mediante não apenas a partitura e a sua interpretação, mas também a presença e a linguagem corporal da pianista e dos demais músicos. Existem espaços e tempos em que o aqui e agora da arte preserva a sua aura.

(6/3/2015)

MOZART NAS ALTURAS

Quando chegou-me o convite, pareceu ao mesmo tempo surpreendente e natural: por que não passar a Semana Santa acompanhando um festival Mozart em Bogotá? O compositor era católico, sua música alcança alturas que por falta de melhor palavra dizemos "celestiais", e a capital da Colômbia fica 2.640 metros acima do nível do mar.

Assim, lá estava eu, no final da tarde do Sábado de Aleluia, na primeira fila da Igreja da Imaculada Conceição de Suba, subúrbio de Bogotá. Esparramando-se por todos os espaços do templo, sentadas nos bancos, no chão, em pé, estavam cerca de 1.300 pessoas. Assistiríamos ao 58º dos 63 concertos do festival "Bogotá es Mozart".

Dezessete desses concertos eram gratuitos, como o que estávamos prestes a assistir. "Bogotá es Mozart" se espalhava por 15 diferentes espaços da cidade, três deles no Teatro Mayor Julio Mario Santo Domingo, que comemorava cinco anos e promovia o festival com o Invest in Bogotá, parceria público-privada de nome autoexplicativo.

O repertório do concerto era adequado ao dia e ao local: um punhado de peças sacras e, para encerrar, a Sinfonia nº 41, a última composta por Mozart, três anos antes de morrer, apelidada por terceiros de "Júpiter". Se a sinfonia não é necessariamente o deus ou planeta maior do universo do compositor (afinal, como medir qual seria?), é tão equilibrada, tão clássica no sentido estrito, que lança a bola de trivela para Beethoven.

Os intérpretes representavam bem a mescla de artistas internacionais — os mais famosos sendo a violinista alemã Isabelle Faust e o pianista holandês Ronald Brautigam — e locais que caracterizava o festival com um todo. As vozes do concerto na igreja ficavam a cargo de Juanita Lascarro, bonita e talentosa soprano colombiana formada na Alemanha, e da Sociedade Coral Santa Cecília, dirigida por Alejandro Zuleta. Os instrumentos de época eram da Kölner Akademie, alemã, claro, regida pelo americano Michael Willens.

Era um baita acontecimento em Suba, localidade de gente remediada, não mais que isso, e onde uma pequena parte da população ainda é composta por índios muiscas. Antes do concerto, adolescentes pediam para tirar fotos com músicos e jornalistas estrangeiros que estavam no café da praça central. Os moradores ficaram na fila de quarteirões por horas, a fim de garantir lugar na Imaculada Conceição. Qualquer suspeita de que alguém estivesse furando fila era rechaçada com indignação cívica.

Se a igreja fosse uma das joias do barroco ibero-americano, como as que temos por exemplo em Ouro Preto, talvez a experiência que se seguiu ao primeiro acorde da Kölner Akademie não tivesse sido tão extraordinária. Mas a Imaculada Conceição de Suba é um templo comum, modesto, austero até. Sua colaboração era justamente mostrar que os milagres de Mozart podem ocorrer em lugares tão comuns.

Cada um dos participantes do concerto teve sua oportunidade de brilhar. O coral Santa Cecília — cujos jovens na véspera já haviam me entusiasmado durante a Grande Missa em dó menor, executada por solistas desiguais na acústica perfeita da sala principal do Teatro Mayor — interpretou o moteto "Ave verum corpus" (Salve, verdadeiro corpo) com a serenidade de quem não está apenas cantando, mas sentindo.

Juanita deu ao moteto "Exsultate jubilate" (Exultai, animai-vos), uma leitura sensual, cristalina. Ninguém precisava entender latim naquela igreja para entender o que dizia o texto. É complicado imaginar o que vai na cabeça alheia, mas arriscaria dizer que a soprano sentia orgulho do povo ali reunido para celebrar a obra de outro homem que viveu há muito tempo, em lugar distante, inconcebível, a Áustria do século XVIII.

A Kölner Akademie, durante todo o concerto, mas sobretudo quando as vozes se retiraram, confirmou-me a impressão da quinta-feira anterior, quando acompanhara Ronald Brautigam no Concerto para piano nº 13 e tocara a Sinfonia nº 40 no lindíssimo Teatro Colón, inaugurado em 1892 e situado no centro histórico de Bogotá. Sendo uma orquestra pequena e tocando instrumentos de época, de sonoridade distinta dos seus descendentes modernos, ela sem esforço joga novas luzes sobre velhas obras.

A Sinfonia nº 41 é toda sobre claridade, na forma e no conteúdo. Como só se pode estimar o quão claro é algo se este algo é contraposto à escuridão, ela não está desprovida de angústia, dilaceramento comum em Mozart. Como sou chegado a uma boa angústia, meu movimento favorito é o segundo, o *andante cantabile*, no qual as cordas me evocam grandes ondas se chocando contra um navio. A Kölner Akademie tem um excelente capitão em Willens. Ela não afunda. Chega sã e salva ao porto. Quem fez água fui eu, lá nos altos dos Andes, fingindo que tirava ciscos dos olhos.

Na mitologia dos antigos povos indígenas da Colômbia, os deuses entregaram os instrumentos musicais aos homens para que estes regenerassem o mundo. Assim faz Mozart, onde quer que boas almas toquem suas obras. Bogotá estava cheia delas.

(10/4/2015)

A QUEDA PARA CIMA

Na noite de 24 de junho de 1979, cerca de 3.500 pessoas se reuniram na basílica beneditina de Ottobeuren, uma joia barroca no interior da Baviera, para assistir a uma apresentação da inacabada Nona sinfonia de Bruckner. No pódio, estava o maestro alemão Günter Wand, então com 67 anos, especialista na obra do compositor austríaco. À sua frente, a Orquestra Sinfônica da Rádio de Stuttgart. Seria uma ocasião lendária.

Até hoje se especula por que Bruckner abandonou a sinfonia após escrever quatrocentos compassos do quarto movimento. A versão romântica sugere que o trabalho foi interrompido pela longa enfermidade que o levou à morte, em 1896, aos 72 anos. A versão pragmática indica que o compositor simplesmente deixou o trabalho com três movimentos, pois bem ou mal viveu mais dois anos após deixar de lado a partitura.

Por que Bruckner teria parado? Percebeu que seria impossível criar um final que sobrepujasse a beleza do adágio? Ele nunca escutou a Nona ser tocada. Nem a Quinta e a Sexta sinfonias. Nem nenhuma das outras, não da maneira exata como as compôs. O interiorano Bruckner e sua música grandiosa eram motivo de chacota na refinada Viena.

Suas sinfonias — e, claro, suas três missas — se prestam admiravelmente bem a serem ouvidas em velhas igrejas. Primeiro, porque a acústica perfeita dos templos as torna ainda mais majestosas. Depois, porque Bruckner era um católico devoto, tendo sido organista do monastério de St. Florian, e destinou toda a sua obra a louvar Deus (e Wagner, ídolo e referência). Terceiro, porque grande parte da música clássica, tanto a sacra quanto a secular, também reflete um anseio por transcendência, um anseio de que em algum lugar, de alguma forma, possamos estar a salvo deste vale de lágrimas.

Pois lá estavam, naquela noite de 24 de junho de 1979, as 3.500 pessoas, Wand e a Orquestra Sinfônica da Rádio de Stuttgart reunidos na

Basílica de Ottobeuren. Os músicos tocaram com sensibilidade e energia, mas a singular reação da plateia jamais seria esquecida. "Foi como se estivéssemos tocando para um salão inteiramente vazio, sem absolutamente ninguém presente", contou Wand a seu biógrafo Wolfgang Seifert. "Não ouvimos o menor ruído vindo da audiência nem nas partes em pianíssimo nem nas pausas gerais daquele trabalho, que está longe de ser imediatamente acessível."

Após 58 minutos, a Nona sinfonia de Bruckner estava terminada. Então, a atitude da plateia foi ainda mais surpreendente. Ela permaneceu em completo silêncio. Os sinos da abadia começaram a tocar, como o estalar de dedos de um hipnotizador gigante, mas as 3.500 pessoas permaneceram quietas, sem aplaudir ou se mover. Ficaram assim — os jornais locais cronometraram — por dez minutos. Um longo tempo. Por fim, foram pouco a pouco se levantando e indo para suas casas, sempre em silêncio. "Aquilo me tocou e me impressionou profundamente", disse Wand a Seifert.

Este é um dos momentos da história da música ao qual eu gostaria de ter estado presente. Há uma gravação em CD pelo selo alemão Profil, mas é claro que ela só pode captar a música, não o ambiente, não a devoção à arte. Ao todo, existem 14 gravações da Nona feitas por Wand, com diferentes orquestras. Tenho cinco. É difícil escolher uma favorita, dentre as ligeiras diferenças de tempo, de ênfase e de condição acústica.

Há quem prefira a realizada em 1993, com a Sinfônica Alemã num programa duplo com outra inacabada, a Oitava de Schubert, registrada numa sala de concertos de Berlim. Há quem advogue em favor da realizada em 1988, com a Orquestra da Rádio do Norte da Alemanha, de Hamburgo, na catedral de Lübeck. Aliás, essa assombrosa gravação acaba de reaparecer em CD duplo — por enquanto só em cópias japonesas — junto com a Oitava de Bruckner, registrada no mesmo templo, um ano antes.

O modo como até o final da sua vida Wand se dedicou a tocar e retocar as execuções das sinfonias de Bruckner, em particular da Nona, lembra uma história de Arturo Toscanini. Em 1952, o maestro tinha 85 anos quando registrou outra Nona, a de Beethoven, no Carnegie Hall, com a Orquestra Sinfônica da NBC e o Coral Robert Shaw, além dos cantores Eillen Farrell, Nan Merriman, Jan Peerce e Norman Scott.

Ao ouvir a gravação, Toscanini declarou: "Estou quase satisfeito. Eu ainda não compreendo essa música." Talvez Wand pudesse dizer o mesmo da Nona de Bruckner. Embora fosse católico como o compositor, desejava fazer suas sinfonias serem ouvidas como "música pura". Porém, ninguém como ele investigou os sombrios aspectos metafísicos das partituras. Wand morreu em 2002, pouco depois de completar 90 anos.

Certa vez, uma roqueira alemã escreveu ao maestro sobre o medo que sentia da música de Bruckner, com a qual não estava familiarizada. Ao ouvi-la pela primeira vez, as emoções suscitadas fizeram com que ela se sentisse caindo num abismo sem fundo. Wand escreveu de volta: "Deixe-se cair. Com Bruckner você sempre cai para cima."

(21/8/2015)

LABAREDA

Yuja Wang, luz de minha vida, labareda em meus ouvidos. Minha alma, minha falência. Yu-ja-wang: a ponta da língua descendo em três saltos — ou ideogramas — pelo céu da boca para se abrir de leve, no terceiro, entre as bochechas. Yu. Ja. Wang.

Eu já tinha ouvido falar dela, aliás, já tinha ouvido falar bem dela, mas nunca a tinha ouvido de fato nem a visto em movimento até três sextas-feiras atrás. A verdade é que estava menos interessado na pianista chinesa — que, aos 29 anos, estourou a idade de ser lolita — do que em quem a acompanharia na primeira metade do programa no Teatro dos Champs-Élysées: a Filarmônica de Viena, regida pelo russo Valery Gergiev.

A orquestra tocaria a sinfonia "Manfred", minha favorita de Tchaikovsky, com a beleza e a precisão que fazem a sua lenda e a sua realidade. Eu já tivera a oportunidade de conferir duas vezes em Viena. Antes da sinfonia, Yuja solaria o concerto nº 9 de Mozart, batizado Jeunehomme, possivelmente em homenagem a uma pianista francesa, Louise Victoire Jenamy, que o compositor conheceu na capital austríaca em 1773.

O concerto é adorável o bastante para inebriar ainda que a pessoa na banqueta não seja uma estrela ascendente do piano, como Yuja, que ganhou o prêmio de "artista jovem do ano" de 2009 na revista *Gramophone* (em que planeta eu estava para não tê-la ouvido?). Apesar dos elogios, não estava certo se iria gostar de Yuja. Grande parte dos pianistas jovens tende a ser perfeita tecnicamente, mas estéril emocionalmente.

Não era esse o caso de Yuja, ficou claro já no segundo movimento do concerto, em tom menor, um *andantino*, algo nem tão rápido que passe alegria nem tão lento que transmita tristeza. Em Mozart, tais movimentos intermediários são melancólicos e serenos, atestando que ele entendeu algo da vida a despeito do pouco tempo na terra. Oito anos mais velha que Mozart quando o compôs, Yuja percebeu e comunicou isso.

Porém, eu me prostrei mesmo aos seus saltos altos foi nos *encores*. A moça é boa neles. Seu quarto CD, *Fantasies*, tinha sido só de *encores*, descobri depois (em que planeta eu estava?!). Ela tocou um dos registrados no disco: a "Melodia" da ópera *Orfeu e Eurídice*, de Gluck, que o nosso Nelson Freire há muito apresenta ao ser chamado pelos aplausos de volta aos palcos. Yuja foi fiel ao estilo clássico do compositor. Nelson o romantiza. Yuja mandou bem, mas prefiro o brasileiro.

Não parou aí. A plateia em Paris demandava mais Yuja, mais Yuja... Quando voltou pela terceira vez, sinuosa no decotado longo de lantejoulas prateadas, ela fez algo extraordinário. Tocou jazz. Especificamente "Tea for two", standard pinçado do musical *No, no, Nanette* (1925), de autoria de Vincent Youmans e Irving Caesar. Mais especificamente, Yuja tocou "Tea for two" à moda do genial Art Tatum, de quem se dizia valer por três pianistas. Uma máquina sensível. Quer dizer, duas.

Não era o bastante para a plateia. A formosa chinesa voltou ao palco uma quarta vez e fez algo ainda mais extraordinário: tocou a "Marcha turca" da sonata nº 11 de Mozart como se fosse Art Tatum. Fiquei estupefato (em que planeta...) Ao lado, um cidadão que balançava a cabeça negativamente durante a execução também aplaudiu bastante quando Yuja se despediu de vez. Tive vontade de levar mil rosas roubadas ao camarim, vontade de arrombar uma loja de CDs no meio da noite, vontade de... Ah, restava a Filarmônica de Viena... E, claro, sua sinfonia "Manfred" foi empolgante.

Amanheci na porta de uma loja de CDs na Rive Gauche. Achei os dois primeiros CDs de Yuja, usados. Além da técnica impecável, ela já mostrava um baita bom gosto na escolha e no sequenciamento das peças. No primeiro, intercalava peças românticas de Chopin, Scriabin e Liszt com estudos do moderno Ligeti. No segundo, usava sonatas barrocas de Scarlatti para separar obras de Stravinsky, Brahms e Ravel ("La valse").

Comprei também o CD do ano passado no qual Yuja interpreta os concertos de Ravel com a orquestra Tonhalle, de Zurique, sob a regência do francês Lionel Bringuier, da mesma idade que a própria pianista. Expressão de espanto em três letras: uau. Sigo no encalço de Yuja, quer dizer, dos outros três CDs na Deutsche Grammophon, além do dueto com o violinista grego Leonidas Kavakos, tocando Brahms, lançado pela Decca.

Yuja nasceu em Pequim, onde estudou dos sete aos dez anos. Logo depois, estabeleceu-se no Canadá e de lá ganhou o mundo. É a "caçula" de Lang Lang e de Yundi Li, compatriotas que nem sempre passam no teste de empatia emocional, talvez por serem apaixonados pela própria destreza. Yuja, não. Seu dom está em conciliar a mesma incrível capacidade de tocar e um profundo entendimento do que está tocando.

E aquele jeito coquete...

(4/3/2016)

SEMPRE DOWLAND

Enquanto Shakespeare escrevia *Hamlet*, um de seus compatriotas fazia algo de perfumado no reino da Dinamarca. Perfume de flores mortas, mas ainda assim perfume. John Dowland era um exímio cantor, compositor e alaudista. Tinha cerca de 37 anos na virada do século XVI para o XVII. Sua data de nascimento jamais foi estabelecida para além de qualquer dúvida razoável. Possivelmente 1563, um ano antes de Shakespeare.

No futuro, o sombrio Dowland seria comparado ao autor de *Hamlet* e gravado por dois dos mais cultos roqueiros, Sting e Elvis Costello. Com o seu contemporâneo, ele compartilhava a capacidade de elaborar com perfeição as emoções humanas. Com os seus conterrâneos, a capacidade de expressá-las de forma aparentemente simples. Dowland foi pop três séculos e meio antes de o conceito de pop ser elaborado.

Em 2006, Sting lançou, em parceria com o alaudista bósnio Edin Karamazov, um álbum de canções e peças instrumentais de Dowland, *Songs from the labyrinth* (Deutsche Grammophon). No mesmo ano, Costello incluiu um disco extra na reedição de *The Juliet letters*, originalmente lançado em 1993. Dele, constava uma versão para uma das canções mais conhecidas de Dowland, "Can she excuse my wrongs". Não são essas homenagens que dão a grandeza do homem, mas elas explicitam o parentesco.

"Além de sua assombrosa beleza, o enormemente influente *Primeiro livro de canções* de Dowland, publicado em 1597, traz os primeiros exemplos extraordinários do tipo de canção solo que — na estrutura e no estilo — prosperou na música ocidental", escreve Howard Goodall em *The story of music* (2013), base de uma série da BBC. "Enquanto uma canção para quatro vozes de Arcadelt (*madrigalista franco-flamenco de meados do século XVI*) ainda soa para nós como música de outra época, quase qualquer compositor de 1600 para cá ficaria orgulhoso de criar "Flow my tears", de Dowland."

Para Goodall, é essa atualidade que o ombreia a Shakespeare. "É uma palavra gasta, mas é o que faz dele um gênio", afirma. Dowland compôs muito para alaúde, um pouco de música sacra, mas é pelas 84 canções que mais gente se apaixona. Quase todas foram publicadas nos quatro livros que apareceram entre 1597 e 1612. Na inexistência de discos, era apenas por escrito que podiam ser registradas para serem reproduzidas. O *Primeiro livro* foi reimpresso ao menos quatro vezes. Tremendo sucesso.

Dowland é moderno, mas sob certo aspecto também é um corpo estranho ao nosso tempo. Ao contrário da euforia compulsória de hoje, no dele era a melancolia que estava na moda. Suas canções falam de amores não correspondidos, pecados, sombras, dores existenciais, mortes reais e figuradas. "Vem, pesado Sono, imagem da verdadeira Morte/ E fecha estes meus exaustos olhos chorosos/ Cuja fonte de lágrimas impede-me de respirar", diz uma de suas letras. Não dá para cravar que Dowland era bipolar. Sua obra também traz alegria e ironia, inclusive autoironia. Seu lema latino era "Semper Dowland semper dolens", ou seja, "Sempre Dowland, sempre doloroso". O homem, não se esqueça, era inglês. Possivelmente de Londres, mas não há certeza nem disso.

Goodall não menciona "Flow my tears" por acaso. Sim, é uma das canções mais belas de Dowland, ao lado de "Come again: sweet love doth now invite" e "In darkness let me dwell" (as três gravadas pelo tenor Sting, mas experimente também o contratenor Steven Rickards, pelo selo Naxos). Contudo, é ela que abre com o famoso motivo de quatro notas que o compositor tomou para si. No que a letra se inicia, "flow my tears...", a melodia desce de lá até mi, evocando lágrimas que se avolumam e escorrem. Exemplo de um gênio para combinar letra e música que faria Dowland ser comparado a Schubert.

O "tema das lágrimas" é ouvido por toda a sua obra, em especial no conjunto de sete variações instrumentais "Lachrimae", publicado em 1604, quatro anos depois de a canção aparecer no *Segundo livro*. O compositor trabalhou em cima de uma pavana, tipo de lenta dança renascentista, para pintar lágrimas de todo tipo, da dor à alegria. No exterior, pelo selo Linn, o excelente quinteto de violas de gamba Phantasm e a alaudista Elizabeth Kenny lançaram em junho um álbum com as "Lachrimae" e as outras 14 músicas publicadas no mesmo volume. A audição do CD deu-me vontade de escrever sobre Dowland. É o gancho jornalístico, digamos, mas Dowland nunca precisa de um.

E o que, afinal, o compositor fazia na Dinamarca entre 1598 e 1603, enquanto Shakespeare escrevia *Hamlet*? O artista tinha de ir aonde o mecenas estava. Dowland trabalhava para Cristiano IV. Sua ambição, porém, era ser nomeado alaudista da corte inglesa. Achava que não alcançava o posto por ser católico, mas conseguiu o que queria em 1612, no reinado de Jaime I. Morreria um ano depois do monarca — isto é certo — em 1626. Desde então as músicas tristes de Dowland vagam pela cultura ocidental.

(30/9/2016)

UM PIANISTA RUSSO

A libido migra. A mesma excitação que, um quarto de século atrás, eu sentia ao descobrir *aquela* banda inglesa, hoje sinto descobrindo *aquele* pianista russo. É um prazer presente, mas não raro tem um quê de nostalgia: muitos pianistas russos tocam em outras esferas já há décadas. Felizmente, eles deixaram evidências terrenas de seu talento, que pode ser constatado tanto em CDs quanto em muitos serviços de *streaming*.

O que é que o pianista russo tem? Técnica impecável, estilo pacas e emoção aos borbotões, num eco das lições do húngaro de língua alemã Franz Liszt. Ou, como escreveu um dos maiores pianistas russos da História, Vladimir Horowitz, no encarte de *Horowitz at home*, um de seus últimos álbuns: "A partitura de um compositor é um mero esqueleto que o intérprete deve dotar de carne e sangue. (...) A audiência não responde a conceitos intelectuais, apenas à comunicação de sentimentos."

Tomando liberdades maiores ou menores, foi o que fizeram ele próprio, Sergei Rachmaninoff, Emil Gilels, Sviatoslav Richter, Tatyana Nikolayeva, Heinrich Neuhaus, Benno Moiseiwitsch ou Shura Cherkassky. É o que ainda fazem Vladimir Ashkenazy, que acaba de completar 80 anos, Grigory Sokolov, Evgeny Kissin, Mikhail Pletnev, Daniil Trifonov, Olga Kern, Konstantin Scherbakov ou Valentina Lisitsa. A quantidade é tamanha que certamente esqueço-me do favorito ou da favorita de alguém. Perdão.

Como pode se depreender da listinha acima, o conceito de "pianista russo" significa algo mais amplo do que "pianista nascido dentro das fronteiras da atual Federação Russa". Horowitz e Lisitsa, por exemplo, nasceram em Kiev, na Ucrânia. Todos, porém, fazem parte do mesmo cadinho cultural. No período soviético, em particular, eles eram potenciais embaixadores do regime, assim como os atletas olímpicos ou os enxadristas. Muitos posteriormente se exilaram nos arquirrivais Estados Unidos.

O meu pianista russo favorito nos últimos meses de fato nasceu na Rússia, em São Petersburgo, e morreu em 1961, aos 60 anos. Chamava-se Vladimir Sofronitsky e só foi autorizado a sair da URSS em duas ocasiões. Para uma série de concertos em Paris, entre 1928 e 1929. E, convocado por Stalin, para tocar durante a Conferência de Potsdam, nos arredores da Berlim ocupada, em 1945, na tentativa de impressionar Truman e o entediado Churchill. Outro grande, Gilels, fez parte dessa "tropa de choque" artística e, diferentemente de Sofronitsky, depois excursionou bastante pelo Ocidente.

Assim como Gilels, Neuhaus e Richter também eram fãs de Sofronitsky. Quando soube da notícia de sua morte, Gilels teria dito: "Morreu o maior pianista do mundo." Neuhaus incentivava seus muitos alunos a jamais perder um recital de Sofronitsky. Durante uma troca de brindes, Richter disse ao colega que ele era Deus. Amabilidades etílicas à parte, um adjetivo que frequentemente aparece associado a Sofronitsky é "espiritual". Um dos motivos têm a ver com o estilo do pianista, reflexivo até nas passagens vigorosas. Outro se relaciona à sua devoção pela obra do compatriota Scriabin, um místico que chegou a se identificar, ele mesmo, com Deus.

Sofronitsky não conheceu ou viu tocar Scriabin, mas acabou se casando com a filha mais velha do compositor, Elena. Ouvindo-se as gravações que deixou das sonatas do sogro falecido — salvo a sétima, chamada "Missa branca", que nunca tocou por superstição — é possível sentir Scriabin ainda mais profundamente, embora Horowitz tenha sido um de seus primeiros advogados. Sofronitsky de certa forma contextualiza Scriabin como um explorador de territórios para além dos antes mapeados por outro eslavo, o polaco Chopin. Do qual, aliás, ele também foi excelente intérprete.

Como quase todos os seus pares russos, Sofronitsky tinha um repertório imenso, mas seu forte era o patrimônio nacional. Rachmaninoff, Prokofiev, Borodin, Medtner, Shostakovich... Costuma-se dizer que nenhum estrangeiro toca música russa como um russo. A percepção de que só a mais apurada técnica permite a plena expressão das emoções une intérpretes que nasceram e estudaram em Moscou ou São Petersburgo. Sofronitsky é um exemplo perfeito. A disciplina lhe dava autonomia para reinterpretar a mesma peça conforme os mais variados estados d'alma, inclusive a depressão.

Ao se ouvir Sofronitsky tocar Scriabin — os andantes da segunda e da terceira sonatas ou a impetuosa nona, chamada "Missa negra", por exemplo — testemunha-se como um intérprete pode explicar um autor sem lançar mão de palavra alguma. Há ainda os estudos e os prelúdios, há um rico universo a percorrer. Sofronitsky me sugere que, no final das contas, Scriabin talvez não estivesse tão louco em se enxergar como um demiurgo. "Eu sou a liberdade, eu sou a vida, eu sou o sonho, eu sou a fadiga, eu sou o incessante desejo que arde...", escreveu o compositor. Sofronitsky foi o seu messias.

(22/9/2017)

UM PIANISTA AMERICANO

Pega a visão. Moscou, abril de 1958. O grande salão do Conservatório de Música está superlotado. A procura é tamanha que a direção passa a aceitar dois ou três espectadores por ingresso. No palco, um pianista americano de 23 anos, gay, louro, 1,93 metro de altura e magreza interpreta dois monumentos do repertório russo, o primeiro concerto de Tchaikovsky e o terceiro de Rachmaninoff. Sua técnica exuberante e sua interpretação hiperromântica arrebatam a plateia e o júri, formado, entre outros, por três monstros do piano russo, Sviatoslav Richter, Emil Gilels e Heinrich Neuhaus.

Problema diplomático: como conceder a um cidadão americano o primeiro lugar do primeiríssimo Concurso Tchaikovsky, destinado a provar a superioridade soviética nas artes, como o Sputnik havia acabado de provar a superioridade soviética no espaço? Questão tão grave é levada a Nikita Khruschov, secretário-geral do PCUS que no mês anterior se tornara também primeiro-ministro da URSS. Ele percebe que, em plena Guerra Fria, respeitar a decisão do júri e dar o prêmio ao americano seria a melhor maneira de mostrar ao mundo a superioridade soviética. Assim é feito. Khruschov e o pianista ganhador — chamado Harvey Lavan "Van" Cliburn Jr. — se tornariam amigos.

Jamais entendi por que Steven Spielberg nunca filmou a história de Van Cliburn. Alguns de seus temas recorrentes, como a superioridade do indivíduo sobre a massa e o reconhecimento da excelência americana pelo mundo, são dados de bandeja neste episódio histórico. Com a aproximação do 60º aniversário da vitória de Van Cliburn, e a corrente lembrança do 100º aniversário da Revolução Russa, dois livros lançados no exterior contam a história do primeiro Concurso Tchaikovsky para piano: *When the world stopped to listen*, de Stuart Isacoff; e *Moscow nights*, de Nigel Cliff.

Depois de ler resenhas comparativas na revista inglesa *Gramophone*, feita por Jeremy Nichols, e na *New York Review of Books*, por Tim Paige, decidi-me pelo livro de Isacoff. Não me arrependi. Excelente. Tal qual no de Paige, o subtítulo fala na Guerra Fria, em que Van Cliburn teve um efeito cálido. Os momentos mais tensos ainda estariam por vir — a construção do Muro de Berlim (1961) e a crise dos mísseis em Cuba (1962) —, mas a vitória do pianista nascido na Louisiana e crescido no Texas passou a impressão de que talvez as duas superpotências nucleares pudessem se entender. Se não em torno de uma mesa de negociações, ao menos em torno de um piano de cauda.

No mundo do instrumento, no qual a transmissão de conhecimento de professor a aluno funciona como uma árvore genealógica, Van Cliburn "descendia" de Liszt, o compositor que estabelecera a ideia do intérprete romântico como astro pop. A mãe e primeira professora de Van Cliburn, Rildia Bee, tinha sido aluna de Arthur Friedheim, que, por sua vez, estudara com Liszt e Anton Rubinstein. A presença deste na "árvore" de Van Cliburn fez com que os russos acreditassem que seu talento se devia ao fato de ser "meio russo". Seja como for, ele tocava com uma paixão que os espectadores locais reconheciam como sua. Há fotos fantásticas. O salão tomado. As moças assistindo às apresentações do americano com os cotovelos no palco coberto de flores.

O livro de Isacoff faz o que já fizeram belos documentários, como o de Martin Scorsese sobre Bob Dylan: há momentos em que Van Cliburn se torna coadjuvante da própria história. Ou melhor, da própria História. O jogo de xadrez entre Estados Unidos e URSS, as tensões inerentes a qualquer concurso, os bons candidatos que ficaram para trás — inclusive, mas não só, os que empataram em segundo lugar, o russo Lev Vlassenko e o chinês Liu Shinkun. Van Cliburn costura as tramas como um personagem de ficção, bom demais para ser de verdade: jovial, educadíssimo, carismático, apaixonado pela vigilante Rildia Bee, inseguro, impontual, hipocondríaco, excêntrico, místico.

Em 2008, cinco anos antes da morte de Van Cliburn, de câncer, o selo inglês Testament afinal lançou no Ocidente um CD com a apresentação na final de 11 de abril de 1958. A Filarmônica de Moscou, regida por Kyrill Kondrashin, se mostra esganiçada e descoordenada, rotina na URSS de então, mas responde com ferocidade ao provocante Van Cliburn, sobretudo no concerto de Tchaikovsky, que o americano definiria como "a maior de todas as batalhas para piano e orquestra". Seu concerto de Rachmaninoff não fica atrás em inspiração. Nem o rondó composto para a ocasião por Kabalesvky — também jurado, assim como o brasileiro Camargo Guarnieri — se mostra banal.

Van Cliburn teve ali o que, caso gostasse de música clássica, Churchill talvez chamasse de *his finest hour*. Quase no mesmo instante começava a longa decadência.

(6/10/2017)

UM PIANISTA POLONÊS

Ivan Lessa costumava dizer que só ouvia cantoras e cantores mortos, brasileiros e americanos. Verissimo tem uma tirada parecida: "Não confio em nenhum músico de jazz que não esteja morto há pelo menos vinte e cinco anos." Sigo o mesmo caminho. Não o da morte, por ser óbvio, mas o de escutar sobretudo pianistas clássicos mortos.

Começou por Horowitz, que eu tolamente tinha em mau conceito, passou por Sofronitsky e Van Cliburn, sobre os quais escrevi no ano passado e... Não, nada contra pianistas vivos... Aliás, preparai-vos, ó mortais: a vivíssima Yuja Wang tocará em outubro no Municipal. O fato é que estacionei nos mortos, e o da vez é Paderewski.

Paderewski é o elo perdido entre Horowitz e Liszt. Os três foram astros pop em suas épocas, capazes de prodígios técnicos e de arrastar multidões, inclusive a cota de mocinhas suspirosas. Antes da beatlemania, houve uma lisztomania, que rendeu um filme (ruim) a Ken Russell, filme estrelado por Roger Daltrey, do The Who, grupo de quem o diretor assinou a versão cinematográfica (média) da ópera-rock *Tommy*.

Resta-nos reconstituir as "manias" musicais remotas a partir de relatos, charges e fotografias. De Horowitz, claro, há grande discografia. De Liszt, há boatos de que teria gravado alguns cilindros. Cronologicamente possível: Edison patenteou o fonógrafo em 1878, e o compositor-pianista húngaro morreu em 1886. Até que uma caixa seja aberta no sótão certo, porém, as gravações de Liszt ficam sendo o Graal da música clássica. Pode-se, apenas, imaginar o seu estilo a partir dos alunos que de fato gravaram.

Ignacy Jan Paderewski não foi aluno de Liszt e sim de Leschetizky, seu "rival" na pedagogia pianística do século XIX. Paderewski nasceu em 1860, de pais poloneses, numa cidade que então ficava no Império Russo e hoje está na Ucrânia. Antes de ser aceito como pupilo por Leschetizky, ele se graduou no conservatório de Varsóvia. Uma série de aventuras e desventuras pessoais levou-o a se tornar um artista requisitado na Europa e, logo em seguida, nos Estados Unidos, onde acabaria por viver. E morrer, em 1941.

Diferentemente do feioso Horowitz e tal qual o bonitão Liszt, Paderewski beneficiou-se da aparência para gerar histeria nas apresentações. Um corte de cabelo extravagante e um bigode viril somavam-se ao carisma — qualidade difícil de definir, mas fácil de entender — para multiplicar os concertos e os valores dos cachês. Ele chegou a excursionar pelos Estados Unidos em seu vagão particular, que transportava ainda cozinheiro, mordomo, médico, massagista e afinador, além de sua esposa e as aias.

O carisma de Paderewski não tocou apenas ouvintes e críticos. Ele também tinha o dom da oratória e, num país que historicamente foi o quintal de vizinhos poderosos, direcionou-a à política. Em 1918, um discurso seu foi a senha para uma revolta militar dos habitantes poloneses de Poznan contra a Alemanha. No ano seguinte, tornou-se premiê de uma Polônia mais uma vez independente. Ficou dez meses no cargo. Até coassinou o Tratado de Versalhes. Nessa época, claro, o piano foi deixado de lado.

Nem todos os ouvintes e críticos se deixaram seduzir por sua musicalidade. Um dos mais céticos foi Harold C. Schonberg, antigo crítico-chefe do *New York Times*, que usa o capítulo dedicado a Paderewski no delicioso livro *The great pianists* basicamente para ridicularizar-lhe o comportamento pessoal e as falhas técnicas. Contudo, o desdém do grande crítico me interessou ainda mais pelo pianista-premiê.

O selo londrino APR coletou quase todas as suas gravações em três álbuns. O primeiro deles, duplo, reúne o resultado da incursão dos técnicos da Gramophone Company à *villa* de Paderewski na Suíça a registros feitos em estúdios de Paris e de Londres, em 1911 e 1912. Ouvi-lo tocar composições próprias, Mendelssohn, Schumann e Chopin, muito Chopin, teletransportou-me a outro universo pianístico.

Paderewski representava a tradição romântica, distinta da atual prática de tomar a partitura como texto sagrado, intocável. Ele e a maior parte de seus contemporâneos tomavam liberdades hoje inacreditáveis com as notas deixadas pelos compositores: pulavam, cortavam, acrescentavam, "embelezavam"... Era um tempo, afinal, em que os intérpretes detinham a primazia sobre os autores. Na verdade, eram cocriadores.

O que mais me fascina no estilo de Paderewski é o uso abundante que ele faz do *rubato*. Do italiano para "roubado", a técnica faz com que as notas como que flutuem, acelerando ou retardando um pouco a melodia. Ela foi comparada por Liszt ao vento que brinca com folhas: elas vão para lá, vem para cá, mas a árvore continua a mesma. Assim, obras de Chopin que eu achava conhecer ressurgem — do passado remoto — como algo inteiramente novo. Além disso, a "Mazurka em lá menor" ou o "Estudo em dó sustenido menor" me põem a pensar no quanto o compositor influenciou até o jazz.

(26/1/2018)

TÃO LONGE, TÃO PERTO

Saiu em janeiro, na França, um grande livrinho. Chama-se *Exil et musique*, o autor é o ensaísta e romancista Étienne Barilier; a editora, a Fayard; tem 224 páginas em formato bolso; e o preço fica entre € 15, a edição impressa, e € 10,99, a eletrônica. Parte-se da questão "existe uma música do exílio?". A resposta é positiva, obviamente.

Autor, dentre outros vinte títulos, de um ensaio sobre Alban Berg e de outro sobre o nome-acorde B-A-C-H, Barilier nos oferece uma investigação bem pesquisada e bem escrita sobre as complexas relações que o trabalho de um compositor pode manter com o desterro e com o país deixado para trás. Aliás, para trás ou para fora. De quem parte para outra terra ou de quem se isola de um lugar que não mais reconhece como seu.

Portanto, o livro analisa também as vítimas de um "exílio interior". Gente como Shostakovich, que nunca deixou a URSS e cultivou laços ambíguos com a hierarquia comunista. Cedendo a suas chantagens e escrevendo cartas em favor de colegas presos. Louvando o regime e comparando-o ao nazismo nas entrelinhas das partituras. Quanto a isso, ler ainda o baita romance *O ruído do tempo*, do inglês Julian Barnes, de 2017.

Barilier relembra o amargurado Karl Hartmann, não judeu que decide se retirar da vida musical da Alemanha nazista. "Muitas de suas composições são, ao mesmo tempo, testemunhos e atos de resistência", observa o autor. Bem ao contrário, por exemplo, de Carl Orff, autor da até hoje popular *Carmina Burana* e puxa-saco de Hitler, autor cujo estilo o russo emigrado Stravinsky definiu como "neoneanderthal".

Naturalmente, um livro que pretenda falar de exílio precisa, de cara, defini-lo. Barilier lembra que a dor do desterro é tão velha quanto a própria Humanidade, como atesta a *Odisseia*, de Homero. No entanto, registra o francês, a ideia de exílio só se estabelece, da forma como a entendemos, no Romantismo europeu, quando a pátria passa a se confundir com a nação. Desse modo, ele trata apenas de passagem de Lully, Haendel ou Scarlatti, que foram abrilhantar outras cortes nos séculos XVII e XVIII.

Chopin surge, então, como o primeiro compositor importante exilado, com seu ódio pelos invasores russos e com sua melancolia, desconhecida nas obras de Lully, Haendel ou Scarlatti em seus "exílios felizes". O húngaro de língua alemã Liszt registrou no colega a presença do sentimento do *żal*, palavra polonesa cujo significado se aproxima da nossa *saudade*, embora seja vivido de forma mais pesada e dolorosa.

O grosso do contingente de Barilier, porém, é fornecido por três momentos do século XX: a Revolução Russa, o Stalinismo (com o qual o primeiro não se confunde inteiramente, não no campo artístico) e o Nazismo (com sua terrível decorrência lógica, o Holocausto). *Exil et musique* acompanha também o fluxo de compositores europeus para os Estados Unidos, em especial para a Califórnia, ainda mais distante do Velho Continente em tantos aspectos. Stravinsky e Schoenberg, que se detestavam, viviam a poucas quadras de distância, em Los Angeles. Barilier ausculta os seus estados de espírito.

Se as concepções musicais os afastavam, aproximava-os, paradoxalmente, a sensação de isolamento dentro da cena musical local. "Vender-se" dando aulas ou compondo música para Hollywood foi a saída, financeira inclusive, para muitos de seus pares. Como Korngold, autor da linda ópera *Die tote Stadt* (1920, pré-exílio) e da trilha sonora de *O capitão Blood*, estrelada por Errol Flynn (1935, logo após o exílio).

Schoenberg merece de Barilier algumas das passagens mais apaixonadas do livro. "Por oposição (*a Orff*), a vida e a obra de Schoenberg, sua devoção àquilo que acreditava ser justo, na música e na existência, ao preço do ostracismo e do exílio, são os mais fortes depoimentos antinazistas. (...) É constatar que a estética e a ética, em Schoenberg, são uma coisa só." Sim, Schoenberg, comparado a Moisés no deserto.

Barilier faz um recorte muito preciso, que magnifica o seu grande livrinho: o da música clássica no século XX. De quando em quando, dá vontade de fechar *Exil et musique* e escutar de novo ou descobrir a obra dos compositores mencionados (fora Orff, claro), os poemas que eles selecionaram ou as melodias que eles reviveram para falar do desterro. Isto é, afinal, o que de melhor um texto sobre música pode fazer.

Sempre será possível, claro, fazer correlações mais abrangentes entre exílio e música. Não compositores, mas gêneros. Sentimentos como o *żal* ou a *saudade* são essenciais ao nosso choro, ao tango argentino, ao blues americano, à rembetika grega e ao fado português — cujo museu em Lisboa conjectura ter nascido no distante Brasil. Porque, como escreveu o francês Vladimir Jankélévitch, filósofo, musicólogo e filho de judeus russos emigrados, a música é o meio de expressão por excelência da nostalgia. "Quer dizer", acrescenta Barilier, "da dor da perda e do vão desejo de retorno."

(20/4/2018)

Direção editorial
Daniele Cajueiro

Editora responsável
Janaína Senna

Produção editorial
Adriana Torres
André Marinho

Revisão
Suelen Lopes

Capa, projeto gráfico e diagramação
Sérgio Campante

Este livro foi impresso em 2019
para a Nova Fronteira.